1 MONTH OF FREE READING

at

www.ForgottenBooks.com

By purchasing this book you are eligible for one month membership to ForgottenBooks.com, giving you unlimited access to our entire collection of over 1,000,000 titles via our web site and mobile apps.

To claim your free month visit: www.forgottenbooks.com/free1029027

ISBN 978-0-331-21346-1
PIBN 11029027

Erklärung

der

Zwölf Glaubensartikel.

Mit vielen Beispielen
aus der hl. Schrift, den Kirchenvätern und
andern Quellen,
sowie Betrachtungen und Nutzanwendungen.

Auszug aus dem großen Unterrichts- und Erbauungsbuche
„Katholischer Hauskatechismus"
von

Dr. Hermann Rolfus.

Mit 12 ganzseitigen Einschaltbildern.

Prämie zum 66. Jahrgang des „Wahrheitsfreund".

New-York, Cincinnati und Chicago
Verlag von
Benziger Brothers
Typographen des heil. Apostolischen Stuhles.
1902.

Imprimatur.

Chur, den 25. März 1902.

✝ **Johannes Fidelis,**
Bischof von Chur.

Vorrede.

Der Mensch besitzt mannigfache Gaben des Geistes und der Natur. Das kostbarste Gut aber, das von der Vorsehung ihm gegeben worden, ist der katholische Glaube. Denn der Glaube giebt dem Menschen alles Gute, das er wünscht und sucht; er giebt Licht seinem Geiste, Freude seinem Gemüte, Gnade seiner Seele. Aus dem Glauben schöpft er in allen Verhältnissen seines Lebens Weisheit, Macht und Frieden. Der Glaube giebt ihm Kraft im Kampfe, Mut im Leiden und Trost im Sterben. Kein Reichtum der Welt läßt sich mit den Segnungen der katholischen Religion vergleichen; sie erleuchtet die Irrenden, stärkt die Schwachen, erquickt die Kranken, versöhnt die Büßer, heiligt die Frommen und läßt alle dermaleinst teilnehmen mit den heiligen Engeln an dem ewigen Erbe Gottes. „O Glaube," ruft der hl. Ambrosius aus, „du bist reicher als alle Schätze, stärker als alle Körperkräfte, heilbringender als alle Aerzte!" Wohl in Erwägung all dieser unschätzbaren Wohlthaten, welche der christliche Glaube dem Menschen bietet, schreibt in frommer Begeisterung der hl. Apostel Paulus: „Saget Dank, Gott dem Vater, der uns mächtig gemacht hat, teil zu nehmen am Erbe der Heiligen im Lichte; welcher uns errettet hat aus der Gewalt der Finsternis und uns versetzt hat in das Reich des Sohnes seiner Liebe." (Koloss. 1, 12.)

Wenn aber der katholische Glaube ein so großes Gut ist, so muß jeder Mensch ernstlich sich Mühe geben, denselben zu gewinnen, und wenn er ihn schon besitzt, ihn zu erhalten. Der Glaube kommt gemeiniglich durch das Anhören, d. h. durch den Unterricht. Denn wie sollte jemand dem Glauben Herz und Gemüt zuwenden können, wenn er über denselben nicht hinreichend belehrt worden ist? Darum schreibt der Apostel Paulus: „Wie sollen sie nun den Gott anrufen, an welchen sie nicht glaubten? Oder wie sollen sie glauben, von dem sie nichts gehört haben? Wie sollen sie aber hören ohne Prediger?" Durch die Prediger, d. h. durch die Priester der Kirche, wird dem Auftrag des Herrn gemäß, das Evangelium zu allen Zeiten und an allen Orten verkündigt. Doch wie viele der gehörten und aufgenommenen Wahrheiten entschwinden im Laufe der Zeit und im Strudel der Berufsarbeiten wieder dem flüchtigen Geiste! Darum ist es für den einzelnen Christen eine absolute Notwendigkeit, von Zeit zu Zeit die wichtigsten Glaubenswahrheiten sich ins Gedächtnis zurückzurufen und neuerdings in dieselben sich zu vertiefen. Je tiefer er in dieselben eindringt, desto stärker ist die Ueberzeugung, welche sie im Herzen hervorbringt. Und je stärker die Ueberzeugung ist, desto mächtiger wird die Willenskraft, und je größer die Kraft des Willens, desto intensiver ist die Liebe des Herzens. Die Liebe aber macht den vollkommenen Katholiken, denn die Liebe ist des Gesetzes Erfüllung.

Die großartigsten Wahrheiten der katholischen Reli=

gion sind: die Geheimnisse des Lebens, Leidens
und Sterbens unseres Herrn Jesu Christi. Hier
dehnt sich vor den Blicken eines jeden ein unabsehbares
Feld aus, welches im schönsten Blumenschmucke prangt.
Und diese Blumen sind Lehren und Beispiele, die nicht
nur den Geist wundersam erleuchten, sondern auch das
Herz zur größten Andacht stimmen.

Die bedeutendsten Geheimnisse des Lebens und Lei=
dens unseres Herrn aber sind dargestellt in den zwölf
Artikeln des katholischen Glaubensbekennt=
nisses. Wie die zwölf Apostel gleichsam die zwölf Säulen
der Kirche bilden, so sind die zwölf Glaubensartikel gleich=
sam zwölf Leuchter in diesem geistigen Tempel. Diese Leuchter
werden ewig brennen und ihr Schimmer wird sich ver=
breiten über den ganzen Erdkreis.

Das apostolische Glaubensbekenntnis ist von
jeher in der katholischen Kirche hoch in Ehren gehalten
worden. Schon Tertullian, der älteste unter den lateinischen
Kirchenvätern, schreibt in dieser Beziehung: „Wir halten
uns an jene Glaubensregel, welche die Kirche von den
Aposteln, die Apostelschar von Christus und Christus von
Gott selber erhalten hat."

Wir legen nun diese zwölf Glaubensartikel,
in gedrängter Kürze erklärt, den Gläubigen vor und glau=
ben damit, jedem Katholiken ein ebenso wichtiges als nütz=
liches Buch in die Hand gelegt zu haben. In diesem
Buche wird jeder die Grundsteine zu seinem eigenen Gna=
den= und Tugendleben finden. Denn wie die großen Ka=
tholiken der Vergangenheit ihre Kräfte und Gaben zum
Schmucke und zur Ehre der Kirche eingesetzt und ihr geweiht

haben, so sind auch wir schuldig, nach dem Maße unserer Anlagen und Fähigkeiten, unsere Pflichten gegen sie zu erfüllen. Jemehr der Katholik den Glauben kennt, desto mehr wird er ihn schätzen, und desto höher er ihn schätzt, desto eifriger wird er ihn zu verbreiten suchen.

So möge denn dieses Buch jedem erwachsenen Gläubigen zu einem Vade mecum werden und überall Gutes stiften. Wir schließen mit den Worten des hl. Augustin: „Schreibet euch das apostolische Glaubensbekenntnis in euere Herzen und sprechet es täglich bei euch selbst."

Vom Glauben im allgemeinen.

Von der Wesenheit des Glaubens.

Vor allem muß der katholische Christ sorgfältig unterrichtet sein über das Erste und Notwendigste, was er besitzen muß, nämlich über den Glauben.

Der Glaube eines katholischen Christen ist aber ein übernatürliches Licht, eine unverdiente Gabe Gottes, eine von Gott verliehene Tugend, wodurch wir alles für wahr halten, was Gott geoffenbart hat und uns durch seine Kirche zu glauben vorstellt, es mag dasselbe in der heiligen Schrift geschrieben stehen oder nicht.

1) Der Glaube ist vor allem ein Licht, das heißt eine Erleuchtung. Der Mensch kann manche Religionswahrheit erkennen auf dem natürlichen Wege des Verstandes und der Vernunft. So z. B. kann er, wenn er die Werke Gottes betrachtet, erkennen, daß es einen Schöpfer giebt, denn nichts entsteht von ungefähr. Auch kann er darauf kommen, daß es nur Ein Gott ist, weil nur Einer der Höchste sein kann. Aber daß es einen Gott giebt

in drei wesensgleichen Personen, das kann der Mensch
mit all seinen Sinnen und Denken nicht heraus=
bringen. Ohne das übernatürliche Licht des Glau=
bens könnten wir den größten Teil dessen, wodurch
das ewige Heil erlangt wird, weshalb der Mensch
vorzüglich gemacht und nach dem Ebenbilde und nach
der Aehnlichkeit Gottes erschaffen ist, niemals er=
kennen oder einsehen. („Röm. Katechism.") Was wir
nun durch das natürliche Licht zu erkennen nicht
vermögen, das erfassen wir durch den Glauben.
Darum schreibt der hl. Paulus:

„Durch den Glauben erkennen wir, daß
die Welt durch das Wort Gottes geschaffen
worden, damit aus Unsichtbarem Sicht=
bares würde." (Hebr. 11, 3.)

2) Der Glaube ist aber auch eine Gabe Gottes,
ein unverdientes Geschenk. Wir müssen denselben
von Gott empfangen, Gott muß unsern Verstand
nicht bloß erleuchten, Er muß auch unsere Herzen
vorbereiten. Das alles thut an uns der allbarmherzige
Gott, der nicht den Tod des Sünders will, sondern
daß er sich bekehre und lebe. Darum heißt es:

„Ihr seid aus Gnade erlöst worden durch
den Glauben, und das nicht aus euch, denn
es ist Gottes Gabe." (Eph. 2, 8.)

Wie also der Mensch sein leibliches Leben dem
barmherzigen Gotte, dem Schöpfer aller Dinge,
der ihn aus dem Nichts in das Dasein gerufen,
zu verdanken hat, so hat er Gott auch das geistige
Leben der Seele zu verdanken, denn der Glaube

ist das geistige Leben, wie geschrieben steht: „Mein Gerechter lebt aus dem Glauben." (Hebr. 10, 38.) Und dieser Glaube macht den Menschen tauglich und fähig, die übernatürlichen Wahrheiten unserer heiligen Religion einzusehen und zu begreifen, was der menschliche Verstand allein nicht begreifen kann.

„Durch den Glauben erkennen wir."

(Hebr. 11, 3.)

Diese Tugend des Glaubens empfangen wir mit der heiligen Taufe. Darum nennen wir dieselbe eine eingegossene Tugend, und diesen Glauben den eingegossenen Glauben zum Unterschied vom wirklichen Glauben, den wir erwerben, wenn wir den Gebrauch der Vernunft erreicht haben.

Es ist aber der Glaube nicht ein bloßes Meinen, sondern eine feste Ueberzeugung, indem wir: „allen Verstand gefangen nehmen zum Gehorsam gegen Christus." (I. Kor. 10, 5.) Dieser Glaube läßt nicht zu, daß die Seele von bangen Zweifeln gequält wird, es wird die Seele vielmehr ihres Glaubens froh, und sie frohlockt wie Maria in Gott, ihrem Heiland. (Luk. 1, 47.)

So ist denn der Glaube eine unaussprechliche Gnade Gottes. Ohne ihn würden wir sitzen in der Finsternis und im Schatten des Todes.

(Luk. 1, 79.)

3) Wenn wir uns aber mit dem Inhalte des Glaubens bekannt machen wollen, so finden wir leider in der Welt eine große Anzahl von Kirchengemeinschaften, welche alle vorgeben, daß sie den

wahren Glauben hätten, obwohl diese Kirchenge=
meinschaften sich in den wichtigsten Lehren geradezu
widersprechen. Und doch steht ausdrücklich ge=
schrieben:

"Ein Herr, Ein Glaube, Eine Taufe,
Ein Gott und Vater aller, der da ist über
alle und in uns allen." (Eph. 4, 5. 6.)

Wie es nur Einen Gott giebt, der sich geoffen=
bart hat, und wie alle andern angeblichen Götter,
welche die Heiden anbeten, nur falsche Götzen sind,
so giebt es auch nur einen Glauben, denn Gott
kann nicht irren, Er kann nicht täuschen, Er kann
sich nicht widersprechen, Er kann nicht bald so,
bald anders sagen. Bei Gott ist nicht Ja und
Nein, sondern bei Gott ist nur Ja und Amen!
Und alles andere, was der Offenbarung Gottes
widerspricht, ist Menschenfund und Unwahrheit und
kann nicht zur Seligkeit führen, ja es kann von
Gott nur abführen.

Damit nun jeder, der guten Willen hat, zum
Glauben gelange und sein Heil wirken könne, hat
Christus, der Herr, eine Kirche gestiftet und die
Lehre des Heils ihr anvertraut und deren Priester
beauftragt, alle Völker zu lehren und sie zu unter=
richten und die Gläubigen anzuhalten, das zu thun,
was Er befohlen hat. (Matth. 28, 20.) An diese
Kirche hat der Heiland alle gewiesen: sie sollen
wir hören. Wie es nur Einen Vater im Himmel,
Einen Heiland und Erlöser, Einen Glauben und
Eine Taufe giebt, so giebt es auch nur Eine

Kirche, und die Kirche, auf die wir angewiesen sind, sie zu hören, kann nur jene Kirche sein, die von Christus selbst gestiftet ist, deren Diener schon die Apostel waren, zu der die ersten Christen sich bekannten.

Nun giebt es aber nur Eine Kirche, welche seit der Zeit, da der Heiland in den Himmel auffuhr, existiert, und dies ist die katholische Kirche und zwar die römisch-katholische. Sie, die römisch-katholische Kirche ist die von Christus gestiftete, von den Aposteln ausgebreitete, mit so vielen Wunden bestätigte, durch das Blut vieler Tausenden von Martyrern verherrlichte, eine heilige, katholische und apostolische Kirche.

Von der Notwendigkeit und dem Gegenstande des Glaubens.

Der Mensch ist nicht nur von Gott erschaffen, sondern auch für Gott. Er soll Gott erkennen, dessen Ehre verkünden, dessen Willen erfüllen und dereinst in die Schar der Auserwählten im Himmel eintreten, um auch im Himmel, im Genuß der höchsten Seligkeit, Gott die Ehre zu geben.

„Jeden, der meinen Namen anruft, habe Ich erschaffen zu meiner Ehre, spricht der Herr." (Is. 43, 7.)

1) Gott und Gottes Willen vermögen wir aber nur aus Gottes Offenbarung zu erkennen. Wenn nun Gott sich offenbart, so müssen wir glauben. Die Vatikanische Kirchenversammlung

von 1870 sagt hierüber also: „Weil der Mensch von Gott als seinem Schöpfer und Herrn gänzlich abhängt und die erschaffene Vernunft der unerschaffenen Wahrheit vollständig unterworfen ist, so sind wir auch, wenn Gott uns etwas offenbart, gehalten, Ihm durch den Glauben den vollen Gehorsam des Verstandes und des Willens zu leisten."

(Sitz. 3, Kap. 3.)

Der Unglaube ist demnach eine schwere Beleidigung Gottes und eine Auflehnung gegen Ihn. So werden wir begreifen, was die Schrift sagt:

„Ohne den Glauben ist es unmöglich, Gott zu gefallen (und selig zu werden); denn wer zu Gott kommen will, muß glauben, daß Er sei, und daß Er die, welche Ihn suchen, belohne." (Hebr. 11, 6.)

Und was von der Offenbarung Gottes gilt, das gilt auch von Christo und dessen Lehre. „Wer nicht glaubt, der ist schon gerichtet, weil er an den Namen des eingebornen Sohnes nicht glaubt." (Joh. 3, 18.)

2) Der katholische Christ muß alles glauben, was Gott geoffenbart hat und durch die Kirche zu glauben vorstellt. Würde er nun einen einzigen Artikel leugnen, so hätte sein Glaube keinen Wert; denn Gott hat das eine wie das andere geoffenbart. Würde z. B. ein Christ sagen: „Ja, ich glaube alles, was Gott geoffenbart hat, aber daß es eine Hölle giebt, in der die Sünder ewig gestraft werden, das glaube ich denn

doch nicht, das ist mir doch zu bunt und macht mir dies keiner weis," wäre das nicht eine Beleidigung Gottes? Hat der wohl Glauben, der meint, Gott, der doch die ewige und unfehlbare Wahrheit ist, könne in betreff der Hölle ihn täuschen, um ihn in Angst und Furcht zu versetzen? Hat nicht der Nämliche mit der Hölle gedroht, der den Guten den Himmel versprochen? Warum an den Himmel glauben, aber nicht an die Hölle? Kann der sagen, er glaube an Gott, der Gottes Wort nicht glaubt? Der Apostel Jakobus sagt:

"Wer das ganze Gesetz hält, aber nur Ein Gebot übertritt, der verschuldet sich an allen. Denn der gesagt hat: Du sollst die Ehe nicht brechen, hat auch gesagt: Du sollst nicht töten. Wenn du nun die Ehe nicht brichst, aber tötest, so bist du ein Uebertreter des Gesetzes." (Jak. 2, 10. 11.)

Ebenso ist der ein Ungläubiger, der auch nur einen Glaubensartikel leugnet, wenn er auch alle übrigen festhält.

3) Es kann aber vorkommen und kommt häufig vor, daß ein katholischer Christ nicht alles weiß, was Gott geoffenbart hat und die Kirche zu glauben vorstellt, entweder weil er nicht in allem unterrichtet wurde, oder weil sein Fassungsvermögen zu beschränkt war, um alles behalten zu können. Hier genügt der gute Wille, der sich der Kirche unterwerfen würde. So können die Missionäre nicht die ganze Glaubenslehre auf einmal den armen Wilden

beibringen; sie müssen sich begnügen, dieselben in den einfachsten Glaubenssätzen zu unterweisen. Sie handeln da nach dem Beispiele des hl. Paulus, der den Korinthern als Unmündigen in Christo zuerst Milch zu trinken, nicht Speise zu essen gab."

(I. Kor. 3, 2.)

4) Unbedingt ist notwendig zu wissen und zu glauben, daß es einen Gott giebt, der das Gute ewig belohnt und das Böse ewig bestraft. Ferner ist es Pflicht zu kennen und zu glauben das Geheimnis der allerheiligsten Dreifaltigkeit und der Menschwerdung und des Todes Jesu Christi, das Vater unser, das apostolische Glaubensbekenntnis, die zehn Gebote, sowie die sieben Sakramente. Und es machen sich die Eltern einer schweren Sünde schuldig, wenn sie ihre Kinder nicht einmal in diesen Stücken unterrichten lassen.

Von den Eigenschaften des Glaubens.

Der rechte Glaube muß allgemein, fest, lebendig und standhaft sein.

1) Der Glaube muß allgemein sein. Der Christ muß alles glauben, was Gott geoffenbaret hat und die katholische Kirche zu glauben vorstellt. Der Apostel Paulus erteilt den Gläubigen in Korinth die Weisung: „Ihr werdet durch das Evangelium selig werden, wenn ihr nach dem Inhalte, wie ich es euch gepredigt habe, es beibehaltet." (I. Kor. 15, 2.) Wer nun die einte Glaubenswahrheit annimmt, die andern aber verwirft,

der setzt Mißtrauen in die Weisheit und Wahr=
haftigkeit Gottes, erhebt seine eigene Vernunft über
die Weisheit des Allerhöchsten. Im Glaubensge=
bäude hängt alles zusammen in schönster Harmonie;
darum darf auch nicht Eine Lehre darin geändert
oder aufgegeben werden. Ein einziger Mißton in
der Musik stört die ganze Harmonie. Ebenso zerstört
der Unglaube in einem einzigen Punkte die gei=
stige Verbindung der menschlichen Seele mit Gott.
„Jeder, der abweicht und nicht in der (ganzen)
Lehre Christi bleibt, hat Gott nicht." (II. Joh. 1, 9.)

2) Der Glaube muß aber auch fest sein.
Das was der Mensch sieht, das was er von an=
dern gehört hat, kann falsch sein; denn die Sinne
können ihn täuschen. Nicht so ist es mit dem
Glauben. Das was der Christ glaubt, muß
wahr sein, weil sich der Glaube auf Gottes Zeugnis
stützt. Gottes Wort aber kann unmöglich betrügen.
Das ist also der Glaube desjenigen, der nicht im
geringsten irgend einen Zweifel in sich aufkommen
läßt oder nährt. Der heilige Augustin schreibt:
„Ich würde eher zweifeln, daß ich lebe, als daß
das die Wahrheit nicht sei, was ich als Wort
Gottes vernommen habe."

3) Der Glaube muß lebendig sein. Der
Glaube muß im Christenherzen fruchtbar werden,
d. h. zur Tugend hinleiten, und in einem tugendhaften
Leben sich offenbaren. Der Glaube ist eine Leuchte,
welche dem Menschen den Weg zu seiner Bestim=
mung zeigt. Es würde ihn aber wenig nützen, den

Weg bloß kennen zu lernen, wenn er nicht ent=
schlossen wäre, ihn auch zu wandeln, d. h. die Vor=
schriften des Glaubens zu erfüllen. Der Glaube
ist eine ins Herz gesenkte Wurzel, aus welcher der
Baum der Gottesfurcht und Gerechtigkeit empor=
sprossen soll. Darum schreibt der heilige Jakobus:
„Was nützt es, meine Brüder, wenn jemand sagt,
er habe den Glauben, aber die Werke nicht hat?
Der Glaube ist, wenn er keine Werke hat, in sich
selbst tot." (Jak. 2, 14. 17.)

4) Der Glaube muß endlich standhaft
sein. Wer den katholischen Glauben als den einzig
wahren erkannt hat, der wird ihn schätzen, lieben,
verteidigen — und unerschütterlich in demselben
verharren. Ein echter Christ verzichtet auf das
kostbare Gut des Glaubens nie und nimmer, um
keinen Preis. Der Glaube bekundet seine Echtheit
und Unverfälschtheit besonders dann, wenn das
Bekenntnis des Glaubens mit Gefahr verbunden
ist; wenn dem christlichen Bekenner Ketten und
Bande, Verlust seines Amtes und Brotes drohen.
Dann zeigt es sich, ob der Glaube im Herzen
haftet, ob er dem Träger so teuer ist, wie das
Leben selbst. Einen solch standhaften Glauben hatten
die christlichen Märtyrer, welche unter Schlägen
und in Banden, auf der Folter und auf dem
Rade, in der Arena und auf dem Richtplatze Chri=
stum bekannten. „Wer vor den Menschen Mich be=
kennt, den werde Ich auch vor meinem Vater be=
kennen, der im Himmel ist." (Matth. 10, 32.)

Von den Quellen des Glaubens.

Der katholische Christ schöpft seinen Glauben aus dem Worte Gottes, dem ungeschriebenen sowohl, als dem geschriebenen.

1) Die geschriebene Offenbarung Gottes ist niedergelegt in der heiligen Schrift, welche mit Recht „Bibel", das heißt, „das Buch" genannt wird. Die heilige Schrift ist für den Christen das wichtigste unter allen Büchern. Sie ist das „Buch der Bücher". Sagten die ersten Christen: „Es steht im Buche", so mußte jedermann, daß die heilige Schrift damit gemeint sei. Die Bibel ist die vorzüglichste Glaubensquelle. Sie enthält die Offenbarungen Gottes und zwar sowohl Offenbarungen, welche die Menschen durch die Patriarchen und Propheten empfingen, als Offenbarungen, welche die Apostel von Christus empfingen.

2) Durch den Tod des Heilandes sind die Schriften des alten und des neuen Bundes zugleich ein Testament geworden. Sie enthalten das, was uns Gott versprochen hat, und was wir kraft des Erlösungstodes Jesu Christi auch empfangen. Der Apostel schreibt: „Wo ein Testament ist, da muß der Tod dessen, der das Testament macht, dazwischenkommen. Denn ein Testament wird durch den Tod geltend, sonst hat es keine Kraft, wenn der noch lebt, der es gemacht hat." (Hebr. 9, 16. 17.)

Die Schriften des alten und des neuen Bundes sind aber heilige Schriften; denn sie enthalten nicht nur Worte Gottes, sondern sie sind Gottes Wort. Die Verfasser erfreuten sich nicht nur eines übernatürlichen Beistandes, einer göttlichen Er= leuchtung, sondern auch der göttlichen Eingebung. Der heilige Geist veranlaßte die Verfasser zum Schreiben, gab das ihnen Unbekannte ein, leitete die Auswahl des Bekannten und schützte die ganze Darstellung vor Irrtum. Darum sagen wir: Es sind Schriften, welche unter Eingebung des heiligen Geistes geschrieben sind.

Diese Schriften nennt man Kanon, d. h. Richtschnur oder Glaubensregel, und die Schriften kanonische, im Gegensatze zu andern Schriften, welche zwar auch Ansehen genossen, aber nicht als göttlich eingegebene sich erwiesen haben. So ist die heilige Schrift also auch als eine Samm= lung von Büchern göttlichen Ursprungs von der Kirche, das heißt von den Vorstehern der Kirche anerkannt worden, und was das Konzil von Karthago erklärte, ist später von den allge= meinen Kirchenversammlungen von Florenz (1438) und von Trient (1545—1563) bestätigt worden.

Die Schriften des alten Bundes.

Das alte Testament enthält 21 Geschichts= bücher, nämlich die fünf Bücher Mosis, das Buch Josue, das Buch der Richter, das Buch Ruth, die vier Bücher der Könige, die zwei Bücher der Paralipomenon, das erste und zweite Buch Esdras, das Buch Tobias, das Buch Judith, das Buch Esther und die zwei Bücher der Machabäer.

Ferner enthält das alte Testament 7 Lehrbücher: Das Buch Job, die Psalmen, die Sprüche, der Prediger oder Ekklesiastes, das hohe Lied, das Buch der Weisheit, Sirach oder Ekklesiastikus.

Dazu kommen 17 prophetische Bücher: Isaias, Jeremias, Baruch, Ezechiel, Daniel, Osee, Joel, Amos, Abdias, Jonas, Michäas, Nahum, Habakuk, Sophonias, Aggäus, Zacharias und Malachias.

So haben wir denn 45 alttestamentliche Schriften.

Die Glaubwürdigkeit der Schriften des alten Bundes.

Nun könnte jemand einwerfen: Ist aber das, was wir in den Schriften des alten Bundes lesen, auch glaubwürdig? Und sind diese Bücher nicht vielleicht später verfälscht worden?

Für die Echtheit und Glaubwürdigkeit der alttestamentlichen Schriften sprechen so viele Gründe, daß alles in der Welt eher bestritten werden könnte als diese.

Das, was Moses über die Schöpfungsgeschichte berichtet, wird von der Wissenschaft bestätigt. Die Erzählung ist so genau und bestimmt, daß kein Mensch in der Welt ohne übernatürliche Erleuchtung so etwas schreiben konnte.

Von Moses an waren die Verfasser der heiligen Schriften Augenzeugen. Sie kannten nicht nur die Hauptbegebenheiten, sondern auch die ein-

zelnen Nebenumstände. Sie folgten dem Laufe der
Begebenheiten Schritt für Schritt. Sie kennen
Jahre, Monate und Tage der Begebenheiten. Sie
wissen nicht nur die Namen der Handelnden an=
zugeben, sondern sie kennen auch den Namen des
Vaters, des Geschlechtes, des Stammes. Was ins=
besondere Moses betrifft, so kennt er alle Gesetze
und auch die Veranlassung, bei welcher das Gesetz
gegeben wurde. Er kann den Eindruck beschreiben,
den die Ereignisse auf die Israeliten machten; er
weiß die Reden der sprechenden Personen.

Sämtliche Schriften des alten Bundes bilden
ein eng sich aneinander anschließendes Ganzes. Sie
enthalten die Geschichte eines Volkes, und dieses
Volk kennt die heiligen Schriften und weiß, was
darin von ihm und von seinen Vätern und Ur=
vätern berichtet wird. Die Propheten berufen sich
auf die Bücher Mosis und erkennen dieselben an.
Wo in den Lehrbüchern die Geschichte des israe=
litischen Volkes erwähnt wird, da wird sie genau
erzählt wie in den Geschichtsbüchern. Alle Schriften
stimmen mit einander überein. Was erzählt wird,
ist kein Lob für die Juden und Israeliten. Ihre
Halsstarrigkeit, ihre Grausamkeit, ihre Schandthaten,
ihre Abgötterei wird ihnen ins Angesicht vorge=
worfen. Nichts wird gedeckt, nichts beschönigt,
weder an Abraham, noch an David, noch an Sa=
lomon, noch an einer andern Person. Und das
Volk haßt die Propheten, die als Sittenrichter auf=
treten, und sie werden verfolgt, aber niemand wagt

es zu sagen, ihre Berichte, ihre Vorwürfe seien unwahr. Und die Priester und Schriftgelehrten, deren Uebertretungen des Gesetzes und deren Laster oft hart getadelt werden, nehmen diese Schriften als von Gott eingegebene an. Wie wäre es möglich gewesen, die ganze jüdische Geschichte zu verfälschen und den Juden eine so wunderbare Geschichte vorzulügen und glauben zu machen, wenn sie nicht Augenzeugen gewesen wären von den Großthaten des Herrn?

Die Schriften des neuen Bundes.

Das neue Testament enthält folgende Schriften, welche alle in griechischer Sprache geschrieben sind, nämlich:

1) Vier Evangelien von dem heiligen Matthäus, dem heiligen Markus, dem heiligen Lukas, und dem heiligen Johannes, sowie die Apostelgeschichte von dem heiligen Lukas.

2) Vierzehn Briefe des heiligen Apostels Paulus, nämlich je einen an die Römer, an die Galater, an die Epheser, an die Philipper, an die Kolosser, an Titus, an Philemon, an die Hebräer, zwei an die Korinther, zwei an die Thessalonicher, und zwei an den Timotheus.

3) Sieben Briefe, welche die katholischen genannt werden, nämlich einen Brief vom heiligen Jakobus dem Jüngern, zwei Briefe des heiligen Petrus, drei Briefe des heiligen Johannes, einen des heiligen Judas Thaddäus.

4) Die geheime Offenbarung des heiligen Johannes.

Die Unverfälschtheit der Schriften des neuen Bundes.

Sind aber die Schriften des neuen Bundes auch unverfälscht auf uns gekommen?

Gewiß! Wer hätte sie wohl verfälschen können?

Die Evangelisten haben die Evangelien nicht bloß geschrieben, sondern auch herausgegeben. Was sie erzählen, war schon bekannt bei den Christen, ehe sie die Evangelien in die Hände bekamen. Sie beteten das „Vater unser", sie tauften im Namen des Vaters und des Sohnes und des heiligen Geistes, ehe sie im Evangelium von dem Auftrage, den der Herr seinen Jüngern gegeben, lasen. Wie ist z. B. das Evangelium des heiligen Markus entstanden? Clemens von Alexandrien, der gegen das Ende des zweiten Jahrhunderts lebte und die apostolischen Nachrichten sorgfältig sammelte, erzählt: „Als Petrus in Rom das Wort Gottes öffentlich predigte und auf Eingebung des heiligen Geistes das Evangelium Christi erklärte, haben viele aus den Zuhörern den Markus, der seit geraumer Zeit ein Gefährte und Jünger Petri war und die Worte desselben sich vortrefflich gemerkt hatte, dringend gebeten, er möchte alle Predigten desselben sammeln und in ein besonderes Buch zusammentragen. Dieser sammelte die im Evangelium aufbewahrten Nachrichten und übergab

dieselben denen, die ihn darum gebeten hatten.
Als Petrus dies erfuhr, hat er nicht nur das
Evangelium gutgeheißen, sondern auch alle ermahnt,
es fleißig zu lesen."

Der heilige Evangelist Johannes schrieb sein
Evangelium zuletzt, als er schon bejahrt war. Er
kannte die drei bereits vorhandenen Evangelien und
berichtet daher sehr viele wichtige Begebenheiten
nicht, weil sie in den andern drei Evangelien bereits berichtet waren. Und da er am häufigsten
um den Herrn war, so lag ihm besonders daran,
die Reden des Herrn mitzuteilen, um daraus zu
beweisen, daß Jesus der Sohn Gottes war. Wäre
nun in den drei früher geschriebenen Evangelien
etwas Unwahres enthalten gewesen, so hätte Johannes sicherlich dies berichtigt. Er hat aber
nichts berichtigt und dadurch die Wahrheit des
Inhaltes der drei zuerst geschriebenen Evangelien
bestätigt.

So ist denn über jeden Zweifel erhaben, daß
wir in der heiligen Schrift Gottes Wort besitzen
und zwar rein und unverfälscht, wenn wir es aus
der Hand der Kirche empfangen. An der heiligen
Schrift gehen die Worte Isaiä in Erfüllung:
„Das Wort unseres Herrn bleibt ewiglich."
(Is 40, 8.)

Die Kirche allein darf die hl. Schrift auslegen.

Ist aber auch die heilige Schrift so deutlich,
daß man alles ohne weitere Auslegung verstehen kann?

Durchaus nicht. Die heilige Schrift ist zwar
Gottes Wort, aber dieses Wort Gottes ist uns von
Menschen dargeboten, welche zu den verschiedensten
Zeiten und in den verschiedensten Verhältnissen
lebten, die verschiedenartigste Bildung besaßen und
die verschiedensten Absichten bei Abfassung ihrer
Schriften hatten. Je nachdem die Verfasser etwas
besonders hervorzuheben für notwendig hielten,
legten sie einen besondern Nachdruck darauf. Ein
Beispiel wird dies deutlich machen.

1) Wir haben oben gehört, daß es Juden gab,
die sich zu Christo bekehrten, aber meinten, der
Heide, der sich taufen lassen wolle, müsse zuerst
den Vorschriften des mosaischen Gesetzes sich unterwerfen und sich beschneiden lassen, damit er so ein
Sohn Abrahams werde. Diesen Judenchristen tritt
Paulus gegenüber und lehrt: „Gott rechtfertigt
durch den Glauben die Heiden." (Gal. 3, 8.) Und
als Paulus in Philippi gefangen war und der
Gefangenwärter, erschrocken über das Wunderbare,
was geschah, dem Apostel zitternd zu Füßen fiel
und fragte: „Was muß ich thun, um selig zu
werden?" da sprach Paulus: „Glaube an den
Herrn Jesus, so wirst du selig werden, du und
dein Haus." (Apg. 16, 31.)

Aus diesen und ähnlichen Stellen wollen nun
manche beweisen, daß der Glaube allein selig
mache. So lehrt z. B. Luther ausdrücklich, daß
der Christenmensch seine Seligkeit nicht verlieren
könne, so groß auch seine Sünden sein mö-

gen, wenn er nur glauben wolle. Derlei Irrtümer waren schon zur Zeit der Apostel verbreitet,
und darum schreibt der Apostel Jakobus:

„So sehet ihr, daß der Mensch durch
Werke gerechtfertigt werde und nicht durch
den Glauben allein." (Jak. 2, 24.) Wer hat
nun recht? Paulus oder Jakobus? Antwort:
Beide. Dem Paulus fiel es nicht ein, die Notwendigkeit der guten Werke zu leugnen. Er schreibt
ausdrücklich an die Kolosser: „Wir hören nicht
auf, für euch zu beten und zu bitten, daß
ihr Gottes würdig wandelt, in allem wohlgefällig, an allen guten Werken fruchtbar
seid und zunehmet in der Erkenntnis
Gottes." (Kol. 1, 9—10.) Und an die Epheser
schreibt er: „Wir sind seine Schöpfung, geschaffen in Jesu Christo zu guten Werken."
(Ephes. 2, 10.) Ebensowenig wollte aber Jakobus
die Notwendigkeit des Glaubens leugnen; denn er
schreibt im nämlichen Briefe ausdrücklich: „Fehlt
es jemanden aus euch an Weisheit, der erbitte sie
von Gott, er bitte aber im Glauben, ohne zu
zweifeln." Er lehrt, daß Gott dem Menschen allerlei
Anfechtungen schicke, um den Glauben zu prüfen,
und „die Prüfung des Glaubens wirkt Geduld."
„Ich will aus den Werken meinen Glau-
ben zeigen." (Jak. 1, 3. 5. 6; 2, 18.) Paulus und
Jakobus widersprechen sich also nicht; der Wider-
spruch ist nur ein scheinbarer, aber aus diesen
Stellen sind viele Ketzereien hervorgegangen, je

nachdem die einen oder die andern allein betrachtet wurden.

So scheint sich die heilige Schrift an vielen Orten zu widersprechen.

Auch die Lehrer und Väter der Kirche haben anerkannt, daß die Erklärung der heiligen Schrift eine sehr schwierige Sache sei. Der heilige Augustinus bekennt offen, daß in derselben sich mehr vorfinde, was er nicht verstehe, als was er verstehe, und doch maßten sich schon frühe viele an, nach eigener Meinung die heilige Schrift auszulegen. Dem tritt schon der heilige Hieronymus gegenüber, indem er sagt: „Um irgend ein Handwerk zu erlernen, müssen wir einen Meister haben, und die Kenntnis, die heilige Schrift auszulegen, maßt sich ein jeder ohne Unterschied an, bevor er selbst unterrichtet ist."

2) Wer kann nun uns durch dieses Labyrinth dunkler und schwer verständlicher Stellen hindurchführen? Wer kann uns diese scheinbaren Widersprüche lösen und diese scheinbaren Gegensätze aufheben? Wer kann uns in der rechten und unverfälschten Lehre Christi unterrichten? Das kann niemand als das unfehlbare Lehramt der Kirche. Die Kirche allein ist „die Säule und Grundfeste der Wahrheit." (I. Tim. 3, 15.) Der Kirche ist der Geist der Wahrheit, der heilige Geist, versprochen. (Joh. 14, 16—17.) Die Vorsteher der Kirche, die Bischöfe, sind vom heiligen Geiste gesetzt, zu regieren die Kirche Gottes. (Apg. 20, 28.) Bei diesen

Nachfolgern der Apostel bleibt der Herr alle Tage bis an das Ende der Welt. (Matth. 28, 20.) Von ihnen gilt: „Nicht ihr seid es, die da reden, sondern der Geist eures Vaters, der in euch redet." (Matth. 10, 20.)

Darum hat der heilige Kirchenrat von Trient mit Recht festgesetzt:

„Der Kirchenrat beschließt, um die mutwilligen Geister zu bezähmen, daß niemand auf seine Einsicht gestützt, in Sachen des Glaubens und der Sitten, die zum Aufbau der christlichen Lehre gehören, die heilige Schrift nach seinem Sinne mißdeutend gegen denjenigen Sinn, der annahm und annimmt die heilige Mutter Kirche, welcher es zusteht, über den wahren Sinn und Auslegung der heiligen Schriften zu urteilen, oder auch gegen die einhellige Uebereinstimmung der Väter, die heilige Schrift zu erklären wage und wenn auch solche Erklärungen nie und nimmer veröffentlicht werden sollten." (4. Sitzung.)

Lehrstück.

Es ist eine traurige, aber unbestrittene Wahrheit, daß alle, welche vom Glauben der katholischen Kirche abweichen und die heilige Schrift nach ihrer Meinung auslegen, über den Sinn derselben sich nicht einigen können, woraus denn eine Menge Ketzereien entstanden sind und noch fortwährend entstehen. Ein deutliches Beispiel haben wir an den sogenannten „Reformatoren", welche alle die Bibel übersetzten, einander gegenseitig aber Unkenntnis und geradezu Verfälschung der heiligen Schrift vorwarfen. Der Reformierte Beza, ein Schüler Calvins, beschuldigte

den Oekolampadius, daß er die heilige Schrift schlecht
ausgelegt habe. Kastalio verwarf die Auslegung des
Beza, Molineus verwarf beide, sowohl die Auslegung
des Beza, als auch die des Kastalio. Zwingli beschuldigte
den Luther, daß er das Wort Gottes verunstalte, und
Luther warf dasselbe dem Münzer vor. Von Luther
dagegen ist erwiesen, daß er nicht nur an vielen Orten
die Bibel unrichtig übersetzte, sondern daß er auch Stellen
absichtlich fälschte, wie z. B. Röm. 3, 28. An diesem
Orte heißt es: „Wir halten dafür, daß der Mensch durch
den Glauben gerechtfertigt werde, ohne die Werke des
Gesetzes;" Luther aber schob das Wort „allein" ein, so
daß er den Apostel sagen läßt: „durch den Glauben allein."
Schon Zwingli urteilte, als die Bibelübersetzung von
Luther erschien: „Diese Uebersetzung verdirbt das
Wort Gottes." So bekunden die Abtrünnigen selbst, daß
der Geist Gottes nicht bei ihnen ist; denn der Geist
Gottes einigt, während ihre Uneinigkeit offen am Tage liegt.

Das Bibelverbot in der katholischen Kirche.

Obwohl die heilige Schrift ein schwer verständ=
liches Buch ist, durch welches, wenn es nicht recht
ausgelegt wird, große Verwirrung entstehen und
seelenverderbliche Irrtümer verbreitet werden können,
so hat die katholische Kirche das Lesen derselben
doch nie verboten.

1) Die Väter und Lehrer der Kirche und die
großen Geistesmänner, an deren Schriften die Gläu=
bigen sich erbauen, fordern dringend zum Lesen der
heiligen Schrift auf. Aber die Kirche, als die
Wächterin über den Schatz des Glaubens, will,
daß kein unechtes Gotteswort in die Hände der
gläubigen Menge komme, daß dieselben nicht durch

vorwitziges Grübeln, eigenmächtiges Klügeln und willkürliches Auslegen sich an demselben versündige. Darum will sie, daß diejenigen, welche die heilige Schrift nicht in der Ursprache (griechisch und hebräisch) lesen können, sich einer von der Kirche approbierten Uebersetzung bedienen, namentlich einer solchen Uebersetzung, welche mit Anmerkungen versehen ist, in welchen die dunkeln Stellen nach der gesunden Lehre der Kirche erläutert werden. Mit Recht will die Kirche nicht, daß die Bibel von jedermann ohne Unterschied gelesen werde, sondern sie will, daß das Volk die heilige Schrift aus der väterlichen Hand ihrer Seelsorger empfange und dies hauptsächlich in einem angemessenen Auszuge, da, wenn das Lesen der heiligen Schriften in der Volkssprache überall und unbedingt gestattet würde, durch menschliche Unbedachtsamkeit und Verwegenheit mehr Nachteil als Nutzen daraus entstände.

2) Daß die Kirche das Lesen der heiligen Schrift nicht verbietet, geht klar aus den vielen Uebersetzungen hervor, welche schon vor Luthers Uebersetzung erschienen waren. Vor 1472 kamen vier Uebersetzungen der ganzen Bibel heraus, ohne Angabe des Druckortes und der Jahreszahl, wie dies bei den ersten Büchern zu geschehen pflegte. Die fünfte kam in Augsburg 1473 heraus. In Nürnberg wurde eine deutsche Uebersetzung 1477 und in demselben Jahre auch eine in Augsburg gedruckt. Bis zum Jahre 1500 waren nicht weniger als 98 lateinische Ausgaben vorhanden;

vor Luthers Uebersetzung erschienen 19 hochdeutsche und 5 plattdeutsche. Wie in Deutschland, so wurde die heilige Schrift auch in Italien, Spanien, Frankreich und in andern Ländern mehrfach in die Landessprache übersetzt, bevor Luther auf der Welt war. (Geb. 1483.)

Von der Erblehre.

Obgleich aber die heilige Schrift Gottes Wort enthält, so enthält sie doch Gottes Wort nicht vollständig. Dieselbe enthält nicht einmal alle Thaten des Herrn, geschweige denn alle Lehren.

1) Der heilige Apostel Johannes sagt klar: „Jesus hat zwar noch viele andere Zeichen gethan, welche nicht in diesem Buche geschrieben sind." (Joh. 20, 30.) Und weiter spricht er: „Es ist aber auch noch vieles andere, was Jesus gethan hat: wollte man dieses einzeln aufschreiben, so glaube ich, würde die Welt die Bücher nicht fassen, die zu schreiben wären." (Joh. 21, 25.)

2) Aber auch die Lehren Jesu Christi enthalten die Evangelien nicht vollständig. Der hl. Matthäus erzählt, daß der Herr im ganzen Lande Galiläa herumging, in den Synagogen lehrte und das Evangelium vom Himmelreich predigte, was Er aber insbesondere predigte, das sagt er nicht. (Matth. 4, 23.) Man liest, daß Christus im Tempel, am Meere, auf dem Meere, auf Anhöhen rc. rc. gelehrt habe, was aber, wird nicht jedesmal gesagt. Nur zwei Predigten, die Berg-

predigt und die Seepredigt, hat uns Matthäus
erhalten. (Matth. 5 u. 31.) Als Jesus mit den beiden
Jüngern nach Emaus ging, erklärte Er diesen die
Schriftstellen, welche sich auf Ihn bezogen. Welche
Schriftstellen aber und wie Er sie erklärte, dies
ist nicht angegeben. In der Apostelgeschichte lesen
wir, das Jesus sich durch vierzig Tage seinen
Jüngern gezeigt und mit ihnen vom Reiche Gottes
geredet habe; was Er aber gesprochen, darüber
wird nichts berichtet. Aus dem Inhalte der apostolischen Briefe ersehen wir klar und deutlich,
daß sie keine vollständige Glaubens- und Sittenlehre sind, sondern nur Auskunft über einzelne
Punkte erteilen sollten. Die Apostel bestätigen dies
ausdrücklich. Der heilige Paulus schreibt den
Korinthern: „Das übrige will ich anordnen, wenn
ich kommen werde" (I. Kor. 11, 34.); den Philip-
pern: „Was ihr gelernt, empfangen, gehört und
an mir gesehen habt, das thut." (Philipp. 4, 9.)
Der heilige Johannes schreibt: „Ich hätte noch
viel zu schreiben, aber ich wollte es nicht durch
Tinte und Feder thun. Ich hoffe aber, dich bald
zu sehen, und von Mund zu Mund zu reden."
(II. Joh. 12.) So haben die Apostel das Wort des
Herrn befolgt, der nicht zu ihnen gesprochen: Schreibet nieder, was ihr gesehen und gehört habt, sondern: „Gehet hin und prediget!" (Mark. 16, 15.)

Wie ist aber das, was die Apostel zwar
gepredigt, aber nicht niedergeschrieben haben,
auf uns gekommen?

Wie die heilige Schrift, so ist auch die Erb= lehre auf verschiedene Weise zu uns gekommen.

1) Vor allem durch die Schriften der Schüler der Apostel, z. B. des hl. Papstes Clemens von Rom, des hl. Ignatius, Bischofs von Antiochia, des hl. Polykarp, Bischofs von Smyrna und anderer.

2) Fortgepflanzt wird ferner die Erblehre in den Schriften der Kirchenväter und der Kirchen= lehrer. Die vornehmsten sind: Der hl. Irenäus, Justin, Clemens von Alexandrien, Tertullian, Ori= genes, Cyprian, Athanasius, Gregor von Nazianz, Basilius, Ambrosius, Augustinus, Hieronymus und andere. Ferner in den Glaubensbekenntnissen, in den Gebeten der Kirche, in den Entscheidungen der Kirchenversammlungen, in den alten Denkmälern und Inschriften, in den Hirtenbriefen der Bischöfe, in den Katechismen u. s. w. Daß der Glaube echt und unverfälscht bleibe, und daß nichts, was nicht zum Glauben gehört, mit dem Glauben vermengt werde, darüber wacht das unfehlbare Lehramt der Kirche, welche das, was der katholische Christ glau= ben muß, im Auftrage Christi lehrt und vorstellt.

Vom apostolischen Glaubensbekenntnis.

Da der Glaube die Grundlage aller Tugenden ist, so müssen wir zuerst von den Wahrheiten sprechen, welche der katholische Christ mit Herz und Mund zu bekennen hat. Worin sind die haupt= sächlichsten Wahrheiten enthalten? Die

hauptsächlichsten Wahrheiten sind enthalten im apostolischen Glaubensbekenntnis oder im apostolischen Symbolum.

1) Das Wort Symbolum heißt soviel als
Kennzeichen oder Merkmal. Man nannte so
die Feldbinden oder die Zeichen, an welchen man
erkannte, zu welcher Truppe die Soldaten gehörten
oder unter welchem Feldherrn sie dienten. Man
nannte auch so das Losungswort, welches im
Kriege jeden Tag ausgeteilt wurde und an dem
die Soldaten, wenn sie einander begegneten, erkannten, ob sie Freund oder Feind vor sich hätten.
Ein solches Losungswort ist das apostolische Glaubensbekenntnis.

Erleuchtet vom heiligen, Geiste haben die Apostel,
ehe sie auseinander gingen, die hauptsächlichsten
Glaubenswahrheiten zusammengestellt, und darum
wird dieses Glaubensbekenntnis das apostolische
genannt. Es reicht nicht nur in die apostolischen
Zeiten hinauf, sondern es rührt von den Aposteln
selbst her. Dies bezeugen die ältesten Kirchenväter.
Der heilige Papst Clemens, welcher ein Schüler
der Apostel war, sagt ausdrücklich: „Diese göttlichen Prediger des Glaubens haben, ehe sie sich
in die Welt verbreiteten, um das Evangelium zu
verkünden, das Symbolum aufgestellt, um unter
sich und unter ihren Schülern eine vollkommene
Einheit der Lehre und der Ausdrücke zu begründen,
damit die ganze Welt nur eine Sprache habe, wie
sie nur Einen und denselben Glauben haben sollte.“

2) So ist dieses Glaubensbekenntnis das kostbarste Erbstück, welches wir von den Aposteln empfangen haben. Es ist ein wahrhaft göttliches Werk; denn die erhabensten Geheimnisse sind in den einfachsten Ausdrücken geoffenbart. „Gott hat es geoffenbart durch seinen Geist; denn der Geist erforscht alles, auch die Tiefen der Gottheit." (I. Kor. 2, 10.)

In diesen Symbolen ist alles eingeschlossen, was der katholische Christ glauben muß. Darum mußten auch alle das Bekenntnis ablegen, welche von den Aposteln durch die heilige Taufe in die Gemeinschaft der Kirche Christi aufgenommen werden wollten. Diesen kurzen Abriß des Glaubens sollten und mußten sie täglich beten, um durch öftere Wiederholung sich die heiligen Geheimnisse immer mehr einzuprägen und sich stets daran zu erinnern. Es war dies das gemeinschaftliche Band, das alle Jünger Christi umschloß, und zugleich der erste Katechismus.

„Das apostolische Glaubensbekenntnis stellt uns in wenig Worten das Dasein Gottes, seine unendliche Macht und seine unermeßliche Güte vor Augen. Es lehrt uns, was Gott an sich und was er außer sich, sowohl im Reiche der Natur, als im Reiche der Gnade gewirkt; die Einheit des göttlichen Wesens, die drei Personen in der Gottheit, die Schöpfung des Weltalls, die Menschwerdung des göttlichen Sohnes, sein herbes Leiden, seinen schmachvollen Tod, seine wunderbare Auferstehung und die Früchte davon, wohin insbesondere die Einsetzung der katholischen Kirche, die Vergebung der Sünden, die künftige Auferstehung und das ewige Leben gehören."

So ist das apostolische Symbolum das Bekenntnis dessen mit dem Munde, was wir im Herzen glauben, und zugleich das Erkennungszeichen, wodurch wir uns ebensowohl von den Ungläubigen und Freigeistern, als von den Juden, den Mohammedanern, Heiden und Götzendienern unterscheiden. Wir bekennen damit froh und freudig, daß wir Gott, dem allmächtigen, dienen unter der Fahne unseres Herrn Jesu Christi, in der von Ihm gestifteten Kirche, in der wir allein unser Seelenheil finden.

3) Allein das apostolische Symbolum ist nicht bloß ein Bekenntnis, das man dann und wann ablegt, um die christlichen Heilswahrheiten nicht so leicht zu vergessen. Es ist auch zugleich ein Gebet, das unserm Glauben Kraft verleihen, denselben stützen und stärken soll. Es ist eine Waffe in den Versuchungen, mögen sie vom bösen Feinde, von der Welt oder vom Fleische herkommen. Wie der Heiland den Versucher mit den Worten abwies: „Es steht geschrieben," so sagen wir: Ich glaube, und darum thue ich nichts Böses. Wenn der Christ in Not sich befindet und die Wasser der Trübsale ihn zu überfluten drohen, so betet er: Ich glaube an Gott den Vater! Wenn er verzweifeln will an seinem Seelenheile, so betet er: Ich glaube an Jesum Christum, den einge-

bornen Sohn Gottes, meinen Herrn. Wenn er sich
schwach und ohnmächtig fühlt und glaubt, die Ge=
bote Gottes nicht halten zu können, so betet er:
Ich glaube an den heiligen Geist. Will Menschen=
weisheit ihn berücken und seinen Glauben erschüt=
tern, so betet er: Ich glaube an eine heilige katho=
lische Kirche. Zeigt ihm die Welt ihre Lust und
Herrlichkeit, so denkt er an die Größe und Schön=
heit der himmlischen Güter und betet: Ich glaube
an das ewige Leben. So ist das Glaubensbekenntnis
eine reiche Schatzkammer der Erleuchtung, der Hoff=
nung, Tröstung und Stärkung. Es werden des=
halb die zwölf Artikel des Glaubensbekenntnisses
auch mit den zwölf Wasserbrunnen von Elim ver=
glichen, welche das durstige Volk Israel erquickten.
(IV. Mos. 33, 9.), und mit den zwölf Edelsteinen
der geheimen Offenbarung, auf denen die Mauern
des himmlischen Jerusalems erbaut und auf denen
die zwölf Namen der zwölf Apostel des Lammes
geschrieben waren. (Offenb. 21, 14.)

4) Die Kirche will, daß die Gläubigen oft
und zwar mehrmals im Tage dieses Gebet ver=
richten. Es ist den Priestern vorgeschrieben, daß
sie es jeden Tag am Anfange der heiligen Mette,
sowie am Anfange der Prim oder der ersten Tages=
gebetsstunde und am Schlusse des Kompletoriums
(Nachgebetes) beten. Die Väter und Lehrer der
Kirche empfehlen dies den Gläubigen dringend. Der
hl. Petrus Chrysologus will, daß es von jedem
Christen oft wiederholt werde, um den mit Gott

eingegangenen Bund, die göttlichen Verheißungen und den himmlischen Ruhm nicht zu verleugnen und nicht von sich zu weisen, zu welchem der Glaube uns leitet. Der hl. Ambrosius ermahnt seine Schwester Marzellina, das Symbolum täglich und so oft zu beten, als sie sich von Angst und Furcht erfüllt fühle, weil dasselbe der Schlüssel sei, welcher die Pforte öffne, um die höllische Finsternis zu vertreiben und dem wahren Lichte, welches Jesus Christus ist, Eingang zu verschaffen. Die Katechumenen ermahnt er: „Dieses Symbolum sei euer Schatz und euer Reichtum, es sei wie ein Kleid, daß euch bedeckt, wie der Panzer, der euch beschützt; wie das Kleid, das eure Blöße verhüllt, und wie der Panzer, der euch gegen die Angriffe eurer Feinde verteidigt und euch undurchdringlich macht für ihre Pfeile."

Ein so großes Gut legt uns aber auch eine große Verantwortung auf. Wir müssen

a) Vor allem mit dem Inhalte des Glaubensbekenntnisses uns immer mehr bekannt machen. Wir müssen in den Sinn desselben immer tiefer eindringen, die einzelnen Lehren immer genauer und umfassender kennen lernen, uns immer vertrauter machen mit den Wahrheiten, die es enthält. Dies geschieht durch alles, was das Wachstum im Glauben fördert.

b) Wir dürfen dieses Gebet nicht gedankenlos hersagen, sondern sollen dasselbe wenigstens so aussprechen, daß wir des Inhaltes uns bewußt sind

und als Frucht des Gebetes den entschiedenen Vorsatz in uns erwecken, in und nach unserm Glauben
zu leben.

c) Im Sinne und nach dem Willen der Kirche
sollen wir unsern Privatgebeten auch das Glaubensbekenntnis beifügen; dies geschieht am besten
am Morgen und am Abend, dann aber auch hauptsächlich in der heiligen Messe, in welcher auf dem
Altare das Opfer des menschgewordenen Sohnes
Gottes sich täglich erneuert.

Das Symbolum besteht aus zwölf Glaubenssätzen, die wir aber nicht schlechtweg Sätze heißen;
denn diese Sätze stehen in einem so innigen Zusammenhange, wie die Glieder eines Leibes zu einander und zum ganzen Leibe stehen. Wenn dem
Menschen eines von den vielen Gliedern fehlt, so
ist der Leib verstümmelt. Und wer auch nur eine
dieser Wahrheiten leugnet, der verstümmelt seinen
Glauben, und sein Glaube hat keinen Wert mehr.
Der Glaube des katholischen Christen muß allgemein sein. Darum nennen wir diese Sätze auch
Artikel, das heißt Glieder, weil sie unzertrennlich zusammengehören.

Erster Glaubensartikel.

Ich glaube an Gott den Vater, allmächtigen Schöpfer Himmels und der Erde.

§ 1. Vom Dasein Gottes.

Was will das sagen: Ich glaube an Gott?

Wenn ich bete: Ich glaube an Gott, so will das sagen: Ich meine nicht bloß und habe nicht bloß die Ansicht, sondern es ist meine feste und unerschütterliche Ueberzeugung, daß es ein höchstes Wesen giebt, das über der ganzen Welt steht, das von allem, was es in der Welt giebt, nicht nur unabhängig ist, sondern von dem alles in der Welt abhängt. Dieses höchste Wesen hat das Leben in sich selbst, und alles Leben kommt von ihm. Weil es von allem unabhängig ist, hat es weder einen Anfang genommen, noch wird es ein Ende nehmen. Es ist eben darum keiner Veränderung unterworfen. Von ihm ist alles Böse, alles Unvollkommene, alles Mangelhafte ausgeschlossen. Es ist weder durch Raum noch durch Zeit beschränkt. Dieses höchste Wesen nennen wir Gott.

„Ihm, dem Könige der Ewigkeiten, dem Unsterblichen, dem alleinigen Gott sei Ehre

und Herrlichkeit in alle Ewigkeit. Amen."
(I. Tim. 1, 17.)

Daß es einen Gott giebt, ist die sicherste und unumstößlichste Wahrheit für alle, welche richtig denken können und wollen.

„Der Thor spricht in seinem Herzen: Es ist kein Gott." (Ps. 13, 1.)

Es giebt viele Beweise für das Dasein Gottes. Wir wollen nur drei in Betrachtung ziehen:

1. Die Ordnung und die Zweckmäßigkeit, mit der das Weltgebäude eingerichtet ist;

2. Das Gefühl der Gottheit, das in den Herzen aller Menschen verbreitet ist;

3. Die Thorheiten, welche alle die behaupten und aufstellen müssen, die nicht an ein göttliches Wesen glauben.

1) Die Ordnung und Zweckmäßigkeit des Weltgebäudes. Hören wir, was schon vor Christi Geburt der Heide Cicero schrieb:

„Wenn ein Haus, wenn Städte, Maschinen und andere dergleichen Werke ohne Vernunft und ohne Künstler nicht sein können, können wir zweifeln, daß dieses ganze Weltgebäude, so wohlgeordnet in allen seinen Teilen, daß der gewaltige Himmel, den man mit wunderbarer Geschwindigkeit sich bewegen und im Kreise herumdrehen, die Jahreswechsel unveränderlich zum Wohle des Ganzen und zur Erhaltung aller Dinge vollbringen sieht; können wir zweifeln, sage ich, daß dieses nicht nur mit

Vernunft geschieht, sondern auch mit einer über=
schwenglichen, mit einer göttlichen Vernunft?"

So führt die Betrachtung der Schöpfung uns
zu Gott; denn alle Geschöpfe verkünden das Lob
ihres Schöpfers:

"Die Himmel erzählen die Herrlichkeit
Gottes und das Firmament verkündet die
Werke seiner Hände." (Pf. 18, 2.)

2) Das Gefühl der Gottheit, das in den
Herzen aller Menschen verbreitet ist. In
allen Menschen lebt das Gefühl, daß es ein Wesen
gebe außer ihm, das auf ihn Einfluß habe und
von dem er abhängig sei. Dieses Gefühl ist dem
Menschen angeboren, und es kann von einem
Menschen, der leichtsinnig ist und lieber seinen Lei=
denschaften frönt, als Gott gehorcht, in den Hin=
tergrund gedrängt werden, ausgetilgt kann dasselbe
nicht werden. Dieses Gefühl der Abhängigkeit von
einem höhern Wesen nennen wir Religion, und
jeder Mensch giebt diesem Gefühle einen vernehm=
baren Ausdruck. Dies ist es, was den Tertul=
lian, einen christlichen Schriftsteller des dritten
Jahrhunderts, bewog zu sagen, daß die Seele von
Natur aus eine christliche sei. "Soll ich euch,"
ruft er den Heiden gegenüber aus, "soll ich euch
das Dasein Gottes bloß aus dem Zeugnisse der
Seele beweisen? Nun wohl! Obgleich tief in dem
Gefängnisse der Erde, obgleich entkräftet durch Lei=
denschaften und Begierden, ruft dennoch die Seele,
wenn sie zu sich selbst kommt, wie z. B. nach

einer Krankheit, dann, wann sie einen gesunden Augenblick bekommt, den Namen Gottes aus, der Ihm zukömmt: „Großer Gott!" „Guter Gott!" Diese Worte kommen allen Menschen in den Mund."

Der heidnische Schriftsteller Plutarch schreibt: „Wenn man auf der Erde umherwandert, so kann man Städte finden ohne Mauern, ohne Wissenschaften, ohne Könige, ohne Häuser, ohne Schätze und ohne Geld. Eine Stadt aber, die leer wäre an Tempeln und Göttern, die nicht betet und nicht opfert, um Gutthaten zu erlangen, hat noch niemand gesehen. Ich glaube eher, daß eine Stadt ohne Fundament erbaut werden könne, als daß eine Bürgerschaft sich bilden und bestehen könne, wenn sie den Glauben an die Götter verloren hat."

Der Mensch hat aber noch ein anderes Gefühl in seinem Innern. Er fühlt, daß er von Gott über seine Thaten zur Rechenschaft gezogen wird, und daß nicht alles recht ist, was er thut. Die Schamröte, die dem Menschen auf die Wange steigt, wenn er sich einer Handlung schämen muß, die Bangigkeit, die ihn überfällt, wenn er ein Gebot übertreten hat, das ihm in das Herz geschrieben ist, auch wenn er von niemand gesehen wurde, diese Stimme des Gewissens in seinem Innern ist der im Menschen selbst liegende Beweis für das Dasein Gottes, der nicht hinweggeleugnet werden kann.

3) Die Thorheiten, welche alle die behaupten und aufstellen müssen, die nicht

an ein göttliches Wesen glauben. Die Welt und die zahlreichen Geschöpfe, die darin sind, wer hat sie erschaffen, wenn Gott sie nicht erschaffen hat?

Durch Zufall ist noch nie etwas entstanden, was noch gar nicht vorhanden war; zufällig kann nur etwas aus dem entstehen, was schon vorhanden ist. Wenn aber aus vorhandenen Dingen etwas aus Zufall entsteht, so hat dieser Zufall keine Regel, kein Gesetz, keine Einheit, keinen Plan. In der ganzen Welt herrscht dagegen eine wundervolle Einheit, ein Plan, der dem Größten, wie dem Kleinsten zu Grunde liegt. Jedes Geschöpf hat nicht nur eigene Gesetze, sondern diese eigenen Ge= setze stehen auch im Zusammenhange mit den Ge= setzen der ganzen Welt. Wenn also alle Grund= stoffe, Luft, Wasser, Feuer, Erde schon vorhanden gewesen wären, so hätte durch Zufall eben so wenig eine solche Welt in aller Pracht und Herrlichkeit entstehen können, als ein Haus entsteht mit Zim= mer, Speicher, Küche, Keller, Dachstuhl, Fenster, Thüren, Schloß und Riegel, Treppen und Be= dachung, wenn man Steine, Ziegel, Holz, Mörtel, Glas und Eisen untereinander wirft und es dann liegen läßt und dem Zufalle preisgiebt.

Wenn aber durch Zufall nicht einmal etwas Geordnetes hervorgehen kann, wie kann durch Zufall und aus Nichts das Wasser, das Feuer, die Luft und die Erde selbst entstehen?

Woher soll der menschliche Geist kommen, der sich seiner selbst bewußt wird, wie er sich alles

anderen bewußt wird, das um ihn herum ist? Von
der Materie kann er nicht kommen; denn die Ma=
terie ist tot und unbeweglich. Leben und Bewegung
kommt der Materie nur von außen. Der Geist
selbst kann wieder nur von einem Geiste kommen,
und diesen Geist nennen wir Gott. Es giebt einen
persönlichen Gott, weil es einen geistigen Gott giebt.

Lehrstück.

Betrachten wir einmal, wie es in der Welt
aussehen würde, wenn es keinen Gott gebe, oder
wenn die Menschen wenigstens an keinen Gott
glauben würden.

Eine Welt ohne Gott, eine Menschheit ohne Glauben,
das wäre etwas Erschreckliches.

1) Wenn es keinen Gott giebt, so kann der Mensch
auch nicht von ihm erschaffen sein. Wenn der Mensch
keine göttliche Natur in sich trägt, dann bleibt nur seine
irdische Natur übrig. Dann allerdings ist der Mensch
nur das erste Tier. Wenn er aber auch durch seine
Kenntnisse und Geschicklichkeiten das erste Tier ist, dann
ist er doch nicht das glücklichste Tier; alle andern sind
glücklicher als er. Das Tier kennt keine Sorge; kein
Kummer drückt es, keine Leidenschaft beherrscht es. Es
lebt ohne Sorgen für den morgigen Tag; es weiß nichts
vom Tode, bis es von demselben erreicht wird.

2) Wenn der Mensch nicht von Gott erschaffen wurde
dann ist er auch nicht für Gott erschaffen. Dann hat
der Mensch keine andere Bestimmung, als die, welche er
sich selber giebt. Und diese Bestimmung kann man mit
den Worten ausdrücken: Sorge für dich und kümmere
dich nicht um andere. Lebe und genieße und sorge
dafür, daß du möglichst viel und möglichst lange
genießen kannst. Wenn der Mensch keine andere

Beſtimmung kennt, als dieſe, wie werden dann die Men=
ſchen neben einander leben können, ohne daß einer immer
dem andern im Wege ſteht?

3) Wenn es keinen Gott giebt, dann giebt es auch
keine Gebote Gottes, und es kann jeder thun, was ihm
gefällt. Die Not wird dann allerdings auch Gebote ſchaffen,
aber nur ſolche, welche verhindern ſollen, daß die Men=
ſchen nicht gegen einander ſind wie die Raubtiere. Die
Not wird vielleicht bewirken, daß Diebſtahl und Totſchlag
verboten wird, vielleicht aber auch nicht. Und dieſe Ge=
bote wird der Menſch nur ſo lange halten, als er meint,
daß er geſtraft werden kann; alles aber, was er unge=
ſtraft thun kann, wird er thun. Für den einzelnen Men=
ſchen hat das Leben nur ſo lange Wert, als es ihm gut
geht, und wenn es ihm nicht mehr gut geht, dann iſt es
begreiflich, daß er zum Selbſtmörder wird; denn der
Selbſtmord iſt für ihn Erlöſung. Wo die Gebote Gottes
wegfallen, da giebt es auch keine Pflichten mehr. Es giebt
keine Wahrhaftigkeit, keine Gerechtigkeit, keine Mäßigkeit,
keine Keuſchheit, keine Elternliebe, keine Kindesliebe, keine
Gattenliebe, keine Regentenpflichten, keine Unterthanentreue,
kurz keine Art von Tugend. Es giebt nichts als das
Laſter in der häßlichſten Geſtalt.

4) Wenn der Menſch nur im Beſitze und Genuſſe
ſein Glück ſucht und findet, dann iſt er erſt recht un=
glücklich. Denn viele erreichen nicht, nach was ſie ſich
ſehnen, und ohne was ſie nicht glücklich ſein können. Und
wenn ſie es erreichen, dann müſſen ſie erſt fürchten, es
zu verlieren; denn ſie ſind von lauter Leuten umgeben,
die nach dem nämlichen trachten. Und können ſie ge=
nießen, ſo befriedigt ſie der Genuß nicht lange; ſie ſuchen
immer wieder neue Genüſſe. Zugleich ekelt ſie der Genuß,
er macht ſie krank und elend und führt ſie dem frühen
Tode zu. Oft reißt ſie der Tod mitten aus dem Tau=
mel ihrer geräuſchvollen Freude heraus, und ſie ſterben
als Tier, wie ſie gelebt haben. — „Alles iſt Eitelkeit und

Geistesplage, und nichts ist von Dauer unter der Sonne."
(Pred. 2, 11.)

5) Wenn der Glaube an Gott erlischt, so erlischt dem
Armen, dem Kranken, dem Unglücklichen aller Trost. Der
Arme sieht nichts als nur eine lange Reihe von Not und
Entbehrungen vor sich, die nur enden mit einem kläglichen,
vielleicht hilflosen Tode. Aller Edelsinn, alle Hochherzigkeit,
alle Opferwilligkeit, alle Bruderliebe ist um ihn her ge=
schwunden. Dem Armen gegenüber ist der Reiche nur der
ungerechte Besitzer, der Räuber seines Erbteils, das ihm
ebensosehr gebührt, als dem, der es hat. Dieses Eigen=
tum an sich zu ziehen, auch mit Gewalt, ist erlaubt; es
herzugeben, Pflicht, denn es gebührt einem, was dem
andern. Das Leben ist ein Krieg aller gegen alle, in
dem der Stärkere und Listigere obsiegt, der Schwächere
unterliegt.

§ 2. Es giebt nur einen Gott.

Unsere natürliche Erkenntnis führt uns nicht
nur darauf, daß es einen Gott giebt, sondern sie
sagt uns auch, daß es nur einen einzigen giebt.

Gott ist nämlich jenes unendliche Wesen, dem
nichts gleichkommt, sonst wäre es nicht das aller=
höchste Wesen. Wenn es etwas eben so Voll=
kommenes gebe, so wäre es nicht das vollkommenste
Wesen. Zwei Götter neben einander würden sich
gegenseitig beschränken und aufheben.

1) Obwohl aber schon unsere Vernunft sagt,
daß es nur einen Gott geben kann, so ist doch die
ganze Welt mit Ausnahme der Juden, denen der
Herr sich beständig offenbarte, in Abgötterei ver=
sunken. Denn das Licht der Vernunft wurde durch

Erſter Glaubensartikel.

Ich glaube an Gott den Vater, allmächtigen Schöpfer Himmels
und der Erde.

die Verderbnis des Herzens verdunkelt, jenes Her=
zens, das sich weder Gott unterwerfen, noch seinen
bösen Gelüsten entsagen will. Wie lächerlich ist
nun der Irrtum der Heiden, die da glauben, es
gebe mehrere Götter, von denen der eine dem an=
dern untergeordnet, oder von denen der eine wider
den andern sei! Schon die Erschaffung und Er=
haltung der Welt, die Ordnung und Harmonie
in der Welt lassen nur Einen Gott zu, dessen
heiliger Wille für uns Gesetz ist.

2) Was uns nun die Vernunft sagt, das be=
stätigt Gott selbst, der sich geoffenbart hat.

„Höre Israel, der Herr unser Gott,
ist ein einiger Herr." (V. Mos. 6, 4.)

„So sehet nun, daß Ich allein es bin,
und daß kein anderer Gott ist, außer
Mir." (V. Mos. 32, 39.)

Jesus Christus, der Eingeborne Sohn Gottes,
aber spricht in jenem feierlichen Gebete, welches
Er am Vorabende vor seinem Leiden im Kreise
seiner Jünger verrichtete:

„Das ist das ewige Leben, daß sie Dich,
den allein wahren Gott, erkennen." (Joh. 17, 3.)

§ 3. Von der allerheiligsten Dreifaltigkeit.

1. Dieses Geheimnis ist schon angedeutet mit
den Worten, mit denen die heilige Schrift die
Erschaffung des Menschen berichtet: „Lasset Uns
den Menschen machen nach Unserm Ebenbilde"
(I. Mos. 1, 26.), und in den Worten: „Kommet,

Zwölf Glaubensartikel.   4

laſſet Uns niederſteigen und ihre Sprache ver=
wirren, daß einer des andern Rede nicht verſtehe."
(I. Moſ. 11, 7.) Angedeutet finden wir dieſes Ge=
heimnis auch in der Geſchichte Abrahams. Dem
Abraham erſchienen drei Männer, als er einmal
vor ſeinem Zelte ſaß. Er erhob ſich, ging ihnen
entgegen, warf ſich nieder vor ihnen, redete ſie
aber als eine Perſon an: „Herr, geh' nicht vor=
über vor deinem Knecht." (I. Moſ. 18, 3.) Der
Glaube an einen mehrperſönlichen Gott lebte unter
den erleuchteten Männern der alten Bundes. Je=
ſus Sirach bekennt:

„Ich rief den Herrn an, den Vater
meines Herrn." (Sir. 51, 14.) Hier ſpricht Jeſus
Sirach von Gott und dem Sohne Gottes. Ebenſo
David, wenn er Gott ſagen läßt:

„Der Herr hat zu Mir geſagt: Du
biſt mein Sohn, heute habe Ich Dich
gezeugt." (Pſ. 2, 7.)

2. Als der Heiland ſich von Johannes taufen
ließ und aus dem Waſſer heraufſtieg, da öffnete
ſich der Himmel, und Jeſus ſah den Geiſt Gottes
wie eine Taube herabſteigen und auf ſich kommen
und eine Stimme vom Himmel ſprach: „Dieſer
iſt mein geliebter Sohn, an welchem Ich
Wohlgefallen habe." (Matth. 3, 17.) Johannes
dem Täufer aber war vorher von Gott geoffen=
bart worden: „Ueber welchen du ſehen wirſt den
Geiſt herabſteigen und auf Ihm bleiben, dieſer
iſt's, der mit dem heiligen Geiſte tauft." Und

Johannes bezeugte und sprach: „Ich sah den Geist wie eine Taube vom Himmel herabsteigen und Er blieb auf Ihm. Und ich habe es gesehen und bezeugt, daß dieser der Sohn Gottes ist." (Joh. 1, 32—34.)

Vor der Himmelfahrt gab der Heiland den Aposteln den Auftrag: „Gehet hin, und lehret alle Völker und taufet sie im Namen des Vaters und des Sohnes und des heiligen Geistes." (Matth. 28, 19.)

Hier werden alle drei göttlichen Personen in gleicher Würde neben einander gestellt.

Darum lehrt Johannes: „Drei sind, die Zeugnis geben im Himmel: der Vater, das Wort und der heilige Geist, und diese Drei sind Eins." (I. Joh. 5, 7.)

Wir müssen demnach von der allerheiligsten Dreifaltigkeit glauben:

1) Es ist nur ein Gott, eine einzige göttliche Natur, ein göttliches Wesen.

2) Diese einzige göttliche Natur begreift in sich drei Personen.

3) Alle und jede dieser Personen sind von einander wirklich und in der That unterschieden, und keine ist die andere.

4) Aber auch keine ist von der göttlichen Natur unterschieden. Jede derselben hat ebendieselbe Natur, ebendasselbe göttliche Wesen, eine ist ebenso Gott wie die andere.

5) Jede von ihnen hat die nämlichen göttlichen, aber nicht ebendieselben persönlichen

Eigenschaften. Denn die persönlichen Eigenschaften sind in jeder Person anders und verschieden. So ist der Vater nicht der Sohn, der Sohn nicht der heilige Geist, der heilige Geist ist weder der Vater noch der Sohn. Aber der Vater ist Gott, weil seine Natur göttlich ist; der Sohn ist Gott und ebenso auch der heilige Geist, weil sie ebendieselbe Natur, ebendasselbe Wesen, ebendieselben göttlichen, nur nicht die nämlichen persönlichen Eigenschaften haben.

Wir müssen uns nun genau einprägen, was wir von jeder einzelnen Person insbesondere zu glauben haben.

Vom Vater müssen wir glauben,

daß Er wahrer Gott ist;

daß Er eine wahre, wirkliche Person ist, die für sich besteht;

daß Er eine und von den beiden übrigen Personen verschiedene Person ist.

Vom Sohne müssen wir insbesondere glauben,

daß der Sohn wahrer Gott ist, wie der Vater;

daß Er vom Vater gezeugt, nicht geschaffen worden;

daß Er eine vom Vater und vom heiligen Geiste verschiedene Person ist.

Vom heiligen Geiste müssen wir insbesondere glauben,

daß der heilige Geist wahrer Gott ist, wie der Vater und der Sohn;

daß Er eine vom Vater und vom Sohne verschiedene Person ist;

daß Er weder gezeugt noch geschaffen ist, son=
dern vom Vater und vom Sohne ausgeht.

Der Heiland versprach seinen Jüngern vor
seinem Leiden noch ausdrücklich den heiligen Geist,
indem Er sprach: „Wenn der Tröster kommen
wird, den Ich euch vom Vater senden werde,
den Geist der Wahrheit, der vom Vater ausgeht,
derselbe wird von mir Zeugnis geben." (Joh. 15, 26.)

Daß nun der einzige Gott ein dreipersönlicher
ist, daß diese drei Personen nicht eine ähnliche
oder gleiche, sondern eine und dieselbe göttliche
Natur haben, obwohl sie als Personen unterschie=
den sind, das vermag unser schwacher Verstand
nicht zu begreifen, das ist für die natürliche Er=
kenntnis ein Geheimnis. Darum sprechen wir auch
von dem Geheimnisse der allerheiligsten
Dreifaltigkeit.

Gleichnisse.

Obwohl die Lehre von der allerheiligsten Dreifal=
tigkeit für die natürliche Erkenntnis eine unbegreifliche
ist, so findet der menschliche Geist doch Aehnlichkeit sowohl
in der Welt des Sichtbaren, als in der Welt des Geistes.
Ein Beispiel soll dieses erhärten.

Wenn wir eine brennende Kerze betrachten, so unter=
scheiden wir drei Eigenschaften: Die Flamme, das Licht
und die Wärme. Das Licht ist nicht die Wärme, sonst
müßte es ebensoweit hin warm sein, als es hell ist. Die
Wärme ist aber auch nicht die Flamme; denn die Flamme
kann man sehen, die Wärme aber kann man nicht sehen.
Und doch kann man das Licht und die Wärme und die
Flamme nicht von einander trennen, diese drei sind un=
zertrennlich eins.

Lehrstücke.

1) Das Zeichen, womit der katholische Christ seinen Glauben an die allerheiligste Dreifaltigkeit auch äußerlich bekennt, ist das Zeichen des heiligen Kreuzes.

2) Die Kirche bekennt ihren Glauben an die gleiche Wesenheit der drei göttlichen Personen in allen Gebeten, indem sie dieselben schließt:

„Darum bitten wir (Dich, o Gott,) durch unsern Herrn Jesum Christum, deinen Sohn, der mit Dir lebt und regiert in Einigkeit des heiligen Geistes als gleicher Gott von Ewigkeit zu Ewigkeit. Amen."

3) Am schönsten bekennen wir den Glauben an die heilige Dreifaltigkeit in der Verherrlichungsformel, die wir unsern Gebeten, namentlich dem Vater unser bei= fügen: „Die Ehre sei dem Vater und dem Sohne und dem heiligen Geiste, wie es war im Anfange und jetzt und in ewige Zeiten. Amen."

4) Die Kirche feiert am Sonntage nach Pfingsten das Fest der allerheiligsten Dreifaltigkeit und zwar an diesem Tage, weil dieses Fest gewissermaßen die Oktav des Weihnachtsfestes, des Osterfestes und des Pfingstfestes ist. Der heilige Vincentius Ferrerius sagt über dieses Fest: „So wie die Kirche, nebstdem sie das An= denken der einzelnen Heiligen an besondern Tagen ehrt, auch noch ein Fest aller Heiligen zusammen begeht, um in dieser allgemeinen Feier die etwaigen Mängel der ein= zelnen Feste zu ergänzen, ebenso und um so mehr feiert sie nach den einzelnen Festen des Herrn ein Fest aller drei göttlichen Personen, um, was jenen abging, in diesem nachzuholen und zu ergänzen."

Gebet des heiligen Augustinus.

O drei mit einander gleiche und zugleich ewige Personen, einziger und wahrer Gott Vater, Sohn und heiliger Geist, der Du in Ewigkeit und in einem unzugänglichen Lichte wohnst; der Du die Erde in deiner Macht gegründet hast und den Erdball in deiner Weisheit regierest, heilig, heilig, heilig Herr Gott-Sabaoth, starker und mächtiger, gerechter und barmherziger, bewunderungs- und liebenswürdiger, einiger Gott in drei Personen, von einerlei Wesenheit, Macht, Weisheit, Güte, einige und unzerteilte Dreifaltigkeit! Oeffne mir Rufenden die Thore der Gerechtigkeit. Ich werde in selbe eingehen und Dich, Jehova, preisen. Aller Ruhm, alle Macht, alle Ehre und Herrlichkeit sei Gott dem Vater, und dem Sohne, und dem heiligen Geiste. Amen.

§ 4. Gottes Eigenschaften oder Vollkommenheiten.

Wir müssen glauben, daß Gott das allervollkommenste Wesen ist. Alles Böse ist von Ihm ausgeschlossen. Er hat nur gute Eigenschaften, und diese guten Eigenschaften hat Er in unendlichem Maße. Darum nennen wir die göttlichen Eigenschaften auch Vollkommenheiten. Nach der Vollkommenheit Gottes sollen wir trachten.

„Ihr sollt vollkommen sein, wie auch euer Vater im Himmel vollkommen ist." (Matth. 5, 48.)

Der heilige Augustinus sagt: „Gott ist die Güte alles dessen, was gut ist. — Damit stimmen alle überein, Gott sei das, was sie allen übrigen Dingen vorziehen."

Darum nennen wir Gott mit Recht das höchste, vollkommenste und liebenswürdigste Gut.

Die vornehmsten Eigenschaften Gottes.

1. Gott ist ein Geist.

Gott ist ein einfaches, rein geistiges und darum unsichtbares Wesen — ein purer Geist.

Gott ist ein Geist. Er weiß um sich und um alles, was Er geschaffen hat. Er kennt seine Eigenschaften und die Eigenschaften aller seiner Geschöpfe. Er denkt, und was Er erkennt, das will Er, oder will es nicht, und was Er will, das wirkt Er und führt es aus. Und das alles geschieht auf die unendlich vollkommenste Weise. Gott ist der vollkommenste Verstand und der mächtigste Wille, aber weil Er keinen Leib hat, für uns unsichtbar. Darum sagen wir: Gott ist der vollkommenste Geist.

„Gott ist ein Geist, und die Ihn anbeten, müssen Ihn im Geiste und in der Wahrheit anbeten." (Joh. 4, 24.)

Zwar bilden die Menschen Gott in Menschengestalt ab. So wird z. B. der Vater dargestellt als ein ehrwürdiger, alter Mann mit dem Scepter in der einen, der Weltkugel in der andern Hand. Dies deutet die Ewigkeit Gottes an, der die Welt erschaffen hat und regiert. Der heilige Geist wird abgebildet als Taube oder als Zunge, weil Er in dieser Gestalt bei der Taufe Jesu und am Pfingstfeste erschien. Dies geschieht, damit wir unser

Gemüt besser zu Gott erheben können. Dergleichen Abbildungen sind gewissermaßen ein Buch, in welchem auch Unwissende lesen können.

Anwendung.

Gott ist ein Geist, und doch können und sollen wir denselben vor Augen haben. Wie mag dies geschehen? Stelle dir nur Gott als deinen Schöpfer vor, der dich in das Dasein gerufen, der dir das Leben gegeben hat. Stelle dir Gott vor als den gütigen Vater, von dem alle guten Gaben kommen, ohne den du nichts hättest von allem, was du hast. Stelle dir Ihn als den Helfer vor, der dich in keiner Not verläßt. Stelle dir Ihn endlich vor als deinen Richter, vor dem du einst Rechenschaft ablegen mußt. Dann wirst du dir ein rechtes Bild von Gott machen.

2. Gott ist ewig und unveränderlich.

Gott empfängt von niemand Leben, alle aber empfangen Leben von Ihm. Gott ist die Quelle des Lebens, und eben darum hat Er auch keinen Anfang.

Da das Leben in Gott selbst ist, hört Er auch nicht auf zu leben; Er hat daher so wenig ein Ende, als Er einen Anfang gehabt hat.

Gott ist also ewig und vor aller Welt, und wenn diese sichtbare Welt einmal nicht mehr bestehen wird, dann lebt Gott noch, wie Er vor der Welt gelebt hat.

„Die Himmel werden vergehen wie Rauch, die Erde veralten wie ein Kleid, und ihre Bewohner umkommen wie sie; aber mein

Heil wird ewiglich bleiben und meine Ge=
rechtigkeit nicht abnehmen." (Jf. 51, 6.)

Gott allein ist ewig. Die heiligen Engel
werden auch ewig leben und vor dem Throne
Gottes den Herrn loben immerdar. Aber sie haben
einen Anfang gehabt und sind Geschöpfe wie alles,
was Gott in das Dasein gerufen. Die Seele des
Menschen wird von Gott erhalten werden in Ewig=
keit; aber die Seele des Menschen ist erschaffen
worden, und darum sagt man: Die Seele des
Menschen ist unsterblich, und nicht: Die Seele
ist ewig.

Aber nicht nur Gott ist ewig, auch alle seine
Eigenschaften sind ewig. Er bekommt keine neue
Eigenschaft und verliert keine alte. Er wird nicht
mächtiger und nicht weniger mächtig, nicht heiliger
und nicht weniger heilig, nicht gerechter und nicht
weniger gerecht.

„Er ist von Ewigkeit. Er nimmt nicht
zu und nimmt nicht ab und bedarf keines
Rates." (Sir. 42, 21. 22.)

Anwendung.

Der Allmächtige hat vom Sinai herab die zehn Ge=
bote gegeben, die Er auch auf steinerne Tafeln schrieb,
um anzudeuten, daß diese Gebote ewig und unverbrüchlich
gehalten werden sollen. Dreitausendfünfhundert Jahre sind
seither vergangen, aber die Gebote Gottes müssen noch
ebenso gehalten werden; denn Christus ist nicht gekommen,
das Gesetz aufzuheben, sondern es zur Erfüllung zu bringen,
und der Gott, der unter Donner und Blitz die Gebote

gab, ist noch derselbe Gott, ebenso fürchterlich den Bösen wie damals.

3. Gott ist allmächtig.

Gott kann alles. Er kann alles auf die leichteste Art, Er kann alles in einem Augenblicke machen. Er allein kann alles machen. Alles was ist, ist sein Werk. Er braucht nur zu wollen, und es ist geschehen.

Als Gott wollte, daß es schön hell werde auf der Erde, da sprach Er nur: „Es werde Licht, und es ward Licht." (I. Mos. 1, 3.)

Gott hat es aber gefallen, den Lauf und die natürliche Ordnung der Dinge an gewisse Gesetze zu knüpfen, welche nach dem Willen Gottes sich fortwährend wiederholen. Das sind Naturgesetze, welche unabänderlich wirken. Nach ihnen bewegen sich Sonne, Mond und Sterne und die unzähligen Himmelskörper, welche wir nicht einmal mit freiem Auge erblicken, in unwandelbarer Stetigkeit; nach ihnen folgen Frühjahr, Sommer, Herbst und Winter, Tag und Nacht, ohne daß einer je ausbliebe. Ueber diesen Naturgesetzen, die der Mensch erkennen und sogar berechnen kann, dürfen wir aber den allmächtigen Geist nicht vergessen, der diese Naturgesetze den Kreaturen vorgeschrieben hat. Dieser allmächtige Geist ist von den Naturgesetzen unabhängig, die Naturgesetze sind abhängig von Ihm. Er steht über den Naturgesetzen und kann die Naturgesetze ändern oder neben ihnen wirken. Wenn Gott nun etwas außerhalb des Laufes der Naturgesetze wirkt, so ist dies ein Wunder.

Anwendung.

1) Gott kann alles machen.

Von Gott kommt alles her, was wir haben. Er allein kann uns alles geben, was wir bedürfen. Durch seinen Willen scheint und wärmt die Sonne. Er spendet Regen und Tau, Er giebt Fruchtbarkeit den Aeckern, Er segnet die Fluren. In seiner Hand liegt Glück und Unglück, Gesundheit und Krankheit, Leben und Tod, Heil und Verderben.

An wen sollen wir uns also wenden, wenn wir in der Not sind, als an den, der allein uns helfen kann? Wenn keine Hilfe mehr auf Erden ist, ist Gott noch unser Helfer. Auch der elendeste, armseligste, von der Welt verlassene Mensch kann noch getrost sein, denn Gottes Hand bedeckt ihn.

2) Gott kann alles, wir können nichts. Alles, was wir können, können wir nur durch Gott. Seien wir also nicht stolz und hoffärtig, sondern demütig und bescheiden, und erheben wir uns nicht über uns selbst.

4. Gott ist allgegenwärtig.

Wie Gott unabhängig ist von aller Zeit, so ist Er auch unabhängig von allem Raume. Er ist über allen Raum erhaben und an allen Orten zugleich. Er ist im Himmel und auf Erden. Es giebt keinen Ort, wo Gott nicht wäre.

Gott ist an allen Orten zugleich. Und wo Er ist, da ist Er mit seiner Vollkommenheit, mit seiner Kraft und seiner Macht, mit allen seinen Eigenschaften. Er ist nicht nur bei uns, sondern Er ist in uns, Er ist in unserm Leibe und in unserer Seele. Er durchdringt alle Dinge.

Vorzüglich aber ist Gott im Himmel.

Dort hat Er den Engeln und Gerechten eine Herr-
lichkeit bereitet, von der der heilige Paulus spricht:
„Kein Auge hat es gesehen, und kein
Ohr hat es gehört, und in keines Menschen
Herz ist es gekommen, was Gott denen
bereitet, die Ihn lieben." (I. Kor. 2, 9.)

Anwendung.

a) Gott ist überall bei uns. Vergessen wir dies
nie, und stellen wir uns oft in die Gegenwart Gottes.
Thun wir nichts, was Gott nicht sehen dürfte. Wie vieles
würden wir unterlassen, wenn wir wüßten, daß Menschen
uns sehen! Um wieviel mehr müssen wir uns scheuen,
die Majestät Gottes zu beleidigen!

b) Gott ist überall bei uns. Er kann uns bei-
stehen in jeder Not und uns beschützen in jeder Versuchung. In keiner Gefahr dürfen wir verzagen. Gott ist
bei uns, und wenn wir es verdienen, ist Gott mit uns.
Darum betete David:
„Wenn ich auch wandle mitten im Todesschatten, so will ich nichts Uebles fürchten, weil
Du bei mir bist." (Pf. 22, 4.)

c) Gott ist überall bei uns. Wir können überall
zu Ihm beten. Ueberall können wir unsere Knie vor Ihm
beugen und Ihn anrufen. Er hört unser Seufzen, Er
sieht unsere Thränen. Die ganze Welt ist Gottes Haus
und jedes fromme Herz ist sein Altar.

5. Gott ist allwissend.

Gott, der Allgegenwärtige, ist begreiflicherweise
auch der Allwissende. Aber er weiß nicht nur,
was ist, und was geschieht, was war, und was
geschah, sondern auch, was sein und was geschehen
wird. Sein Auge blickt nicht nur in die Vergan-

genheit und in die Gegenwart, sondern auch in
die Zukunft. Er erkennt alles, was erkennbar ist,
und nicht das Geringste bleibt seinem Auge ver=
borgen. Er kennt unsere geheimsten Gedanken.

„Der Herr kennt alles Wißbare und
durchschaut die Wunder der Welt. Er ver=
kündet das Vergangene und Zukünftige
und entdeckt die Spuren der geheimsten
Dinge. Kein Gedanke entgeht Ihm, und
nicht ein Wort bleibt Ihm verborgen.“
(Sir. 41, 19—20.)

Gott achtet auch auf alle Handlungen der
Menschen.

„Seine Augen sehen auf die Wege der
Menschen und Er merket auf alle ihre
Schritte.“ (Job 34, 21.)

Obwohl Gott alles vorhersieht, so wird da=
durch die Freiheit des Willens doch nicht beschränkt.

Gott hat die Sünde der ersten Menschen ge=
wußt; Er kannte die Verleugnung des Petrus und
den Verrat des Judas; aber die ersten Menschen
haben nicht gesündigt, Petrus hat den Herrn nicht
verleugnet, Judas den Heiland nicht verraten, weil
Gott es wußte, sondern Gott wußte es, aber Er
verhinderte es nicht, weil Er den Menschen freien
Willen läßt.

Da möchte aber der Vorwitz fragen: Warum
hat Gott die Menschen erschaffen, da Er doch
wußte, daß sie sündigen werden, und daß so
vieles Elend über sie kommen werde und Er so

viele mit den Qualen der Hölle werde strafen müssen?

Hierauf kann der menschliche Verstand keine vollständige Antwort geben. Doch können wir sagen:

a) Gott schuf den Menschen ungeachtet aller Sünde und alles Elendes, das über ihn kommen würde, weil Er voraussah, daß aus seiner Schöpfung mehr Gutes als Böses hervorgehen würde.

b) Auch durch Sünde und Elend wird Gott verherrlicht; denn da offenbart sich seine Barmherzigkeit und seine Gerechtigkeit.

c) Kein Mensch geht verloren, weil Gott es so will, sondern nur durch seine eigene Schuld.

Anwendung.

a) Wir sind nie allein. Gott ist der Zeuge alles dessen, was wir thun, und wenn es auch in der tiefsten Verborgenheit geschähe. Gott entgeht nichts; alles liegt offen vor Ihm. Wenn wir deshalb in Versuchung kommen, etwas Böses zu thun, so sollen wir ja nicht denken: es weiß niemand darum; Gott weiß es und wird uns zur Rechenschaft ziehen.

„An jedem Orte sind die Augen des Herrn, sie schauen auf die Guten und die Bösen." (Sprichw. 15, 3.)

b) Gott kennt auch unsere Gedanken. Er weiß, was wir thun würden, wenn wir es thun könnten. Er weiß auch, in welcher Absicht wir etwas thun. Er ist der Herzenskenner. Vor Ihm gilt keine Heuchelei; wir können Ihn nicht täuschen.

„Ich, der Herr, erforsche das Herz und prüfe die Nieren." (Jer. 17, 10.)

c) Gott kennt auch unsere Not und unser Bedrängnis. Wir dürfen uns darum vertrauensvoll an Ihn wenden. Unser Herz verzage deshalb nicht, wenn auch Tage der Trübsal über uns kommen.

„Nahe ist der Herr denen, die bedrängten Herzens sind, und den Geistgebeugten hilft Er." (Pf. 33, 19.)

d) Gott kennt auch das Gute, das wir im Verborgenen thun. Er weiß um jeden Bissen Brots und jeden Trunk Wassers, mit dem wir einen Hilfsbedürftigen erquicken, um jeden Pfennig, den ein Armer dem andern Armen schenkt.

„Das Almosen des Menschen ist wie ein Siegelring bei Ihm gegenwärtig." (Sir. 17, 18.)

e) Gott sieht mich. Das ist der Trost für die mißkannte Tugend, für die falsch Angeklagten, für die um der Gerechtigkeit willen Verfolgten. Mögen die Menschen urteilen, wie sie wollen; der Herr richtet nicht nach dem Schein, sondern Er fällt ein gerechtes Urteil.

Der Herr kennt auch die Thränen, die wir weinen, die Kämpfe, die wir bestehen, die Versuchungen, die wir überwinden. Darum sagt der hl. Cyprian:

„Da wir hier für unsern Glauben streiten und kämpfen, schaut uns Christus, schauen uns die Engel zu. Welch eine Ehre, welch ein Glück, vor solchen Zuschauern zu kämpfen und den Kampfpreis zu erlangen!"

f) Gott weiß auch, was unter andern Umständen geschehen würde. Jesus wußte, daß Tyrus und Sidon sich bekehrt haben würden, wenn sie seine Wunder gesehen hätten:

„Wehe dir, Corozain! Wehe dir, Bethsaida! Denn wenn zu Tyrus und Sidon die Wunder geschehen wären, die bei euch geschehen sind, so hätten sie einst im härenen Kleide und in der Asche sitzend Buße gethan." (Luk. 10, 13.)

Gott weiß also auch, was aus dir geworden wäre, wenn du wärest in einem andern Stande geboren worden, oder wenn du einen andern Beruf ergriffen hättest. Er hat Stand und Beruf für dich auserwählt. Wir dürfen deshalb nicht meinen, wir wären glücklicher in einem andern Stande und hätten unsern Beruf verfehlt. Unser Beruf ist kein anderer, als die Pflichten des Standes, in den der Herr uns gesetzt hat, gewissenhaft zu erfüllen.

„Ein jeder bleibe, wie es ihm der Herr zugeteilt hat und wie einen jeden Gott berufen hat, so wandle er." (I. Kor. 7, 17.)

6. Gott ist unendlich weise.

Gott weiß nicht nur, was ist und was geschieht, sondern Er weiß auch, was gut und heilsam ist, und er kennt auch alle Mittel, um das, was gut und heilsam ist, zu erreichen und zu verwirklichen. Er hat alles, was Er geschaffen hat, so eingerichtet, wie es eingerichtet sein mußte, um seinen Zweck zu erreichen. Diese Anwendung der Allwissenheit Gottes nennen wir die göttliche Weisheit.

Gott ist weise, d. h. Er weiß alles auf das Beste einzurichten, um das zu erreichen, was Er damit erreichen will.

Die Weisheit Gottes offenbart sich am deutlichsten in der Einrichtung der Welt und in der Ausstattung der einzelnen Geschöpfe.

Die Erde ist für die Geschöpfe, die Geschöpfe aber sind so ausgestattet, daß sie da, wo sie sind, leben können und ihre Nahrung finden.

Am Himmel steht die Sonne. Ohne sie könnten weder Menschen noch Tiere leben, noch Pflanzen

fortkommen. Wäre die Erde nicht rund und würde
sie sich nicht bewegen, so könnte nicht die ganze
Erde von der Sonne beschienen werden; es gäbe
keine Nacht, die den Tag ablösen und Menschen
und Tieren Ruhe verleihen würde. Wie notwendig ist nicht der Wechsel der Jahreszeiten, von
dem alle Fruchtbarkeit abhängt. Wie könnte die
Erde ihre Früchte entwickeln und reisen lassen,
wenn auf den Winter gleich der Sommer und
auf den Sommer gleich wieder der Winter folgen würde? Was wäre die Erde ohne die Berge,
diese Behältnisse des frischen Wassers, diese Fund-
stätten der Metalle und des Holzes und vieler
nützlichen Kräuter? Was würde geschehen, wenn
die Erde nicht von einer Wasserfläche umgeben
wäre, die dreimal so groß ist, als sie selbst? Aus
dem Meere steigen wieder Dünste zum Himmel
und werden vom Winde über die Erde gejagt, und
fallen als Regen nieder und erfrischen die ganze
Natur, Menschen, Tiere und Pflanzen. Und wie
wunderbar ist der Mensch nicht eingerichtet!

Der Mensch besteht aus Leib und Seele. Die
Seele des Menschen ist nach Gottes Ebenbild erschaffen. Wie in Gott drei göttliche Personen sind,
so giebt es in der Seele des Menschen drei Kräfte:
die Erkenntnis, das Gefühl oder die Empfindung
und den Willen. Mit diesen Kräften kann der
Mensch denken, erkennen, unterscheiden, empfinden,
lieben, hassen, und zwar dies alles mit freiem
Willen. In Bezug auf den Leib ist der Mensch

das größte Meisterstück der Schöpfung; er ist nicht
das Werk eines Engels, eines Erzengels, eines
Cherubs; er ist das Werk Gottes selbst, dieses
großen Gottes, der des Menschen nicht bedurfte,
der in sich allein sein Glück und seine Ehre findet.
Darum ist aber auch alles, was wir am Menschen
erblicken, so kunstvoll und wunderbar. Die auf=
rechte Stellung, das Haupt in seiner merkwürdigen
Struktur, Bestimmung und Beschaffenheit, die Au=
gen und Ohren, die verschiedenen Sinne des Ge=
ruches, Geschmackes und Gesichtes, die zahllosen
Nerven, die 260 großen und kleinen Knochen, die
in so wunderbarer Harmonie mit einander in Ver=
bindung stehen — alles dies beweist uns, daß der
Mensch, auch nur dem Körper nach betrachtet, schon
ein Werk der Gottheit sein müsse. Selbst Heiden
erkannten dies. So sprach einst Galenus zum
gottesleugnenden Epikur: „Betrachte nur einmal
deinen Körper und seinen wunderbaren Bau, und
sage mir dann, ob du noch am Dasein einer Gott=
heit zweifeln könntest! Sieh, hundert Jahre will
ich dir Zeit zum Nachdenken geben, auf daß du
untersuchen könntest, ob am ganzen menschlichen
Körper auch nur ein Fehler zu entdecken sei, oder
ob du etwa die Glieder des Leibes verändern könntest,
ohne ihm dadurch nicht auch zugleich die Schönheit,
Nützlichkeit, Kraft und Stärke zu rauben. Nicht
ein Mensch, ein Gott nur war imstande, ein so
herrliches Gebilde zu schaffen." Den erhabenen
Bau und die hohe Abstammung des Menschen be=

trachtend — ruft der heilige Bernard aus: „Was
iſt doch das für ein Künſtler, auf deſſen Wink der
Lehm der Erde und der Geiſt des Lebens zu einem
ſo harmoniſchen Ganzen zuſammentreten!?

„Wie groß ſind deine Werke, o Herr!
Alles haſt Du mit Weisheit gemacht; was
die Erde erfüllt, iſt dein." (Pſ. 103, 24.)

Es giebt aber ſo viele natürliche Uebel in der
Welt: Erdbeben, Ueberſchwemmungen, Sturmwinde,
Ungewitter, Mißwachs, Ungeziefer und andere
ſchreckliche Naturerſcheinungen, welche ganze Städte
und Gegenden verheeren und unglücklich machen?
Sollten wir da nicht irre werden an der Weisheit Gottes?

Vor allem müſſen wir bedenken, daß viele
dieſer Naturerſcheinungen wohl einzelne Menſchen
unglücklich machen, für das Wohl der Geſamtheit
aber notwendig ſind. So reinigen Sturm und Ungewitter die Luft von böſen Ausdünſtungen, welche
Krankheiten und Seuchen verurſachen würden. Das
unterirdiſche Feuer iſt notwendig; denn es erhält
die natürliche Wärme des Bodens und befördert
das Wachstum der Pflanzen. Vieles ſcheint uns
ein Uebel zu ſein, der Weisheit Gottes aber iſt
es ein Mittel, uns von der Welt abzuwenden und
zu Ihm zu führen. Es ſind Strafgerichte, die der
Herr über uns kommen läßt, damit wir wieder
zu Ihm unſere Zuflucht nehmen. Gerade die natürlichen Uebel nötigen den Menſchen am meiſten,
ſeine Denkkraft zu üben und alle ſeine Kräfte

anzuſtrengen, um ſich dagegen zu ſichern. Vieles vermag der Menſch eben in ſeiner Kurzſichtigkeit nicht zu ergründen, und darum muß er ſeine Erkenntnis demütig unterwerfen und ſprechen:

"O Tiefe des Reichtums der Weisheit und Erkenntnis Gottes! Wie unbegreiflich ſind ſeine Gerichte und wie unerforſchlich ſeine Wege!" (Röm. 11, 33.)

Anwendung.

a) Der Menſch hat die Aufgabe, die Vollkommenheiten Gottes nachzuahmen und möglichſt an ſich zu verwirklichen. Zu dieſen Vollkommenheiten gehört die göttliche Weisheit. Wir ſollen alle weiſe ſein. Das will ſagen: wir ſollen bei allem eine gute Abſicht haben und uns prüfen, ob dabei etwas Gutes herauskommt. Etwas Gutes kommt heraus, wenn Gott geehrt, die Nächſtenliebe geübt und unſere Seele geheiligt wird. Damit wir nun dieſes können, müſſen wir, wie Salomon, um Weisheit bitten. (III. Kön. 3, 9.)

"Mein Gott biſt Du! Dein guter Geiſt führe mich auf der rechten Bahn." (Pſ. 142, 10.)

b) Damit unſer Gebet um Weisheit erhört werde, müſſen wir gottesfürchtig leben. So lange Salomon Gott fürchtete, blieb die göttliche Weisheit bei ihm. Als er von Gott abfiel und heidniſche Weiber nahm, überließ ihn Gott den Thorheiten eines laſterhaften Herzens. Gottloſigkeit und Gottes Geiſt wohnen nicht in einem und demſelben Herzen.

"Denen gab der Herr Weisheit, die gottſelig leben." (Sir. 43, 37.)

c) Der Menſch darf ſich nie herausnehmen, an den Werken Gottes etwas zu tadeln oder etwas auszuſetzen. Nicht minder muß er in Ehrfurcht ſchweigen, wenn ihm

auch vieles unbegreiflich zu sein scheint. Gar oft wird
der Gottesfürchtige mit Armut, Krankheit und Uebeln aller
Art geplagt und gepeinigt, während der Schlechte und
Lasterhafte in Ehren, Reichtümern und Wollüsten lebt.
Dies darf uns nicht irre machen. Gott hat dabei seine
Absichten, die wir nicht kennen, die uns aber einst offenbar
werden am Tage des allgemeinen Gerichtes, an dem Gottes
Weisheit und Gerechtigkeit den Sieg davon tragen werden.
Wir gedenken der Worte des Herrn:

„Meine Gedanken sind nicht eure Gedanken,
noch eure Wege meine Wege. Denn wie der
Himmel höher ist als die Erde, so sind meine
Wege höher als eure Wege und meine Gedanken
über eure Gedanken." (Is. 55, 8. 9.)

7. Gott ist heilig und gerecht.

Da Gott ein unendlich vollkommener Geist ist,
so ist Er durch und durch gut. Er kann also nur
das Gute wollen und lieben, und muß alles, was
seinem Wesen widerspricht, hassen und verabscheuen.

Gott liebt das Gute und haßt und verabscheut das Böse. Darin besteht die Heiligkeit Gottes.

„Du bist kein Gott, der Unrecht liebt,
und der Böse weilet nicht bei Dir, noch
verbleiben die Ungerechten vor deinen
Augen. Du hassest alle, die Böses thun,
verderbest alle, die Lügen reden; den
Mann des Blutes und Truges verabscheut
der Herr." (Ps. 5, 5—7.)

Allein Gott liebt und haßt auch im Werke.
Dies thut Er dadurch, daß Er jedem thut, wie
es ihm gebührt, d. h. Er läßt jedem sein Recht

widerfahren. Darum nennen wir ihn gerecht.
Er züchtigt deshalb die Bösen, die Guten aber
belohnt Er. Und jeder wird belohnt und bestraft,
genau so wie er es verdient. Nicht das geringste
Gut bleibt unbelohnt; nicht das geringste Böse
unbestraft.

„Wer einem von diesen Geringsten nur
einen Becher kalten Wassers zu trinken
reicht im Namen eines Jüngers, wahrlich
sag Ich euch, er wird seinen Lohn nicht
verlieren." (Matth. 10, 42.)

Und Gott straft nicht nur die bösen Werke,
sondern auch die bösen Gedanken. Niemand kann
Ihn täuschen, denn Er blickt in das Innere der
Menschen. Er spricht: „Ich, der Herr, er-
forsche das Herz und prüfe die Nieren.
Ich vergelte einem jeglichen nach seinem
Wandel und nach den Früchten seiner An-
schläge." (Jer. 17, 10.)

Und dabei schont Gott weder des Reichen noch
des Mächtigen. Ob hoch oder nieder, jeder wird
vor das Gericht gestellt und empfängt Lohn oder
Strafe, wie er es verdient.

„Bei dem Herrn, unserm Gott, ist kein
Unrecht noch Ansehen der Person."
(II. Chron. 19, 7.)

Oft freilich scheint es uns, als ob kein gerechter
Gott im Himmel wäre. Das Laster triumphiert
oft, und die Tugend unterliegt; der Gottlose lebt
im Ueberfluß, während der Gerechte darben muß.

Allein das darf uns nicht irre machen. Jedem ſchlägt ſeine Stunde, dem reichen Praſſer, wie dem armen Lazarus. Den Lazarus trugen die Engel in Abrahams Schoß, der reiche Praſſer wurde in die Hölle geſtürzt. Von ſolchen Gottloſen gelten die Worte Jobs:

„Sie bringen ihre Tage im Wohlleben zu und fahren zur Hölle in einem Au= genblick." (Job 21, 13.)

Anwendung.

a) Wenn alles, auch das geringſte Böſe, beſtraft wird, welche Thorheit iſt es alsdann, eine Sünde zu begehen!

Und wenn alles, auch das geringſte Gute, belohnt wird, welche Thorheit iſt es alsdann, nicht ſtets Gutes zu thun, damit unſer Lohn immer reicher und vollkomme= ner werde!

„Die Furcht des Herrn, das iſt Weisheit, und meiden das Böſe, Verſtand." (Job 28, 28.)

b) Wir müſſen darnach trachten, ebenfalls heilig und gerecht zu werden. Denn das iſt ja unſere Beſtim= mung auf Erden, daß wir Gott immer ähnlicher werden. Je mehr wir das Böſe in uns getilgt haben, und je kräftiger das Gute in uns lebt, deſto näher ſtehen wir Gott, und nur, wenn alles Böſe in uns getilgt iſt, können wir zu Gott kommen.

„Seid heilig, denn Ich bin heilig, der Herr euer Gott." (III. Moſ. 9, 2.)

c) Wenn wir heilig ſind, dann ſind wir auch gerecht. Denn wenn wir heilig ſind, werden wir das Gute thun, das Böſe meiden und jedem geben, was ihm gebührt.

„Auf dem Wege der Gerechtigkeit iſt Leben, aber der Abweg führt zum Tode." (Sprichw. 12, 28.)

Strafgerichte Gottes.

Wie sehr Gott das Böse haßt, das sehen wir an der Strenge, mit der Er das Böse straft.

Er verstieß die ersten Menschen aus dem Paradiese. Sie und alle ihre Nachkommen mußten um der Sünde willen ein hartes und mühseliges Leben führen und zuletzt die Bitterkeit des Todes verkosten. (I. Mos. 3, 16 ff.) Die Menschen zur Zeit Noes vertilgte Er durch eine Wasserflut. (I. Mos. 7.) Die Einwohner von Sodoma und Gomorrha verzehrte Feuer, das vom Himmel kam. (I. Mos. 19.) Den König Pharao und dessen Reiter und Wagen überflutete das Meer. (II. Mos. 14, 27.) Wegen der Anbetung des goldenen Kalbes schlug der Herr an einem Tage dreiundzwanzigtausend Israeliten mit der Schärfe des Schwertes. (II. Mos. 32, 28 ff.) Der Israelit, welcher den Namen des Herrn lästerte, wurde gesteinigt. (III. Mos. 24, 14.) Ebenso derjenige, der am Sabbate Holz sammelte. ((IV. Mos. 15, 32 ff.) Alle, die aus Aegypten ausgezogen waren, Josua und Kaleb ausgenommen, mußten in der Wüste sterben und durften nicht in das gelobte Land, weil sie in der Wüste den Herrn versuchten. (IV. Mos. 14, 22 ff.) Maria, die Schwester des Moses, wurde mit dem Aussatze bestraft, weil sie wider Moses redete. (IV. Mos. 12, 10.) Um des Götzendienstes und der Unzucht willen wurden vierundzwanzigtausend Mann getötet. (IV. Mos. 25, 9.) Heli, der Hohepriester, büßte die Nachsicht, die er gegen seine Söhne hatte, mit dem Leben. (I. Kön. 4, 18.) Saul kam um seines Ungehorsams willen um Königtum und Leben. (I. Kön. 13, 14.) Die Knaben, die den Elisäus verspotteten, wurden von den Bären gefressen. (IV. Kön. 2, 23.) Giezi, der habsüchtige Diener des Propheten Elisäus, wurde seiner Lüge und seines Betruges wegen mit dem Aussatze bestraft. (IV. Kön. 5, 27.) Ein warnendes Beispiel, die Pflichten gegen die geistliche Obrigkeit nicht zu ver-

letzen, geben uns Ananias und deſſen Weib Saphira.
Die erſten Chriſten hatten in Liebe alles miteinander
gemeinſchaftlich, und es gab keine Reichen und keine Armen. So verkauften denn auch dieſe beiden einen Acker,
aber ſie brachten dem Apoſtel Petrus nicht die ganze
Summe, die ſie erlöſten, ſondern behielten einen Teil für
ſich und gaben vor, weniger gelöſt zu haben. Dem Petrus aber wurde es offenbar, und er machte dem Ananias den Vorwurf: „Nicht Menſchen haſt du be-
logen, ſondern Gott. Als Ananias dieſe Worte
hörte, fiel er nieder und gab den Geiſt auf." Ein gleiches
Schickſal hatte die Saphira. (Apg. 5, 4 ff.)

Gott ſtraft nicht bloß die großen Sünden, ſondern
auch kleine Sünden und zwar oft ſchwer. Der Herr tötete
vom Volke der Bethſamiten ſiebenzig Mann und fünfzig-
tauſend vom gemeinen Volke, weil ſie die Lade des Herrn
mit ſträflicher Neugierde geſchaut hatten. (I. Kön. 6, 19.)

Gott ſtraft den Vornehmen wie den Niedrigen. Der
König Antiochus, welcher unzählige foltern und töten
ließ, weil ſie ihrem Geſetze treu blieben, hatte in ſeinem
Stolze gedacht, er werde hinauf kommen und Jeruſalem
zum Grabhügel aller Juden machen. Aber auf dem Wege
dahin ſchlug ihn der Herr mit einer ſehr ekligen Krankheit und dann mit einem jämmerlichen Tode. (II. Mach. 9.)

8. Gott iſt wahrhaft und treu.

Weil Gott durch und durch gut iſt, ſo wider-
ſtreitet ſeinem Weſen auch alles, was falſch und
unwahr iſt. In Gott iſt nur Wahrheit; Er iſt
die Wahrheit ſelbſt.

Wie Gott heilig iſt in ſeinen Werken, ſo iſt
Er auch heilig in ſeinen Worten.

„Ich bin der Weg, die Wahrheit und
das Leben." (Joh. 14, 6.)

Wenn also Gott etwas offenbart, so ist es lauter Wahrheit. Gottes Wort ist unveränderlich, wie sein Wille. Er bleibt seinem Worte treu.

Was Gott sagt, ist wahr, was Er verspricht, hält Er, was Er androht, erfüllt Er.

„Gott ist nicht wie ein Mensch, daß Er lüge; wie eines Menschen Sohn, daß Er sich ändere. Er hat es gesagt und sollte es nicht thun? Gesprochen und sollte es nicht halten?" (IV. Mos. 23, 19.)

Anwendung.

1) Da Gott die ewige Wahrheit und die katholische Kirche die Säule und Grundfeste der Wahrheit ist, so nimmt der katholische Christ die Offenbarung Gottes aus der Hand der Kirche, ohne zu zweifeln, ohne zu grübeln und ohne zu deuten. — Er spricht mit dem Apostel:

„Ich weiß, an wen ich geglaubt habe." (II. Tim. 1, 12.)

2) Das Gotteskind verabscheut alle Lüge, alle Falsch= heit, Hinterlist und Heuchelei.

Nur die Warheit führt zu Gott.

„Herr, wer wird wohnen in deinem Zelte, oder wer wird ruhen auf deinem heiligen Berge? Der ohne Makel einhergeht und Gerechtigkeit übt; der Wahrheit spricht in seinem Herzen; der nicht Falschheit übet mit seiner Zunge." (Ps. 14, 1—3.)

9. Gott ist allgütig.

Gott ist die reinste und vollkommenste Liebe, und zeigt dies seinen Geschöpfen gegenüber in un= endlicher Weise. Er will und sucht nichts als

das Wohl derſelben, und ſeine Güte hat keine
Grenzen.

Unzählige Wohlthaten erweiſt Er uns Tag für
Tag. Wenn Er ſeine Hand von uns zurückziehen
würde, ſo wären wir alle verloren. Aber ſeine
Liebe iſt unerſchöpflich, und ſelbſt die Böſen und
die ſeiner Liebe Unwürdigen überhäuft Er mit
Gütern. Und dieſes thut Er nicht, weil Er einen
Nutzen oder einen Vorteil davon hätte, ſondern
aus freier, in Ihm ſelbſt wohnender Liebe.

„Du liebſt alles, was da iſt, und haſſeſt
nichts, was Du gemacht haſt.“ (Weish. 11, 25.)

Alles, was wir beſitzen, kommt von Gott, und
ohne Ihn wären wir nicht und hätten wir nichts.
Das Leben ſelbſt kommt von Ihm, der die Quelle
des Lebens iſt. Licht, Luft, Wärme, Kraft und
Tüchtigkeit zur Arbeit, die Erde, dieſer ſo ſchöne
Wohnplatz des Menſchen, die unzähligen Geſchöpfe,
die für uns beſtimmt ſind, Tiere, Pflanzen, Metalle, die uns geben, was wir zur Nahrung, Klei-
dung, Wohnung, nötig haben, die zur Bequem-
lichkeit und zur Verſchönerung des Lebens, zur
Erhöhung des Genuſſes beitragen, kommt von Gott.
Dazu die geiſtigen Gaben: Verſtand, Vernunft,
Gemüt, Einbildungskraft, Gedächtnis, alles, was
zur Heiligung der Seele dient — alles, alles empfangen wir aus der Hand Gottes.

„Jede gute Gabe und jedes vollkommene Geſchenk iſt von oben herab, vom
Vater der Lichter.“ (Jak. 1, 17.)

Aber alle diese unzähligen Wohlthaten, die der Herr uns schenkte und täglich schenkt, verschwinden gegen den Erweis der göttlichen Liebe, den der Herr uns gab in seinem eigenen Sohn, der sich für die sündige Menschheit opferte.

„Also hat Gott die Welt geliebt, daß Er seinen eingebornen Sohn hingab, damit alle, die an Ihn glauben, nicht verloren gehen, sondern das ewige Leben haben." (Joh. 3, 16.)

Und der Herr hat uns den heiligen Geist gesendet, damit Er das Werk seines Sohnes an uns fortsetze und vollende. Der heilige Geist ist das Siegel und das Unterpfand der göttlichen Liebe.

„Die Liebe Gottes ist ausgegossen in unsern Herzen durch den heiligen Geist, der uns gegeben ist." (Röm. 5, 5.)

Anwendung.

a) Die so große Vatergüte Gottes muß unser Herz zu inniger Dankbarkeit entflammen. Sprechen wir mit dem Psalmisten:

„Was soll ich dem Herrn vergelten für alles, was Er mir gegeben hat?" (Ps. 115, 3.)

b) Da wir Gott selbst nichts vergelten können, so sollen wir unsere Dankbarkeit dadurch zeigen, daß wir ebenfalls gütig gegen unsere Mitmenschen sind. In den armen Kranken, Bresthaften, Elenden, Betrübten können wir Gott werkthätig danken.

„Was ihr einem dieser meiner geringsten Brüder gethan habt, das habt ihr Mir gethan." (Matth. 25, 40.)

c) Aber nicht nur Dankbarkeit ſoll in unſern Herzen leben, ſondern auch Demut. Denn nichts iſt unſer von allem, was da iſt, ſondern alles iſt von Gott. All unſer Wollen und Vollbringen, all unſere Kraft und Stärke, all unſer Wiſſen und Können, all unſer Beſitz und unſere Habe iſt von Gott, und ohne Gott hätten wir, könnten wir und wüßten wir nichts. Auf was will der Menſch nun ſtolz ſein?

„Was haſt du, das du nicht empfangen haſt? Haſt du es aber empfangen, warum rüh= meſt du dich, als hätteſt du es nicht empfangen?" (I. Kor. 4, 7.)

d) Wie könnten wir im Hinblick auf Gottes Va= tergüte jemals kleinmütig werden? Wird derjenige, der uns das Größte, ſeinen einzigen Sohn, gegeben hat, uns das Geringere verſagen? Wird Er uns nicht alles geben, wenn wir Ihn darum bitten, wenn es unſerm Heile dienlich iſt? Befiehl dem Herrn deine Wege und hoffe auf Ihn; Er wird es wohl machen.

10. Gott iſt barmherzig und langmütig.

Die Liebe Gottes, die den eigenen Sohn hin= gab, zeigt ſich nicht nur den Gerechten, ſondern auch den Sündern gegenüber, ja den Sündern gegenüber noch viel mehr; denn der Herr läßt nicht nur regnen und die Sonne ſcheinen über Gerechte und Ungerechte, ſondern Er überhäuft die Sünder noch mit geiſtigen Gaben und Gnaden aller Art, um ſie zu ſich zurückzurufen, um ſie wieder zu ſeiner Kindſchaft zulaſſen zu können.

„So wahr Ich lebe," ſpricht der Herr, „Ich will nicht den Tod des Gottloſen, ſondern daß der Gottloſe ſich bekehre von ſeinem Wege und lebe." (Ezech. 33, 11.)

Und der Herr verzeiht allen Sündern. Es ist keine Sünde so groß und so schwer, welche Gott nicht vergiebt, wenn nur der Sünder seine Vergehungen erkennt, Buße thut und sich wieder zum Herrn wendet.

„Wenn eure Sünden wie Scharlach wären, sollen sie weiß werden wie Schnee, und wenn sie rot wie Purpur wären, sollen sie weiß werden wie Wolle." (Js. 1, 18.)

Salvianus sagt: „Giebt es wohl eine größere Barmherzigkeit, als die des himmlischen Vaters? Der zum ewigen Tode verurteilte Sünder hatte nichts, um sich von der Verdammung loszukaufen. Da sprach Gott: Nimm meinen einzigen Sohn und kaufe dich mit seinem Leben los. Und der göttliche Sohn sprach: Nimm mein Leben als Preis deiner Erlösung."

Der Ausfluß der Barmherzigkeit Gottes ist Gottes Langmut.

Gott läßt den Sündern Zeit zur Buße und straft sie erst dann, wenn das Maß der Sünden voll ist.

Oft scheint der Herr den Sünder mit Güte zu überhäufen. Er spendet ihm reichlich zeitliche Güter, giebt ihm Gelegenheit, seine Undankbarkeit und seine Sündhaftigkeit zu erkennen, ruft ihn gewissermaßen zu sich, wie eine liebende Mutter ihre Kinder ruft, um sie vor Unheil zu beschützen.

„Gnädig und barmherzig ist der Herr, langmütig und von großer Erbarmung." (Ps. 144, 8. 9.)

Allein die Gerechtigkeit Gottes kann nicht aufgehoben werden durch Gottes Barmherzigkeit. Einmal kommt die Zeit, wo das Maß des göttlichen Zornes voll, das Maß der göttlichen Barmherzigkeit erschöpft ist. Dann kommt schnell das Gericht.

„Bei Gott ist Barmherzigkeit und Zorn. Er läßt sich zwar erbitten, aber Er gießt auch seinen Zorn aus. So groß seine Barmherzigkeit ist, so groß ist seine Strafe." (Sir. 16, 12. 13.)

„Die Barmherzigkeit ist nur dann rechter Art, wenn sie sich auf solche Weise äußert, daß die Gerechtigkeit nicht verletzt wird. So wie Gerechtigkeit ohne Barmherzigkeit keine Gerechtigkeit, sondern Grausamkeit ist, so ist auch Barmherzigkeit ohne Gerechtigkeit keine Barmherzigkeit, sondern Thorheit." (Hl. Hieronymus.)

Anwendung.

a) Wenn wir das Unglück hatten, zu sündigen, so wollen wir nicht verzweifeln, sondern zu der Barmherzigkeit Gottes unsere Zuflucht nehmen.

„Lasset uns mit Zuversicht hinzutreten zum Throne der Gnade, damit wir Barmherzigkeit erlangen und Gnade finden, wenn wir Hilfe nötig haben." (Hebr. 4, 16.)

b) Hüten wir uns aber, die Langmut Gottes zu mißbrauchen und in falschem Vertrauen unsere Buße hinauszuschieben. Wir kennen den Augenblick nicht, in dem der Herr kommen wird, uns vor sein Gericht zu stellen. Die Langmut Gottes soll dich retten und nicht dein Seelenheil gefährden.

„Verachteſt du den Reichtum ſeiner Güte, Geduld und Langmut? Weißt du nicht, daß die Güte Gottes dich zur Buße leitet?" (Röm. 2, 4.)

Der heilige Auguſtinus ſagt:

„Wenn Gott die Strafe aufſchiebt, verſchiebe du die Buße nicht."

c) Wie die Güte Gottes uns auffordert, gegen unſere Mitmenſchen ebenfalls gut zu ſein, ſo fordert die Barmherzigkeit Gottes, mit der Er uns armen Sündern verzeiht, uns auf, denen, die uns beleidigt haben, ebenfalls zu verzeihen, damit es uns nicht gehe, wie dem unbarmherzigen Knecht im Evangelium.

„Ein unbarmherziges Gericht wird über den ergehen, der nicht Barmherzigkeit übet." (Jak. 2, 13.)

Gleichniſſe.

Wie Gottes Langmut den Sünder ſo lange ſchont, bis das Maß voll iſt, und wie der Sünder alsdann das Strafgericht Gottes erreicht, das zeigt uns die heilige Schrift am ſchönſten in dem Gleichniſſe vom Feigenbaume.

„Ein Mann hatte einen Feigenbaum, der in ſeinem Weinberge gepflanzt war. Und er kam und ſuchte Früchte auf demſelben, fand aber keine. Da ſprach er zu dem Weingärtner: Siehe, ſchon drei Jahre komme ich und ſuche Frucht an dieſem Feigenbaume und finde keine. Hau' ihn alſo weg! Was ſoll er noch das Land einnehmen. Der Weingärtner aber ſprach zu ihm: Herr, laß ihn auch noch dieſes Jahr, bis ich um ihn her ausgegraben und Dünger daran gelegt habe; vielleicht bringt er Frucht. Wenn nicht, ſo magſt du ihn für die Zukunft weghauen." (Luk. 13, 6—10.) Alſo wird des unbußfertigen Sünders Schicksal ſein.

„Täuſchet euch nicht! Gott läßt Seiner nicht ſpotten." (Gal. 6, 7.)

Zwölf Glaubensartikel.

§ 5. Von der Erschaffung der Welt.

Gott hat die Welt und alle Dinge, die in ihr sind, erschaffen. Er ist der Schöpfer.

Alles, was nicht Gott ist, ist durch Gott geworden und hat von Ihm das Sein. Es gab eine Zeit, in der von allem, was da ist und seither war, nichts existierte. Gott wollte aber, daß Wesen werden sollten, welche fähig seien, Ihn zu erkennen und Dinge, welche denen, die Ihn erkennen sollten, dienten. In diesem Sinne wirkte Er. Der Beginn dieser Wirksamkeit bezeichnet die heilige Schrift mit den Worten:

„Im Anfange schuf Gott Himmel und Erde." (I. Mof. 1, 1.)

1) Im Anfange schuf also Gott den Himmel, den Wohnsitz der Seligen, und die himmlischen Heerscharen, sowie die Elemente, oder die Grundstoffe alles Irdischen, und zwar schuf Gott dieses alles aus nichts. Was Gott zuerst erschuf, mußte notwendigerweise aus nichts erschaffen werden, weil noch nichts vorhanden war. Wäre schon etwas vorhanden gewesen, so entstünde die Frage: Woher kam jenes Etwas? Das erste Etwas muß aus nichts hervorgerufen worden sein. Etwas aus nichts hervorrufen, das kann Gott, aber auch nur Gott, weil Er das Leben in sich selbst hat.

Darum ermuntert die makkabäische Mutter ihr jüngstes Kind, das man ebenfalls zum Abfalle verleiten wollte, zur Standhaftigkeit mit den Worten:

„Ich bitte, Kind, aufzuschauen und Himmel und Erde und alles, was in ihnen ist, zu betrachten und zu erkennen, daß Gott dieses und das menschliche Geschlecht aus nichts gemacht." (II. Mach. 7, 28.)

2) Gott schuf die Welt freiwillig, denn Er bedarf derselben nicht. Ganz unabhängig schuf Er alles, was außer Ihm ist, aus freier Liebe. Darum singt der Psalmist: „Ich sprach zu dem Herrn: Mein Gott bist Du, denn meiner Güter bedarfst Du nicht." (Pf. 15, 2.)

Die Geschöpfe, die Gott hervorgerufen, sind dazu bestimmt, von ihrem Schöpfer Zeugnis abzulegen, und zwar die bewußtlosen schon durch ihre Existenz, durch ihre Schönheit, ihre zweckmäßige Einrichtung, durch den Nutzen, welchen sie bringen. Die unvernünftige Kreatur soll das Lob des Schöpfers, das Dasein Gottes, seine Größe, Kraft, Macht, Güte und Weisheit verkünden.

„Frag' nur die Tiere und sie lehren's dich; und die Vögel des Himmels, und sie zeigen es dir an. Rede mit der Erde, und sie antwortet dir, und es erzählen's die Fische des Meeres. Wer weiß nicht, daß alles dies die Hand des Herrn gethan?" (Job 12, 7—9.)

Der Mensch dagegen, diese wundervolle Zusammensetzung von Geist und Materie, der nach dem Ebenbilde Gottes erschaffen ist, Gott erkennen kann, Ihn lieben und Ihm dienen soll, er soll

mit Bewußtſein Gott loben und preiſen
und die Größe Gottes verkünden.

„Alleluja! Lobet den Herrn, ihr Diener. Lobet den Namen des Herrn.“
(Pſ. 112, 1.)

Als Gott die Erde erſchaffen hatte, war ſie
noch formlos und waren die Grundſtoffe noch nicht
von einander geſchieden. Sie war wüſt und leer,
und Finſternis war über dem Abgrunde. Aber
der Geiſt Gottes ſchwebte über den Gewäſſern.
Und es geſtaltete Gott in ſechs Tagen das, was
geſtaltlos war, und ſchuf noch vieles hinzu.

Am erſten Tage ließ Gott das Urlicht her-
vortreten und ſchied die Finſternis von dem Lichte.
Das Licht nannte Er Tag, die Finſternis aber
Nacht. Am zweiten Tage trennte Er die Waſſer
auf Erden von der Maſſe der Luft und ſchuf ſo
den Aether oder Himmel. Am dritten Tage geſtaltete Er die feſte Erde und ſchuf zugleich die
Gräſer und Kräuter und Bäume. Am vierten
Tage ſammelte Gott das Urlicht in die großen
Himmelskörper und ſetzte Sonne, Mond und Sterne
ins Firmament. Am fünften Tage ließ Er das
Waſſer große und kleine Fiſche hervorbringen und
die Luft belebt werden von Vögeln. Am ſechſten
Tage aber machte Er die Tiere der Erde nach
ihren Arten und das zahme Vieh und alles Gewürm nach ſeiner Art.

Zuletzt ſchuf Gott den Menſchen, daß er herrſche
über alle Geſchöpfe der Erde.

„Also ward vollendet Himmel und Erde und all ihre Zier." (I. Mos. 2, 1.)

Und Gott ruhte am siebenten Tage von allem Werke, das Er gemacht, und Er segnete den siebenten Tag und heiligte ihn. Er ruhte, d. h. Er hörte auf zu schaffen. Und Er segnete den Tag, damit von Ihm Segen ausgehe und auf uns komme. Dies wird geschehen, wenn wir an diesem Tage dem Beispiele des Herrn folgen und ihn in heiliger Ruhe und in der Erinnerung an die göttlichen Wohlthaten zubringen.

Die heilige Schrift nennt die Zeiträume, innerhalb welcher Gott das ursprünglich Geschaffene gestaltete, ordnete, belebte und vollendete, „Tage"; sie hat die Dauer derselben nicht angegeben. Es ist deshalb gestattet, auch lange Perioden, innerhalb welcher sich der Schöpfungsprozeß vollzog, anzunehmen, wie dies auch Kirchenväter gethan haben.

Anwendung.

a) Gott hat alles, was Er schuf, zur Verherrlichung seines Namens geschaffen:

„Alles hat der Herr um Seiner selbst willen gemacht." (Sprichw. 16, 4.)

Es muß also all unser Sinnen und Trachten darauf gerichtet sein, Gottes Ehre zu fördern. Ihn immer zu erkennen, Ihn zu verehren und anzubeten, ist unsere Aufgabe auf Erden. Unser Wahlspruch muß der des heiligen Ignatius sein: Alles zur größern Ehre Gottes.

b) Wenn Gott der Schöpfer der Welt ist, so ist die Welt auch sein Eigentum. Er ist nicht nur der Schöpfer, ondern auch der Herr der Welt.

„Des Herrn ist die Erde und was sie erfüllt; der Erdkreis und alle, die darauf wohnen."
(Pf. 23, 1.)

Alle irdischen Gaben und zeitlichen Güter gehören
also dem Herrn. Es sind Gaben aus seiner Hand, Geschenke seiner ewigen Liebe. Wir dürfen dieselben nur gebrauchen im Sinne und nach dem Willen Gottes — niemals zur Sünde.

c) Alles, was Gott geschaffen, ist sehr gut, wenn wir
auch nicht alles verstehen. Darum sei es ferne von uns,
daß wir etwas tadeln, wenn wir seinen Nutzen nicht einsehen.

„Alle Werke des Herrn sind gut, und jedes
Werk giebt Er zu seiner Zeit. Man kann nicht
sagen: Das ist schlechter als jenes, denn alles
bewährt sich zu seiner Zeit." (Sir. 39, 39.)

Vieles ist jetzt schon erkannt, was man in früheren
Zeiten nicht begreifen konnte; von vielem wird man den
Nutzen in späterer Zeit noch einsehen. Alles braucht der
Mensch auch nicht zu verstehen. Es genügt, daß die All-
macht, die Weisheit und die Güte Gottes an der Welt-
schöpfung offenbar werden.

§ 6. Von der göttlichen Vorsehung.

1) Dieselbe Kraft und dieselbe Liebe, welche
Himmel und Erde in das Dasein gerufen, erhält
dieselbe auch, denn sonst könnten sie nicht fortbe-
stehen. Und Gott erhält die Welt, so lange Er
will. Einst freilich wird ein Tag kommen, an
welchem die sichtbare Schöpfung zertrümmert wird.
Aber wann das geschieht, weiß niemand, nicht einmal die Engel im Himmel. Auf diesen Tag wird
das Gericht folgen. Bis dahin ruht das Weltall
in Gottes starker Hand.

„Von Geschlecht zu Geschlecht geht deine Wahrheit; Du hast die Erde gegründet, und sie bleibt. Durch deine Anordnung bleibt der Tag, denn alles dient Dir." (Pf. 118. 90. 91.)

Wenn Gott die Welt auch nur einen Augenblick sich selbst überließe, so würde sie zu Grunde gehen.

„Wie könnte etwas bestehen, ohne deinen Willen, oder wie könnte etwas, das Du nicht ins Dasein gerufen, erhalten werden?" (Weish. 11, 26.)

Der heilige Hilarius sagt:

„Ohne Einfluß Gottes würde der Himmel herabfallen, das Licht der Sonne erlöschen, die Erde nicht bestehen, und das Leben der Menschen aufhören."

2) Gott erhält die Welt nicht nur im Ganzen, sondern auch im Einzelnen. Noch immer wandeln Sonne, Mond und Sterne dieselben Bahnen, die ihnen Gott anwies. Noch immer bewegt sich unsere Erde um die Sonne und empfängt von ihr Licht und Wärme. Noch immer erquickt aus dichten Wolken segenspendender Regen die lechzende Erde. Saat und Ernte, Winter, Frühling, Sommer und Herbst, Tag und Nacht wechseln jetzt noch miteinander ab und machen es möglich, auf dieser Erde zu leben. Immer pflanzt das Menschengeschlecht, die Tier- und die Pflanzenwelt sich fort, und ob auch Tausende und Millionen von Geschöpfen vergehen, es treten neue an deren Stelle.

„Alle Tage, so lange die Erde steht, soll Saat und Ernte, Kälte und Hitze, Sommer und Winter, Nacht und Tag nicht aufhören." (I. Mos. 8, 22.)

3) Gott sorgt für alle Geschöpfe; insbesondere aber ist der Mensch der Gegenstand seiner väterlichen Fürsorge.

„Gott giebt allem Leben und Odem und alles." (Apg. 17, 25.)

4) Gott regiert auch die Welt. Er lenkt die freien Handlungen der Menschen so, daß die Absicht, welche Er hat, erreicht wird. Seinem Willen kann nichts widerstehen, seine Ratschlüsse niemand vereiteln. Wie Er will, so geschieht es.

„Gottes Weisheit wirkt von einem Ende zum andern mächtig fort und ordnet alles lieblich an." (Weish. 8, 1.)

Die Sorge Gottes um Erhaltung und Regierung der Welt nennt man die göttliche Vorsehung.

5) Die göttliche Vorsehung lenkt alles seinem Ziele zu. Auch die Handlungen des Menschen leitet Gott, wenn der Mensch, der mit einem freien Willen begabt ist, sich leiten läßt. Gott leitet die Schicksale ganzer Völker, wie der einzelnen Menschen. So verwirrte Gott die Sprache der Menschen, welche den babylonischen Turm bauen wollten, daß sie einander nicht verstanden und sich trennen mußten, sonst hätten sie sich nicht über die ganze Erde verbreitet. (I. Mos. 11, 8.) Er hieß den Abra-

ham aus seinem Vaterlande ausziehen, damit dessen Nachkommen nicht auch dem Götzendienste anheimfielen, und er so der Stammvater eines gläubigen Volkes werden könnte. (I. Mof. 12, 1.) Er ließ den Joseph gerade nach Aegypten und in kein anderes Land verkaufen, damit er in diesem fruchtbaren Lande und in seiner hohen Stellung den Seinigen helfen und ihnen eine ganze Landschaft anweisen konnte, in der sie bei einander blieben. (I. Mof. 37, 28.) Er ließ den Moses gerade von der Königstochter finden und an den ägyptischen Hof kommen, wo er seines Lebens sicher war und das ganze Elend seines Volkes kennen lernte. Den David führte Gott jung in die Umgebung des Saul und stärkte ihn, daß er den Goliath überwand, damit das israelitische Volk, über das er später regieren sollte, ihn kennen lernte und Vertrauen zu ihm faßte. (I. Kön. 18, 5.) Die Esther führte Gott an den Hof des Königs der Perser, um durch sie das Volk der Juden, denen Aman Untergang geschworen, vom Verderben zu erretten. (Esth. 8. ff.)

6) Daß es eine Vorsehung giebt, das lehrt schon unsere Vernunft. Niemand verfertigt etwas, ohne zu wollen, daß das, was er damit bezweckte, auch wirklich geschehe. Gott muß also dafür sorgen, daß auch die sichtbare Schöpfung, und zwar die bewußtlosen Geschöpfe mit Notwendigkeit, die mit Bewußtsein begabten mit Freiheit das erreichen können, wozu sie geschaffen sind. Ebenso muß Gott

ihnen auch die Mittel an die Hand geben. Gott
wäre weder gütig noch weise, wenn Er dies nicht
wollte, und wäre nicht allmächtig, wenn Er dies
nicht könnte. Darum beherzigen wir:

„Des Menschen Herz denkt sich aus
seinen Weg, aber der Herr richtet seinen
Gang." (Sprichw. 16, 9.)

„Sprich nicht: Es giebt keine Vorsehung. Gott möchte sonst zürnen deinen
Reden und alle Werke deiner Hände vereiteln." (Pred. 5, 5.)

7) Warum giebt es aber so viele Uebel in
der Welt und so viele Leiden? Warum geht es
den guten Menschen oft so schlecht, während der
Böse oft so geehrt, so wohlhabend, so mächtig ist,
und oft alles sich zu vereinigen scheint, um ihn zu
dem zu machen, was gewöhnliche Menschen glücklich
nennen? Es gilt hier von den sittlichen Uebeln,
was oben von den natürlichen Uebeln gesagt ist.
Insbesondere müssen wir beherzigen:

a) Es giebt Uebel, die wir selbst verschuldet
haben. Die Folgen davon müssen wir eben tragen,
und die Folgen erben sich naturgemäß auf Kinder
und Kindeskinder fort. Wer sein Vermögen ver-
schwendet, den trifft bittere Armut, und seine Kinder
und Kindeskinder sind ebenfalls arm, wenn sie sich
nicht selbst etwas erwerben. So folgt auf Aus-
schweifung Siechtum, auf Bosheit und Schlechtig-
keit Strafe und Verachtung. Dies ist nicht nur
natürlich, sondern auch notwendig; denn wo käme

sonst die Menschheit hin, wenn der Böse nicht ein=
mal durch die natürlichen Folgen seiner Handlungen
zurückgeschreckt würde?

b) Wiederum giebt es Uebel, die nur scheinbar
sind. Armut z. B. ist oft nur ein scheinbares
Uebel; der Mensch bedarf zum Leben sehr wenig,
und Ueberfluß ist niemand versprochen. Die Armut
aber spornt zur Arbeit an, zur Entfaltung der
Leibes= und Seelenkräfte, bewahrt vor Müßiggang
und Ueppigkeit und befördert die Gesundheit mehr
als der Reichtum. Es ist nicht zu leugnen, daß
die armen Leute länger leben als die reichen. Auch
verlangen die menschlichen Verhältnisse verschiedene
Stände, verschiedene Berufsarten, verschiedene Dienst=
leistungen. Es kann nicht lauter Herren, es muß
auch Diener geben; es kann nicht jeder reich sein,
es muß auch Arme geben. Die Verschiedenartigkeit
der Stände, der Berufe und des Vermögens ist
nicht nur kein Uebel, sondern eine weise Einrichtung
Gottes.

c) Es giebt viele Leiden und Trübsale, welche
durch die christliche Liebe ausgeglichen werden kön=
nen und sollen. So soll der Reiche mit seinem
Ueberfluß den Armen beispringen. Diese sollen vom
Reichen Hilfe, der Reiche vom Armen Segen und
Dank erwerben. Wenn nun die Menschen ihre
Pflicht nicht thun, so kann man Gottes Vorsehung
auch nicht dafür verantwortlich machen.

d) Es giebt nun auch viele unverschuldete
Leiden und Trübsale. Diese dienen dazu, den

Menschen zu stärken, sittlich zu veredeln, von seinen Fehlern zu reinigen und geben ihm Gelegenheit, Verdienste für den Himmel zu erwerben. Der Dulder wird im Feuer der Trübsale geläutert und bewährt; das Leiden führt den Menschen zu Gott, während er sich im Glücke leicht von Ihm entfernt. Die Verfolgungen von seiten böser Menschen dienen dazu, die Frommen im Vertrauen auf Gott zu stärken und Gottes Gnade an ihnen zu offenbaren.

„Silber und Gold wird durchs Feuer geprüft, die Lieblinge Gottes aber im Ofen der Demütigung." (Sir. 2, 5.)

e) Es darf uns nicht irre machen, daß es bösen Menschen oft gut geht, während der Gerechte oft Not leidet. Viele böse Menschen thun doch auch wieder etwas Gutes, und Gott der Herr, der das geringste Gute belohnt, vergilt ihnen das Gute in der Zeit, weil Er sie in der Ewigkeit strafen muß. Und alle Gottesfürchtigen haben doch auch wieder ihre Fehler, für die sie büßen müssen, und der Herr straft sie in dieser Welt, um sie in der andern Welt belohnen zu können. Auch dem Bösewicht läßt Gott die Freiheit des Willens, und es genügt zu wissen, daß auch er nur ein Werkzeug in der Hand Gottes, und daß der Herr auch seine Bosheit zum Guten zu lenken weiß. So konnte der ägyptische Joseph zu seinen Brüdern sagen:

„Ihr sannet Böses gegen mich, Gott aber wandte es zum Guten." (I. Mos. 50, 20.)

Ewig wahr bleibt das Wort des Apostels:

„Wir wissen, daß denen, die Gott lieben, alle Dinge zum Besten dienen." (Röm. 8, 28.)

§ 7. Die Erschaffung der Engel.

Als Gott die Grundstoffe, aus denen die sichtbare Welt besteht, ins Dasein rief, da schuf Er zugleich Wesen, die mit diesen irdischen Stoffen nichts gemein, von der Materie nichts an sich haben. Diese Wesen sind rein geistige. Es sind Geister, welche denken, reden, wollen und handeln wie der Mensch, aber nicht wie der Mensch in einen Leib eingeschlossen und durch denselben beschränkt sind. Wenn wir die Geschöpfe alle betrachten, so erblicken wir eine lange Reihe von Gestaltungen, von denen die einen immer wieder vollkommener sind als die andern. Die Steine sind leblos; die Pflanzen aber haben schon ein gewisses Leben, sie wachsen von innen heraus. Die Tiere haben nicht nur Leben, sondern auch Empfindung, und die höheren Tiere haben nicht nur Leben und Empfindung, sondern auch eine gewisse Erkenntnis, Vorstellungen und Gedächtnis. Der Mensch ist aus Materie und Geist zusammengesetzt, warum sollte es demnach nicht auch Wesen geben, welche ganz geistig sind? Es entspricht dies ganz der unendlichen Weisheit Gottes, welche seine Kraft und Macht stufenweise offenbart. Diese Wesen sind das erste Glied in der lange Kette der Geschöpfe. Weil wir diese Geister nicht sehen können, nennen wir sie die unsichtbare Welt.

1) Es giebt ſehr viele Engel, ſo daß ſie ge=
waltigen Kriegsheeren gleichen, weshalb Gott auch
der Gott Sabaoth, der Herr der Heerſcharen
genannt wird (Iſ. 6, 3.), und der Prophet Daniel,
der im Geiſte vor den Thron Gottes geführt wurde,
erblickte eine ungeheure Zahl:

„Tauſendmal tauſend dienten Ihm,
und zehntauſendmal hunderttauſend ſtan=
den vor Ihm.“ (Dan. 7, 10.)

Dieſe Geiſter heißen Engel, das heißt Bo=
ten, weil ſie zum Dienſte Gottes geſchaffen ſind
und Gottes Willen vollſtrecken. Sie loben Gott
und verkünden allzeit deſſen Ehre.

„Lobet den Herrn, ihr alle ſeine Engel,
die ihr, gewaltig an Kraft, vollziehet
ſeinen Willen.“ (Pſ. 102, 20.)

Wie alles, was der Herr erſchuf, gut war und
ohne Fehler, ſo ſchuf Gott auch die heiligen Engel
alle als gute Geiſter. Er begabte ſie mit großen
Kräften und großen Kenntniſſen und zierte ſie un=
verdient mit der heiligmachenden Gnade. In dieſem
Zuſtande waren ſie überaus glücklich.

2) Obwohl aber alle Engel herrliche Geſchöpfe
ſind, ſo beſteht doch auch unter ihnen eine gewiſſe
Abſtufung. Wir ſprechen von neun Chören
heiliger Engel. Die heilige Schrift ſpricht von
Engeln, Erzengeln, Fürſten, Mächten, Gewalten,
Herrſchaften, Thronen, Cherubim und Seraphim.

Die heilige Schrift erzählt viele Engelerſchei=
nungen, nennt aber nur drei Erzengel mit Namen,

nämlich die Erzengel Michael (Wer ist wie
Gott?), Gabriel (Kraft Gottes), Raphael
(Arznei Gottes). Ihre Namen schon weisen auf die
Dienste hin, die sie im Auftrage Gottes verrich-
teten. Sie sind eingeweiht in viele Geheimnisse
Gottes. So belehrte z. B. der Erzengel Gabriel
den Daniel über die Ankunft Christi, über dessen
Tod, über die Zerstörung Jerusalems und das
Aufhören des Opfers im Tempel und über den
Greuel der Verwüstung an heiliger Stätte. (Dan.
9, 25—28.)

3) Die Engel leben rein und unschuldig. Sie
kennen keine irdischen Bedürfnisse. Sie essen nicht,
wie denn Raphael, so lange er mit Tobias, dem
Jüngern, wandelte, zu essen und zu trinken schien.
(Tob. 12, 19.) Sie haben eine große Vollkommenheit
erreicht, wie denn gute und weise Menschen mit
den heiligen Engeln verglichen werden. So sprach
Achias zu David: „Du bist gut in meinen Augen,
wie ein Engel Gottes." (I. Kön. 29, 9.) Am Tage
des Gerichtes wird der Menschensohn in seiner
Herrlichkeit kommen und seine Engel mit Ihm.
(Matth. 16, 27.) Diese werden die Auserwählten sammeln von einem Ende des Himmels bis zum andern
unter dem Schalle der Posaunen. (Matth. 24, 31.)

Obwohl die Engel keine Leiber haben, so erscheinen sie doch, wenn sie sich den Menschen zeigen,
in unbeschreiblicher Schönheit oder in furchtbarer
Herrlichkeit. Als der König Nabuchodonosor
die drei Jünglinge in den Feuerofen werfen ließ,

senkte sich der Engel des Herrn zu ihnen herab und schlug die Feuerflammen zum Ofen hinaus. (Dan. 3, 92.) Die Engel, welche den Hirten zu Beth= lehem die Geburt des Heilandes ankündeten, um= leuchtete die Herrlichkeit des Herrn. (Luk. 2, 9.) Die zwei Engel, welche den Frauen die Auferstehung des Herrn verkündeten, standen in glänzenden Klei= dern vor ihnen. (Luk. 24, 4.) Der Anblick des En= gels, der den Stein vom Grabe des Herrn wälzte, war wie der Blitz. (Matth. 28, 2.)

4) Die heiligen Engel sind von Gott auch be= stimmt, den Menschen zu dienen und sie zu unter= stützen, damit sie ihr Heil erlangen.

„Sind sie nicht alle dienende Geister, ausgesandt zum Dienste um derer willen, welche die Seligkeit ererben sollen?" (Hebr. 1, 14.)

Auch Schutz und Hilfe gewähren sie den Men= schen, wie denn ein Engel den Petrus aus dem Kerker errettete, und Petrus sprach:

„Nun weiß ich wahrhaftig, daß der Herr seinen Engel gesandt und mich ent= rissen hat der Hand des Herodes." (Apg. 12, 11.)

Vorzüglich sind es die Kleinen und Un= schuldigen, denen die Engel beigegeben sind, weshalb es eine schwere Sünde ist, diesen Aergernis zu geben. Sie klagen den Aergernisgeber vor Gott an.

„Sehet zu, daß ihr keines aus diesen Kleinen verachtet; denn Ich sage euch: ihre

Engel im Himmel schauen immerfort das Angesicht meines Vaters, der im Himmel ist." (Matth. 18, 10.)

Auch den Sterbenden stehen die heiligen Engel bei, weshalb wir sie namentlich anrufen sollen, daß sie in der Sterbestunde uns nicht verlassen. Vorzüglich ist es der heilige Erzengel Michael, dem die Sterbenden empfohlen werden.

Die Engel im Himmel wissen aber auch um unsere Nöten. Sie haben Mitleid mit uns und bitten bei Gott für uns. Und der Herr erhört ihr Gebet und schenkt uns um ihretwillen Gnaden, die wir sonst nicht empfangen hätten

Eine ganz besonders große Freude ist es für die heiligen Engel, wenn ein Sünder, den sie schon für verloren geglaubt, sich bekehrt und so wieder für den Himmel gewonnen wird.

„Es wird Freude bei den Engeln Gottes sein über einen einzigen Sünder, der Buße thut, mehr als über neunundneunzig Gerechte, welche der Buße nicht bedürfen." (Luk. 15, 7. 10.)

5. Wie dem einzelnen Mensch ein Schutzengel gegeben ist, so haben auch gewisse Länder, Städte, Dörfer u. s. w. heilige Engel als Beschützer. Schon die Juden erfuhren in verschiedenen Tagen deren mächtigen Schutz und kräftigen Beistand.

Die Kirche hat zu Ehren der heiligen Engel ein eigenes Fest eingesetzt, welches am ersten Sonntage im September begangen wird, das Schutzengelfest.

Anwendung.

a) Es ist ein tröstlicher und erhebender Gedanke, daß der Mensch einen Engel bei sich hat, den Gott eigens ihm zum Schutze gegeben.

„Seinen Engeln hat Er deinethalben befohlen, dich zu behüten auf allen deinen Wegen. Auf den Händen werden sie dich tragen, daß nicht etwa an einen Stein stoße dein Fuß." (Pf. 90, 11—12.)

Seien wir dafür dankbar, vergessen wir aber nicht, daß wir den Schutz der Engel auch durch ein gottesfürchtiges Leben verdienen müssen. Der Gottlose geht des Schutzes der heiligen Engel verlustig.

„Der Engel des Herrn wird sich lagern um die, so Ihn fürchten, und sie erretten." (Pf. 33, 8.)

b) Wir dürfen aber auch auf den Schutz der heiligen Engel hin nicht unvorsichtig sein. Wer sich selbst in eine Gefahr begiebt oder nachlässig sich nicht vorsieht, den rettet auch kein Engel, und er wird in der Gefahr umkommen.

c) Da nun die heiligen Engel uns so viel Gutes erweisen, so sollen wir sie dankbar verehren, oft zu ihnen beten und ihren Einsprechungen willig folgen. Wann aber sprechen sie zu uns? Einer der ältesten kirchlichen Schriftsteller sagt: „Der heilige Engel ist zart, sanft und milde. Wenn er in dein Herz sich senkt, so spricht er sogleich von der Gerechtigkeit, Schamhaftigkeit, Güte, wahren Liebe und Frömmigkeit. Wenn solche Dinge in deinem Herzen sich regen, so wisse, daß dein heiliger Engel in dir ist."

§ 8. Von den gefallenen Engeln.

1) Die Engel sollten nun die Heiligkeit und Seligkeit, die sie unverdient von Gott empfangen hatten, auch verdienen. Darum wurde ihnen eine

Prüfung auferlegt, in der viele nicht bestanden. Der Heiland sagt von ihnen:

„Der Teufel bestand nicht in der Wahrheit." (Joh. 8, 44.) —

Wir dürfen annehmen, daß einer der vornehmsten Engel sich wider Gott auflehnte, Ihm nicht mehr gehorchen und Gott gleich sein wollte, und daß er einen großen Anhang hatte, der sich derselben Sünde schuldig machte, also auch hochmütig und ungehorsam wurde.

2) Die Sünde, welche die bösen Engel begingen, war um so größer, als die Erkenntnis größer war, deren sie sich erfreuten, und die Gaben, die sie von Gott empfingen. Standen sie auch nicht in der Anschauung Gottes, so hatten sie doch eine überaus große Erkenntnis seines Wesens und waren im Besitze herrlicher, natürlicher und übernatürlicher Gnadengaben. War darum ihre Sünde eine so greuliche, so sollte ihre Strafe auch eine entsetzliche sein. Sie wurden aus dem Lichte hinabgeworfen in den Abgrund der Finsternis, aus hoher Seligkeit in die Unseligkeit, aus unaussprechlichen Freuden in die Qualen der Hölle.

Auch nach ihrem Sturze besitzen die gefallenen Geister noch große Kenntnisse und Kräfte, aber sie verwenden dieselben in ihrer Bosheit zum Schaden der Geschöpfe, insoweit Gott es zuläßt, und der Mensch ihnen Macht über sich einräumt. So hat der Teufel die Eva verführt, daß sie sündigte und den Adam auch zur Sünde verleitete. Er stürzt

jetzt noch den Menschen in allerlei Versuchungen.
Darum ermahnt uns der Apostel zur Nüchternheit,
zur Wachsamkeit und zum Glauben.

Bisweilen läßt Gott es zu, daß der Teufel
dem Menschen am Leibe und an den irdischen
Gütern schadet. So erhielt der Satan von Gott
die Erlaubnis, den Job mit Unglücksfällen, ja
selbst mit Krankheit des Leibes zu plagen, damit
außer den Tugenden, welche man an Job schon
erblicken konnte, auch noch seine Geduld, sein Glauben und sein Vertrauen offenbar werde. Aber an
der Seele kann der böse Feind dem Menschen nur
insoweit schaden, als der Mensch durch die Sünde
ihm Gewalt über sich einräumt.

3) Insbesondere sind es die vielen falschen
Religionen, in alter und neuer Zeit, welche
durch die Thätigkeit des Teufels entstanden sind.
Er erweckt in den Herzen vieler hochmütige und
eitle Gedanken, daß sie sich weiser dünken, als die
von Gott gestiftete Kirche.

Die besten Waffen wider die Anfechtungen
des bösen Feindes sind das heilige Kreuzzeichen,
das Gebet, der Empfang der heiligen Sakramente,
die Segnungen und die Beschwörungen der Kirche.
(Exorcismen.)

„Widerstehet dem Teufel, so wird er
von euch fliehen.‟ (Jak. 4, 7.)

Anwendung.

1) Der Fall der Engel soll uns zur Demut mahnen,
sowie zur Vorsicht und zur Wachsamkeit. Wenn die Seele

des Menschen schläft, d. h. wenn sie ihr Herz unbewacht allen bösen Gedanken offen läßt, schleicht sich das Böse in die Seele ein.

„Als die Leute schliefen, kam der Feind und säete Unkraut mitten unter den Weizen." (Matth. 13, 25.)

2) Wenn wir in eine Sünde gefallen sind, so dürfen wir die Schuld nicht auf den bösen Feind und dessen Versuchungen schieben, sondern wir müssen bekennen, daß wir im Kampfe mit dem Bösen nachlässig waren.

„Gott ist getreu; Er wird euch nicht über eure Kräfte versuchen lassen." (I. Kor. 10, 13.)

3) Ueberlegen wir recht, um was wir bitten, wenn wir jeden Tag im Vater unser bitten:

„Und führe uns nicht in Versuchung, son= dern erlöse uns von dem Uebel."

§ 9. Die Erschaffung des Menschen.

Nachdem die Erde zum Wohnplatz lebender Wesen zubereitet und deren eine gar große Zahl geschaffen worden, sollte auch dasjenige Geschöpf in das Leben gerufen werden, welches als die Krone der irdischen Schöpfung bestimmt war, den Herrn mit Bewußtsein zu verehren, Ihm zu dienen, Ihn anzubeten und in diesem Dienste und in dieser Anbetung seine Seligkeit zu finden. Gott sprach: „Lasset uns den Menschen machen nach un= serm Ebenbild und Gleichnis, der da herrsche über die Fische des Meeres und das Geflügel des Him= mels und die Tiere und über die ganze Erde und alles Gewürm, das sich reget auf Erden. Und Gott schuf den Menschen nach seinem Ebenbilde." (I. Mos. 1, 26—27.)

Gott, der Herr, bildete nun aus Erdenlehm einen menschlichen Leib und hauchte diesem den Odem des Lebens ein und so ward der erste Mensch erschaffen.

„Aber Gott, der Herr, hatte gleich von An= fang einen Lustgarten gepflanzt; in dem waren allerlei Bäume, deren Früchte schön zu schauen und lieblich zu essen waren; auch den Baum des Lebens in der Mitte des Gartens und den Baum der Erkenntnis des Guten und Bösen pflanzte Er. In diesen Garten setzte Er den Menschen, daß er ihn baue und bewahre... Für Adam aber fand sich keine Gehilfin, die ihm ähnlich war. Und Gott sprach: Es ist nicht gut, daß der Mensch allein sei. Lasset Uns ihm eine Gehilfin machen, die ihm ähnlich sei. Darum sandte Gott einen tiefen Schlaf auf Adam, und als er eingeschlafen, nahm Er eine von seinen Rippen und füllte mit Fleisch ihre Stelle. Und Gott der Herr baute aus der Rippe, die Er von Adam genommen, ein Weib und führte sie zu Adam. Und Adam sprach: „Das ist nun Bein von meinen Beinen und Fleisch von meinem Fleische.“ (I. Mos. 2.) Und Adam nannte den Namen seines Weibes Eva, darum, weil sie die Mutter aller Lebendigen war.“ (I. Mos. 3, 20.)

„Und Gott segnete sie und sprach: Wachset und mehret euch und erfüllet die Erde und machet sie euch unterthan, und herrschet über die Fische des Meeres und über das Geflügel des Himmels und über alle Tiere, die sich regen auf der Erde.“ (I. Mos. 1, 28.)

„Und Gott sah alles, was Er gemacht hatte, und es war sehr gut." (I. Mos. 1, 31.)

Also erzählt die heilige Schrift die Erschaffung des ersten Menschen.

1) Gott schuf also nur Ein Menschenpaar, von dem alle andern abstammen. Darum lehrte Paulus zu Athen:

„Gott hat aus einem Menschen das ganze menschliche Geschlecht gemacht, daß es wohne auf der ganzen Oberfläche der Erde." (Apg. 17, 26.)

Wohl giebt es verschiedene Menschenrassen. Aber alle Merkmale, wodurch sie sich voneinander unterscheiden, machen die Menschen nur zu verschiedenen Menschen einer Art, aber nicht zu Geschöpfen verschiedener Art, geschweige denn zu Geschöpfen verschiedener Gattung. Auch derjenige Mensch, welcher auf der niedersten Stufe steht, hat alle Eigentümlichkeiten eines Menschen, nur sind dieselben nicht entwickelt. Die Verschiedenheiten, als da sind: Haare, Farbe, Schädelbildung, Sprache 2c. sind zufällige und hervorgegangen aus äußern, hauptsächlich aus klimatischen Einflüssen.

2) Gott schuf den Menschen nach seinem Ebenbilde. Der Mensch empfing nicht nur Leben, sondern auch eine vernünftige, unsterbliche Seele, welche gottähnlich ist. Wie es nur Einen Gott giebt, so hat der Mensch auch nur Eine Seele. Wie aber in Gott drei Personen sind, so hat die Seele drei Vermögen oder Kräfte, welche gemeinschaftlich mit-

einander wirken: das Erkennungsvermögen, das Gefühlsvermögen und das Begehrungsvermögen oder der freie Wille, entsprechend der Allwissenheit, Liebe und Heiligkeit Gottes. Und da Gott der Allvollkommene ist, und der Mensch auch in den Augen Gottes vollkommen sein sollte, so schenkte ihm Gott eine nicht zu seinem Wesen gehörige, eine übernatürliche, ihn heiligmachende Gnade. So war nun der Mensch in dem Stande der ursprünglichen Unschuld, Heiligkeit und Gerechtigkeit. Er hatte vom Bösen keine Ahnung. In seinem Herzen herrschte Ruhe und Friede, keine böse Begierlichkeit regte sich darin. Frei von allen Sorgen und Kümmernissen freute er sich der Liebe Gottes. So stand er da als das vollkommenste Geschöpf auf Erden, als die Krone der irdischen Schöpfung, als der Liebling Gottes.

3) In solch glücklichem Zustande lebten die ersten Menschen. Und es hatte der Herr für den Menschen einen Baum in das Paradies oder in den Lustgarten gepflanzt, den Baum des Lebens, dessen Früchte den Menschen vor dem Tode bewahren sollten. Frei nicht nur von Kummer und Sorgen, sondern auch von Krankheit und Schmerz, sollte der Mensch niemals dem Tode unterliegen. Die Seele des Menschen ist ihrem Wesen nach unsterblich; der Leib des Menschen sollte unsterblich sein durch die Gnade. Hätte Adam nicht gesündigt, so wäre er, nachdem er eine Zeitlang auf Erden gewandelt, ohne sterben zu müssen, in das himmlische Paradies aufgenommen worden.

4) Wie alle Geschöpfe, so wurde auch der Mensch zur Ehre Gottes geschaffen. Er soll Gottes Ehre verkünden und Ihn preisen in freudigem Danke. Er soll Gott lieben und Ihm dienen auf Erden, wie die heiligen Engel den Willen Gottes erfüllen im Himmel. Darum unterrichtete Gott den ersten Menschen selbst und ging mit ihm um, wie ein Vater mit seinem Kinde. Er offenbarte sich ihm und belehrte ihn über das Verhältnis des Menschen zu seinem Schöpfer. Von dieser Offen=barung haben sich noch viele Spuren bei den ältesten Völkern erhalten. Die Grundzüge aller Religionen, wenn diese auch noch so verderbt waren, lassen die Spuren der Uroffenbarung erkennen.

Anwendung.

a) Der Mensch ist ein Ebenbild Gottes. Darin be=steht seine Würde. Alles was da lebt und ist, wurde durch das Schöpferwort in das Dasein gerufen. Als Gott aber den Menschen erschaffen wollte, da sprach Er: „Lasset Uns den Menschen machen nach unserm Ebenbilde und Gleichnisse." (I. Mos. 1, 26.)

„Der Mann ist Gottes Bild und Ehre." (I. Kor. 11, 7.)

b) Das Bewußtsein, Gottes Ebenbild an sich zu tragen, soll den Menschen vor der Erniedrigung durch die Sünde bewahren. Er soll an sich, aber auch an seinen Mitmenschen, das Ebenbild Gottes ehren, denn alle sind, wie er, berufen, Kinder Gottes zu sein.

„Wenn wir Kinder Gottes sind, sind wir auch Erben, nämlich Erben Gottes und Mit=erben Christi." (Röm. 8, 17.)

c) Allein so hoch der Mensch auch gestellt ist, so ist er doch nur ein Geschöpf Gottes, und dies muß ihn in der Demut bewahren. Er wurde gebildet, wie Thon ge=bildet und geformt wird in der Hand des Töpfers. Er ist nichts ohne Gott, und alles nur durch Gott. Darum müssen wir beten wie Job:

„**Gedenke doch, daß Du wie Thon mich ge=formt und zu Staub mich wandeln wirst.**" (Job 10, 9.)

d) Daß der Leib aus Erde gebildet wurde, somit vergänglich ist, soll den Menschen stets an seine Schwäche und Hinfälligkeit erinnern. Einst wird der Geist aus dem Leibe ausfahren und der Leib zu Staub werden. Wann dieses geschieht, wissen wir nicht. Darum müssen wir des Todes stets eingedenk sein.

„**Rühme dich nicht des morgenden Tages, denn du weißt nicht, was der kommende Tag mit sich bringt.**" (Sprichw. 27, 1.)

e) Gott, der den Menschen schuf, ist auch der Herr des Menschen; der Mensch aber hat den Willen Gottes zu vollziehen, der ihn zur Heiligkeit erschaffen hat. Er soll ein „Mann Gottes" sein.

„**Du aber, o Mann Gottes, fliehe die Hab=sucht, strebe dagegen nach Gerechtigkeit, Gott=seligkeit, Glauben, Liebe, Geduld, Sanftmut.**" (I. Tim. 6, 11.)

f) Es ist ein Beweis der unendlichen Liebe Gottes, daß Er für den Menschen einen so schönen Aufenthaltsort geschaffen, und ihn so glücklich und selig wissen wollte. Diese Liebe verlangt innige Gegenliebe. Dazu fordert uns der Apostel auf mit den Worten:

„**Lasset uns also Gott lieben, weil uns Gott zuerst geliebt hat.**" (I. Joh. 4, 19.)

§ 10. Sündenfall und Strafe.

Wie die Engel ihre Seligkeit verdienen sollten durch eigene Mitwirkung, so auch die ersten Menschen.

1) Um den Gehorsam zu prüfen, gab Gott den ersten Menschen ein Verbot, das an sich ganz leicht zu halten war.

Gott sprach zu Adam: „Von jedem Baume des Gartens magst du essen, aber vom Baume der Erkenntnis des Guten und Bösen sollst du nicht essen; denn an welchem Tage du davon issest, wirst du des Todes sterben." (I. Mos. 2, 16—17.)

Es gab aber ein Geschöpf, das einstens überaus glücklich war, durch seine Bosheit aber aus seinem Glücke herausgerissen worden, das war der Teufel, der im Hinblick auf seine verlorene Seligkeit die Menschen um ihr Glück beneidete und sie ebenfalls in das Verderben zu stürzen versuchte.

Er bediente sich deshalb der Schlange, die listiger war, als alle Tiere der Erde, die Gott gemacht hatte. Diese sagte zu dem Weibe: „Warum hat euch Gott geboten, nicht von allen Bäumen des Gartens zu essen?" Das Weib antwortete ihr: „Wir essen von den Früchten der Bäume, die im Garten sind, aber von der Frucht des Baumes, der in der Mitte des Gartens ist, hat Gott geboten, daß wir nicht davon essen, ihn auch nicht berühren, damit wir nicht etwa sterben." Die Schlange aber sprach zum Weibe: „Keineswegs werdet ihr sterben! Denn Gott weiß, daß, an

welchem Tage ihr davon eſſet, eure Augen ſich
aufthun und ihr wie Götter werdet, erkennend
Gutes und Böſes.“ Da ſah das Weib, daß der
Baum gut für das Eſſen und ſchön für die Augen, und daß es eine Luſt ſei, ihn anzuſchauen,
und nahm von ſeiner Frucht und aß und gab
ihrem Manne, der auch aß. (I. Moſ. 3, 1—6.)

2) So war das Verbot übertreten, und die böſe
Luſt hatte über die Liebe und die Ehrfurcht vor
Gott den Sieg davongetragen. Die Luſt, die nicht
im Herzen wohnte, wurde durch die ſchmeicleriſchen
Worte der Schlange in das Herz hineingetragen,
und auch an Adam trat die Verſuchung von außen
her. So war die Sünde vollbracht, und der all-
wiſſende, heilige und gerechte Gott mußte ſchon mit
den erſten Menſchen zu Gerichte gehen.

Die Strafe der erſten Menſchen war groß, weil
auch die Sünde groß war.

Das Verbot war klar und deutlich, und die
erſten Menſchen konnten nicht im Zweifel ſein, was
ihnen verboten war. Sie kannten die Folgen, welche
das Uebertreten des Verbotes nach ſich zog; der
Herr hatte ausdrücklich geſagt: Ihr werdet ſterben.
Das Verbot war ſo leicht zu halten, da ſie ja
Früchte aller Art im Ueberfluß zu genießen hatten.
Es war alſo dieſe Sünde Undank gegen den ſo
gütigen Gott, Widerſetzlichkeit gegen Gott, ſündhafte
Neugier, Vorwitz, Stolz, der Gott gleich ſein wollte.
Darum nennen die Kirchenväter dieſe Sünde auch
eine Sünde von unermeßlicher Größe, und dieſem

entsprechend mußte auch die Strafe sein. Diese Strafe bestand:

a) in dem Hinausgestoßenwerden aus dem Paradiese, woran sich leibliche Mühsal aller Art, Schmerzen, Plagen, Krankheiten und endlich der Tod knüpfte, da der Mensch nicht mehr essen konnte vom Baume des Lebens.

b) Die Sünde brachte den Menschen aber auch um die heiligmachende Gnade. Er war nicht mehr der Gegenstand des göttlichen Wohlgefallens, sondern der Zorn Gottes lastete jetzt auf ihm. Und er hatte sich durch die Sünde dem Teufel überantwortet, dem er geglaubt hatte, und war dadurch ein Kind der Verdammnis geworden.

c) Durch den Verlust der heiligmachenden Gnade wurde auch das Ebenbild Gottes im Menschen entstellt. Adam und Eva verloren die klare Erkenntnis. Es wurde ihr Verstand geschwächt, ihr Wille wurde zum Bösen geneigt; die böse Lust hatte in ihrem Herzen Platz gegriffen und herrschte in ihnen. So waren sie ohne Hilfe unfähig, selig zu werden.

3) Die Folgen der Sünde blieben nicht allein bei Adam, sie gingen auch auf alle Kinder und Kindeskinder und auf alle seine Nachkommen über. Was Adam selbst nicht mehr besaß, das konnte er auch nicht auf seine Nachkommen vererben, weshalb die heiligmachende Gnade auf diese nicht übergehen konnte. Dagegen ging der krankhafte Zustand der Seele Adams auf alle Menschen über, wie

eine Erbkrankheit sich fortpflanzt. Der Mensch bringt diese Ursünde an Leib und Seele mit sich auf die Welt und ist deshalb, wie Paulus sagt, von Natur ein Kind des Zornes. (Ephes. 2, 3.) In seinem Innern herrscht die böse Lust; der Wille gehorcht nur ungerne dem göttlichen Gesetze; die Leidenschaften verdunkeln die klare Erkenntnis also, daß der Mensch das Böse vielfach für gut hält und sein Handeln nach seiner sündhaften Begierde einrichtet.

4) Die entarteten Kinder Adams wuchsen heran zu einem gottlosen Geschlechte. Das Andenken an die Gnade Gottes, die sich an den Stammeltern des menschlichen Geschlechtes geoffenbart hatte, ging verloren, die böse Lust und die wilden Begierden nahmen überhand. Schon Kain, Adams Sohn, wurde zum Mörder an seinem Bruder. An die Stelle der Erkenntnis und Verehrung des Einen, wahren Gottes trat ein schauerlicher Götzendienst. Die Menschen befleckten sich mit allen Lastern, und selbst die Strafgerichte Gottes, welche über die Menschen zur Zeit Noes und über Sodoma und Gomorrha kamen, vermochten sie nicht zur Besinnung zu bringen.

5) Von dieser allgemeinen Verderbtheit wurde durch besondere Gnade und Fürsorge Gottes jene Eine ausgenommen, welche der Herr auserwählte, daß von ihr derjenige geboren werde, der die Folgen der Sünde wieder aufheben und die Thüre des Paradieses uns wieder öffnen sollte. Das Weib,

welches der Schlange den Kopf zertreten sollte,
durfte nicht unter der Gewalt des Teufels sein,
sonst hätte es ja den Kopf des Teufels nicht zer=
treten, d. h. die Macht des Teufels nicht brechen
können. Maria, die Jungfrau und Schlangentreterin,
durfte nicht der Erbsünde unterliegen, ansonst hätte
der, vor dem die Himmel nicht rein sind, nicht
herabsteigen können in ihren Schoß. Der Boden,
aus welchem die Wurzel Jesses hervorsprossen sollte,
durfte nicht im Besitze des Erbfeindes des mensch=
lichen Geschlechtes sein. Zu allen Zeiten ist in der
katholischen Kirche geglaubt worden, daß Maria,
die Gottesmutter, nicht wie Jeremias und Jo=
hannes der Täufer im Mutterleibe geheiligt wor=
den sei, sondern daß in demselben Augenblicke, in
dem ihre Seele mit dem Leibe sich vereinigte, der
heilige Geist sie heiligte, also daß es keinen Au=
genblick gab, in welchem Maria der Erbsünde
unterlag. Obwohl diese unbefleckte Empfängnis kein
Glaubenssatz war, so geht doch der allgemeine
Glaube der Kirche daraus hervor, daß nicht nur
der hl. Augustinus Maria von der Sündhaftigkeit
aller Menschen ausnimmt und dieselbe in jeder
Hinsicht für sündenfrei erklärt, sondern daß in der
morgenländischen Kirche, welche doch die ältesten
Glaubenszeugnisse bewahrt, schon im fünften Jahr=
hundert das Fest Mariä Empfängnis gefeiert wurde.
Papst Sixtus IV. verurteilte (1476) die ent=
gegengesetzte Lehre ausdrücklich, und der Kirchenrat
von Trient erklärte, daß er unter der Lehre

von der Erbsünde die heilige Jungfrau nicht in-
begriffen wissen wolle. Endlich erklärte Papst
Pius IX. auf die Bitte vieler Bischöfe des Erdkreises, und nachdem alle Bischöfe des Erdkreises
berichtet hatten, daß in ihren Diöcesen nichts anderes geglaubt werde, am 8. Dezember 1854 in
feierlicher Versammlung der Kardinäle und in Gegenwart von mehr als 200 Bischöfen:

„Wir erklären, verkünden und bestim-
men, daß die Lehre, welche festhält, die
allerseligste Jungfrau Maria sei vom ersten Augenblicke ihrer Empfängnis an durch
besondere Gnade und Privilegium des allmächtigen Gottes, mit Rücksicht auf die
Verdienste Jesu Christi, des Heilandes der
Welt, von aller Makel der Erbsünde frei
und bewahrt geblieben, eine von Gott geoffenbarte sei und deshalb von allen Christgläubigen fest und standhaft geglaubt werden müsse.‟

Anwendung.

a) Wie wir gesehen, daß selbst die vornehmsten Geschöpfe, die Engel, die eine so hohe Erkenntnis Gottes hatten,
sündigen konnten und gesündigt haben, so sehen wir jetzt
wieder an dem Falle der Menschen, daß noch so viele
Geistesgaben den Menschen nicht vor der Sünde bewahren.
Das ist eine Warnung für uns, daß wir nicht auf unsere
Kraft vertrauen, sondern daß wir wachsam sein und alle
Gelegenheiten meiden sollen, die uns zur Sünde führen
könnten. Wäre Eva nicht fürwitzig zum Baume der Erkenntnis hingetreten, hätte sie sich mit der Schlange nicht

in ein Gespräch eingelassen, so wäre sie nicht in die Versuchung geraten. Hüte dich vor böser Gelegenheit!

„Wer die Gefahr liebt, wird darin umkommen." (Sir. 3, 27.)

b) Gott straft gerecht. Er straft nicht schwerer, als der Mensch es verdient. Erkenne deshalb, o Mensch, was die Sünde für ein schreckliches Uebel ist. Die Sünde hat die Engel aus ihrer Seligkeit gestürzt, den Menschen aus dem Paradiese getrieben, Not und Jammer, Krankheit und Tod über das ganze menschliche Geschlecht gebracht. Sie wird gewiß auch dich ins Verderben stürzen, wenn du sie begehst.

„Verflucht sind, die abweichen von Gottes Geboten." (Pf. 118, 21.)

c) Obwohl Adam und Eva durch ihre Sünde so unendliches Unglück über das Menschengeschlecht gebracht, so dürfen wir doch denselben nicht zürnen. Denn wir sind durch die Erlösung in Christo nicht nur wieder befähigt, in den Himmel zu kommen, sondern alle Leiden sind Mittel zu unserer Heiligung. Unsere Stammeltern aber büßten aufrichtig ihre Sünden in einem langen Leben, und es ist eine auf die heilige Schrift sich stützende Ueberlieferung, daß sie um ihrer Buße willen wieder Gnade gefunden in den Augen Gottes.

„Die Weisheit hat den bewahrt, der zuerst von Gott zum Vater des Erdkreises gemacht worden, da er allein geschaffen war. Sie zog auch ihn aus seiner Sünde heraus." (Weish. 10, 1. 2.)

Zwölf Glaubensartikel. 8

Zweiter Glaubensartikel.

Und an Jesum Christum, seinen eingebornen Sohn, unsern Herrn.

---

§ 11. Die Verheißung des Erlösers.

Weissagungen.

Obwohl die Sünde der ersten Menschen nach dem Ausspruche der Kirchenväter eine gar große war, so wollte doch Gott, der Herr, über dieselben keine so harte Strafe verhängen, wie über die Engel, die Er in den Abgrund der Hölle stürzte. Die Engel waren selbst die Urheber ihrer Sünde, die Menschen aber wurden durch den Teufel verführt. Zudem waren ihre Verstandeskräfte und ihre Gotteserkenntnis nicht so groß wie die der Engel. So ließ denn Gott neben seiner Gerechtigkeit auch seine Barmherzigkeit walten, und Er verhieß denselben einen Erlöser. Dieser Erlöser sollte den himmlischen Vater dadurch versöhnen, daß Er für die Sünden der Menschen Genugthuung leistete und in ihnen den Stand der Unschuld wieder herstellte, aus dem der Mensch herausgefallen war.

1) Die Gerechtigkeit Gottes verlangte eine Genugthuung, aber diese konnte kein Mensch geben. Denn die Genugthuung, die ein Mensch leisten könnte, käme der unermeßlichen Schuld nicht gleich. Selbst Maria, die gebenedeite Gottesmutter, hätte diese Genugthuung nicht leisten können, weil sie, wenn auch das vollkommenste, doch nur ein end-

liches Geschöpf war. Darum stieg der Sohn Gottes selbst vom Himmel herab, um uns zu erlösen.

„Alle werden wir gerechtfertigt ohne Verdienst durch seine Gnade, durch die Erlösung, die in Jesu Christo ist, welchen Gott dargestellt hat als Sühnopfer durch den Glauben in seinem Blute, um seine Gerechtigkeit zu erweisen wegen des Erlasses der vorhergeschehenen Verkündigung." (Röm. 3, 24. 25.)

2) Der gerechte Gott, der aber auch überreich ist an Erbarmung, verwies die ersten Menschen nicht von seinem Angesichte, ohne ihnen einen Trost mitzugeben. Er zeigte ihnen in der Ferne den Erlöser. Dies ist schon enthalten in den Worten, die der Herr zur Schlange sprach:

„Ich will Feindschaft setzen zwischen dir und dem Weibe und zwischen deinem Samen und ihrem Samen: sie wird deinen Kopf zertreten, und du wirst ihrer Ferse nachstellen." (I. Mos. 3, 15.)

Die Nachkommenschaft des Weibes aber ist der aus Maria geborne Heiland. Sie, d. h. Maria, hat dem Teufel den Kopf zertreten und ihm die Gewalt über die Menschen genommen. Der Teufel hat ihrer Ferse zwar nachgestellt und ihr unsägliches Leid bereitet, aber er vermochte nichts über sie, und aus dem Leiden ging die Erlösung des Menschengeschlechtes hervor. Die Worte, die Gott zur Schlange sprach, sind die erste messianische Weissagung, das erste Evangelium.

Diese Verheißung hat Gott mehrmals erneuert, besonders dem Abraham, dem Er versprach: „In deinem Samen sollen gesegnet wer= den alle Völker der Erde." (I. Mos. 22, 18.) Diese Verheißung pflanzte sich von Abraham auf dessen Nachfolger fort, und Jakob wies auf dem Sterbebette auf den Messias hin und bezeichnete die Zeit seiner Ankunft: „Es wird das Scepter nicht von Juda weichen, der Heerfürst nicht von seinen Lenden, bis der kommt, so ge= sandt werden soll, auf den die Völker harren." (I. Mos. 49, 10.)

3) Damit aber das Andenken an die Ver= heißung nicht aus dem Gedächtnis der Menschen verschwinde, erweckte Gott Propheten, die, vom heiligen Geiste erleuchtet, die Juden stets auf den kommenden Erlöser hinwiesen und voraussagten, was mehrere Jahrhunderte später an Ihm in Er= füllung gehen sollte, so daß der Heiland zu den Juden sagen konnte:

„Ihr forschet in der Schrift. Sie ist es, die von Mir Zeugnis giebt." (Joh. 5, 39.)

Die Weissagungen der Propheten sollten auch dazu dienen, die Hoffnung auf den kommenden Er= löser lebendig zu erhalten, die Sehnsucht nach Ihm zu wecken, und namentlich den Heiland als Tröster und Retter erscheinen zu lassen. Den Inhalt der Prophezeiungen bilden Umstände seiner Geburt, seines Lebens, seines Leidens und seiner Verherrlichung. Die vornehmsten Weissagungen verkünden:

a) Der Messias ist Gott:

„Saget den Kleinmütigen: Seid getrost und fürchtet euch nicht. — Gott selber kommt und erlöset euch.“ (Is. 35, 4.)

b) Er stammt von Abraham ab, und zwar aus der Familie Davids:

„In deinem Samen sollen gesegnet werden alle Völker der Erde.“ (I. Mos. 12, 3.)

c) Er wird geboren werden aus einer Jungfrau:

„Siehe, die Jungfrau wird empfangen und einen Sohn gebären, und seinen Namen wird man Emmanuel (Gott ist mit uns) nennen.“

(Is. 7, 14.)

d) Er wird geboren werden in Bethlehem:

„Aber du, Bethlehem Ephrata, zwar klein unter den Tausenden Judas, aus dir wird Mir hervorgehen der Herrscher in Israel, dessen Ausgang von Anbeginn ist, von Ewigkeit her.“

(Mich. 5, 2.)

e) Die Zeit seiner Geburt:

In den Jahrwochen Daniels. (Vergleiche Daniel 9, 24—27.)

f) Er wird einen Vorläufer haben.

„Siehe! Ich sende meinen Engel, daß er den Weg bereite vor Mir her, und alsbald wird zu seinem Tempel kommen der Herrscher, den ihr suchet.“ (Mal. 3, 1.)

g) Er wird ein Tröster sein.

„Der Geist des Herrn ist über Mir, denn der
Herr hat Mich gesalbet; um zu predigen den Sanft-
mütigen, sandte Er Mich, um zu heilen, die zer-
knirschten Herzens sind, um zu verkündigen den
Gefangenen Erlösung und den Verschlossenen Er-
öffnung; um zu verkünden das Jahr der Versöhnung vom Herrn und den Tag der Rache von
unserm Gott, um zu trösten alle Betrübten."

(Jf. 61, 1. 2.)

h) Er wird Wunder wirken:

„Dann öffnen sich der Blinden Augen, und
der Tauben Ohren thun sich auf; dann springet
wie ein Hirsch der Lahme, und die Zunge der
Stummen löset sich." (Jf. 35, 5. 6.)

i) Er wird feierlich in Jerusalem ein-
ziehen:

„Freue dich doch, du Tochter Sions, juble, du
Tochter Jerusalems! Siehe, dein König kommt
zu dir, gerecht und als Heiland; Er ist arm und
reitet auf einer Eselin, auf dem jungen Füllen
einer Eselin." (Zach. 9, 9.)

k) Die Gottlosen werden beratschlagen,
wie sie Ihn fangen können:

„Lasset uns den Gerechten hintergehen; denn Er
ist uns unnütz und widerspricht unsern Werken."
(Weish. 2, 12.)

l) Er wird um dreißig Silberlinge verkauft werden:

„Da wogen sie meinen Lohn dar, dreißig
Silberlinge." (Zach. 11, 12.)

m) Er wird gekreuzigt werden:

„Sie haben meine Hände und Füße durchbohrt, all meine Gebeine gezählt, Mich angeschaut und betrachtet, meine Kleider unter sich verteilt und das Los geworfen über mein Gewand."

(Pf. 21, 17—19.)

n) Er wird mit Essig und Galle getränkt werden:

„Sie geben Mir zur Speise Galle, und in meinem Durst tränken sie Mich mit Essig."

(Pf. 68, 22.)

o) Bei seinem Tode wird die Sonne verfinstert:

„An jenem Tage, spricht Gott, der Herr, wird die Sonne untergehen am Mittag, und am hellen Tage laß Ich finster werden das Land." (Amos 8, 9.)

p) Der Messias wird vom Tode auferstehen:

„Du wirst meine Seele nicht in der Hölle lassen und deinem Heiligen nicht zu sehen geben die Verwesung." (Pf. 15, 16.)

q) Er wird in den Himmel auffahren:

„Du fahrest in die Höh', nimmst die Gefangenschaft gefangen, nimmst die Geschenke zu Dir für die Menschen, auch für die Ungläubigen, daß sie wohnen bei Gott, dem Herrn." (Pf. 67, 19.)

r) Anbetung und Herrschaft nach dem Tode:

„An diesem Tage wird die Wurzel Jesses zum Panier für die Völker stehen. Die Nationen

werden zu Ihm beten, und sein Grab wird herrlich sein." (If. 11, 10.)

Persönliche Vorbilder Christi.

Wir finden im Alten Testament 14 Vorbilder
Christi. Die hauptsächlichsten sind:

Adam war ein Vorbild Jesu Christi. Er ist
der leibliche Stammvater aller Menschen, Christus
der geistige Stammvater aller Gläubigen.

„Gleichwie durch den Ungehorsam des Einen
Menschen die Vielen zu Sündern geworden sind,
so werden auch durch den Gehorsam des Einen
die Vielen zu Gerechten gemacht." (Röm. 5, 19.)

Abel, der gerechte Hirte, welcher von seinem
Bruder beneidet und getötet wird, und dessen Blut
zum Himmel schreit, ist das zweite Vorbild des
von seinen Brüdern, den Juden, aus Neid getöteten Christus, dessen Blut aber um Barmherzigkeit
zum Himmel ruft.

Noe, der einzige Gerechte, der die Arche baute,
seinen Mitmenschen Buße predigte und ein Gott
wohlgefälliges Opfer darbrachte, ist das dritte
Vorbild des Heilandes, der allein der Gerechte aus
sich selbst ist, die Kirche gestiftet, Buße gepredigt
und das Opfer der Versöhnung dargebracht hat.
Mit Ihm schloß Gott den Friedensbund für das
ganze menschliche Geschlecht.

Das vierte Vorbild Christi ist der königliche
Priester Melchisedech, welcher dem müden Abraham und seinen Knechten zur Erquickung Brot

und Wein opferte und nach vollbrachtem Opfer dieselben segnete. So opfert Christus im heiligen Meßopfer sich selbst unblutiger Weise und spendet durch die Hand des Priesters seinen Segen.

Der Patriarch Isaak ist das fünfte Vorbild Christi. Wie Isaak, der einzige Sohn Abrahams, seinem Vater gehorsam, sein Leben hingeben wollte, und das Holz, auf dem er geschlachtet werden sollte, selbst den Berg hinauf trug, also opferte sich der Heiland aus Gehorsam gegen seinen himm= lischen Vater und trug das Kreuzholz selbst den Kalvarienberg hinauf. „Er wurde geopfert, weil Er selbst wollte; wie ein Lamm ward Er zur Schlachtbank geführt und that seinen Mund nicht auf." (Is. 53, 7.)

Ein gar schönes Vorbild Christi ist das sechste, der ägyptische Joseph. Wie dieser von seinen Brüdern beneidet, mißhandelt, verkauft und den Heiden überliefert wurde, so auch Jesus. Und wie Joseph gottergeben und geduldig litt und einem Mitgefangenen die Strafe, dem andern die Ver= zeihung verkündete, so litt Christus zwischen zwei Missethätern, von denen Er dem einen die Auf= nahme in das Paradies versprach. Und wie Joseph, aus dem Gefängnisse befreit, zum Herrn über das ganze Land erhoben wird, und weil er die Aegypter vom Hungertode rettete, den Namen Heiland der Welt erhielt (I. Mos. 41, 45.), so ging Christus aus dem Gefängnisse des Grabes heraus und ist dadurch wahrhaftig der Heiland des Welt geworden.

Das siebente Vorbild Christi ist Moses, der schon als neugeborenes Kind von einem gottlosen Könige zum Tode bestimmt war, wie Christus von Herodes verfolgt wurde. Moses verließ den Hof des Königs, um seinen bedrängten Brüdern zu Hilfe zu kommen — Christus verließ um unsertwillen die Herrlichkeit seines himmlischen Vaters. Moses bereitete sich in der Wüste auf seinen Beruf vor — Christus zog sich vor seinem öffentlichen Auftreten in die Wüste zurück. Moses bewies durch Wunder seine göttliche Sendung — Christus bekundete durch Wunder, daß Er der eingeborne Sohn Gottes sei. Moses befreite das israelitische Volk aus der Knechtschaft Aegyptens — Christus befreite die ganze Menschheit aus der Knechtschaft des Satans. Moses war bei Gott der Fürsprecher seines Volkes — Christus ist ewig unser Mittler und Fürsprecher. Moses war der Gesetzgeber — Christus ist der Vollender des Gesetzes.

Das achte Vorbild des Heilandes ist David. Dieser wurde geboren zu Bethlehem, führte ein verborgenes Jugendleben, besiegte den Goliath mit einer unscheinbaren Waffe, wie Christus mit dem Kreuze die Sünde und den Teufel besiegte. David wurde verfolgt von denen, welchen er Gutes gethan; er mußte in bitterer Betrübnis über den Bach Cedron gehen, nur von wenigen Getreuen begleitet. Aber er kehrte siegreich nach Jerusalem zurück und triumphierte über alle seine Feinde. Er war Gesetzgeber und König.

Das neunte Vorbild Christi ist Salomon. Wie Salomon aus starken, wohlgefügten Quadersteinen den Tempel gebaut hat, so hat Christus auf dem Felsen Petri und auf dem Fundamente der Apostel den geistigen Tempel der Kirche errichtet und dieser eine wohlgeordnete, die Einheit sichernde Verfassung gegeben. Zu Salomon kam die Königin von Saba, um ihm Geschenke zu überreichen und ihre Ehrfurcht zu bezeugen; zu Christus kamen die drei Könige aus dem Morgenlande, um Ihn anzubeten und Ihm kostbare Gaben zu opfern. Salomon herrschte auf seinem prachtvollen, hohen Throne und in großer Herrlichkeit über viele Völker, Christus ist erhöht auf dem Himmelsthrone zur Rechten des Vaters und herrscht in göttlicher Majestät über die Völker der Erde und über die Heerscharen des Himmels.

Weitere Vorbilder sind: Elias, Josue, Gedeon, Samson und Jonas.

Sachliche Vorbilder Christi.

Außer diesen 14 persönlichen Vorbildern Christi finden wir auch noch sachliche Vorbilder. Dahin gehört vor allem das Osterlamm, welches jedes Jahr geschlachtet werden mußte als „Opfer des Vorübergangs des Herrn." (II. Mos. 12, 27.) Es war ein Dankopfer dafür, daß die Israeliten verschont geblieben, während alle Erstgeburt der Aegypter erschlagen wurde. Dieses Osterlamm mußte fehlerlos sein, und es mußte dessen Blut vergossen

werden. Es durfte demselben auch kein Bein ge=
brochen werden, und mußte dieses Osterlamm ge=
gessen werden. Zum Andenken an dieses erste Opfer
des Osterlamms wurde die alljährliche Erneuerung
des Osteropfers angeordnet. So ist Christus das
unbefleckte Gotteslamm, dessen Blut vergossen werden
mußte, damit unsere Seele vom ewigen Tode ge=
rettet wurde. Dieses Opfer wird unblutiger Weise
im heiligen Meßopfer täglich erneuert und ist zu=
gleich Seelenspeise, durch welche wir auf unserer
Pilgerreise zum ewigen Leben gestärkt werden.

Zu den sachlichen Vorbildern Christi gehört
auch noch jene eherne Schlange, die Moses auf
Gottes Befehl in der Wüste aufrichtete, ferner der
Fels, aus dem die Israeliten Wasser erhielten.

Vorbilder der heiligen Jungfrau.

Als Vorbild der heiligen Jungfrau hat in der
Kirche zu allen Zeiten gegolten jene heldenmütige
Judith, welche die Stadt Bethulia aus der Ge=
walt des Holofernes errettete. Wie die keusche Ju=
dith diesem Heiden das Haupt abschlug und dadurch
ihr Volk erlöste, so hat Maria, die allerkeuscheste
Jungfrau, durch ihren göttlichen Sohn dem Feinde
des menschlichen Geschlechtes den Kopf zertreten
und die ganze Menschheit aus der Gewalt desselben
befreit. Wie Judith als die Gesegnete vor allen
Weibern gepriesen wurde, so wurde Maria vom
Engel und von Elisabeth die Gebenedeite unter
den Weibern genannt. Wie Judith alle Ehre

auf Gott, der sie stärkte, zurückführte, so gab Maria
im „Magnifikat" auch Gott allein die Ehre, „der
herab sah auf die Niedrigkeit seiner Magd." Zu
Judith sprachen die Hohenpriester und die Aeltesten:
„Du bist ein heiliges Weib", Maria ist die
heiligste Jungfrau, der „Spiegel der Gerechtigkeit", an der man alle Tugenden bewundern
kann. Judith war starkmütig, Maria ist die
starkmütigste, denn sie stand unter dem Kreuze,
obgleich ihre Seele ein Schwert durchdrang. Zu
Judith sprachen die Priester: „Du bist der Ruhm
Jerusalems, du die Freude Israels, du die Ehre
unseres Volkes." Maria ist der Ruhm des himmlischen Jerusalem, die Freude aller Auserwählten,
die Ehre unserer heiligen Kirche.

Ein anderes Vorbild der heiligen Jungfrau
ist die Königin Esther, welche ebenfalls die Ret-
terin ihres Volkes war.

Vorbilder der Kirche und der Heilsgeheimnisse.

Die Arche Noes ist das Vorbild der katholischen Kirche, in welche aufgenommen sein muß,
wer dem allgemeinen Verderben entrinnen will, das
durch die Sündflut vorgebildet ist.

Die Beschneidung ist das Vorbild der heiligen Taufe. Durch die Beschneidung wurde der
Mensch ein Glied des Alten Bundes. Er wurde
durch diese Aufnahme zur Beobachtung des alttestamentlichen Gesetzes verpflichtet, und war die
Beschneidung ein unauslöschliches Merkmal am

Leibe. Durch die Taufe wird der Mensch in die Kirche Jesu Christi aufgenommen und verpflichtet, das christliche Gesetz zu beobachten, und wird der Seele ein unauslöschliches Merkmal aufgeprägt.

Ein anderes Vorbild der heiligen Taufe ist der Durchgang durch das Rote Meer.

Das Manna, welches die Väter in der Wüste vierzig Jahre lang aßen, ist ein Vorbild des allerheiligsten Altarssakramentes. Es kam täglich vom Himmel, war süß und diente zur Nahrung des Leibes. Die Kirche aber betet in der Litanei vom allerheiligsten Sakramente: „Brot vom Himmel hast Du ihnen gegeben, das alle Süßigkeit in sich enthält."

Ein Vorbild des heiligen Kreuzes ist das Holz, welches Moses bei Mara in das Wasser warf, wodurch das bittere Wasser, welches die Israeliten nicht trinken konnten, süß und genießbar wurde. So versüßt das Kreuz Christi alle Bitterleiten dieses Lebens und läßt uns alle Widerwärtigkeiten mit Geduld aus Liebe zu Christus tragen.

Die ganze Gottesdienstordnung des Alten Bundes war nur das Vorbild des Neuen Bundes. Da war das heilige Zelt, welches das Vorbild des noch viel heiligern katholischen Gotteshause im Tabernakel zugegen. In der Bundeslade waren aufbewahrt Manna, die Gesetzestafeln, die der Herr dem Moses gab, und der immergrüne Stab Aarons. Im Tabernakel ist die Speise vom Himmel, der Gesetzgeber und der ewige Hohe-

priester selbst. Der Brandopferaltar ist das
heilige Kreuz, auf dem Christus sich opferte, der
Schaubrottisch der Altar, auf dem das heilige
Meßopfer dargebracht wird. Das Rauchopfer
ist das beständige Gebet Christi und seiner Gerechten,
der Leuchter ist das Evangelium, welches in der
Kirche verkündet wird. Die sieben Lichter sind
die sieben heiligen Sakramente, welche da gespendet
werden; das Waschbecken ist der Taufstein, in
dem der Täufling von der Erbsünde gereinigt wird.

Die blutigen Opfer, welche vor dem Zelte
und später im Vorhofe des Tempels dargebracht
wurden, sind nichts als Vorbilder des blutigen
Opfers, welches Jesus am Kreuze dargebracht hat,
die unblutigen Opfer aber sind das Vorbild des
heiligen Meßopfers, welches täglich auf unsern Al=
tären dargebracht wird.

Zur Feier des Gottesdienstes war ein eigenes
Priestertum eingesetzt. An der Spitze aller Priester
stand der Hohepriester, wie der Papst der Oberste
aller Priester ist. So steht der Bischof als Hoher=
priester den Priestern seiner Diöcese vor. Die
Priester des Alten Bundes wurden in ihren Ver=
richtungen von den Leviten unterstützt, wie im
Neuen Bunde die Diakonen an der Seite der
Priester, aber unter denselben stehen.

Wie das Gotteshaus, das Priestertum und der
Gottesdienst des Alten Bundes im Neuen ihre Er=
füllung fanden, so entspricht auch das Festjahr
der katholischen Kirche jenem der Israeliten.

§ 12. Die Heidenwelt.

Aber nicht nur die Juden bereitete Gott auf die Ankunft des Erlösers vor, sondern Er offenbarte sich auch auf mancherlei Weise den Heiden, damit auch unter ihnen der Glaube an einen zukünftigen Retter und Wiederhersteller einer bessern Zeit sich erhalte und die Herzen mit Sehnsucht erfülle. Die Strafgerichte über Sodoma und Gomorrha, Adamah und Seboim sollte den Heiden wieder das Andenken an die Sündflut und an die strafende Gerechtigkeit Gottes zurückrufen. Das schreckliche Gericht, welches über die Bewohner des Landes Kanaan erging, mußte Eindruck auf die umliegenden Völker machen, die deren Bosheit kannten und in ähnlicher Bosheit verharrten. Diese Bewohner des Landes, in welches die Juden einzogen, wurden alle, vom Kinde bis zum Greise, durch die Schärfe des Schwertes vertilgt, zur Strafe für ihre Sünden und damit die Juden von ihnen nicht angesteckt würden.

Auch gab es noch gottesfürchtige Männer unter den Heiden, welche den Glauben an den einen Gott und an einen künftigen Erlöser in ihrem Herzen bewahrten, so jener Mann in dem Lande Hus, namens Job, der „einfältig und aufrichtig war, Gott fürchtete und vom Bösen sich enthielt." Er blieb geduldig und standhaft in allen Trübsalen und bekannte den Glauben an eine zukünftige Erlösung und Auferstehung, indem er sprach:

Zweiter Glaubensartikel.

Und an Jesum Christum, seinen eingebornen Sohn, unsern Herrn.

„Ich weiß, daß mein Erlöser lebt, und ich werde am jüngsten Tage von der Erde auferstehen und werde wieder umgeben werden mit meiner Haut und werde in meinem Fleische meinen Gott schauen. Ich selbst werde Ihn sehen, und meine Augen werden Ihn anschauen, und kein anderer. Diese meine Hoffnung ruhet in meinem Busen." (Job 19, 25—27.)

Zu den Mitteln, deren sich die göttliche Vorsehung bediente, um die Heiden auf das Evangelium vorzubereiten, gehörte hauptsächlich auch die Zerstreuung der Juden im ganzen römischen Reiche. So lernten die Heiden die heiligen Bücher der Juden, deren Lehren und Gebräuche kennen.

Unterdessen war die heidnische Welt in das tiefste sittliche Elend versunken. Die Religion war ausgeartet in einen abscheulichen Götzendienst. Nicht nur jedes Geschäft hatte seine besondere Gottheit, sondern sogar jedes Laster hatte seinen Schutzgott.

Die Menschheit war in jenen Zustand geraten, den der Apostel so abschreckend schildert. Gott ließ die Menschen so tief sinken, damit sie erkennen sollten, daß von ihnen selbst keine Rettung und keine Hilfe ausgehen könne.

§ 13. Erfüllung der Weissagungen.

Viertausend Jahre waren verflossen, seitdem die erste Verheißung eines Erlösers an unsere Stammeltern gleich beim Sündenfalle ergangen war. Es

war alles erfüllt, was von der Ankunft des Erlösers geweissagt worden. Das Scepter war von
Juda hinweggenommen, und das Reich Davids
war zerrissen. Ueber das Judenland herrschte ein
Heide, Herodes der Große, als Vasall des römischen Kaisers Augustus. In Rom war der Tempel
der Krieges geschlossen, was nur geschah, wenn allgemeiner Friede war. Der Kaiser benützte diesen
Frieden, um im ganzen Reiche eine Volkszählung
zu halten, was Joseph und Maria, als Nachkommen Davids, nach Bethlehem rief. In diesem Zeit-
punkt öffnete sich der Himmel, und es stieg herab
Jesus Christus, der hochgelobt sei in Ewigkeit.

„Es ist uns erschienen die Güte und
Menschenfreundlichkeit Gottes, unseres
Heilandes." (Tit. 3, 4.)

1) Der Erlöser ist kein anderer als der ein-
geborne Sohn Gottes selbst, der allein imstande
war, der Gerechtigkeit Gottes für die Sünden der
Menschen eine unendliche Genugthuung zu leisten.
Es kam also die zweite Person der allerheiligsten
Dreifaltigkeit, die ganz gleichen Wesens mit dem
Vater ist, die ganz gleiche göttliche Natur mit dem
Vater von Ewigkeit her hat.

Diese Grundwahrheit des Christentums hat der
Apostel Paulus im Briefe an die Hebräer mit
den Worten verkündet:

„Mehrmals und auf vielerlei Weise hat Gott
zu den Vätern durch die Propheten geredet, am
letzten hat Er in diesen Tagen zu uns durch den

Sohn geredet, welchen Er zum Erben über alles
gesetzt, durch den Er auch die Welt gemacht hat."

Die erste allgemeine Kirchenversammlung von
Nicäa erläuterte diese göttliche Natur in folgenden
Worten:

"Ich glaube an Einen Herrn Jesum
Christum, den eingebornen Sohn Gottes,
der aus dem Vater geboren ist von Ewig=
keit, Gott von Gott, Licht vom Lichte,
wahrer Gott vom wahren Gott; gezeugt,
nicht erschaffen, Einer Wesenheit mit dem
Vater; durch den alle Dinge gemacht sind."

2) Dieser Erlöser, den Gott uns verheißen und
gesandt hat, ist zugleich unser Herr. Er war
unser Herr, als Er in die Welt eintrat, weil Er
der Sohn Gottes ist, durch den alles gemacht
worden. Wir sind also seine Geschöpfe, und wie
der Vater Herr über uns ist, so ist es auch der Sohn.

"Durch Ihn ist alles erschaffen worden,
was im Himmel und was auf Erden ist,
das Sichtbare und das Unsichtbare."
(Kol. 1, 16.)

Jesus Christus ist aber auch noch dadurch unser
Herr geworden, daß Er uns erlöst hat mit seinem
kostbaren Blute. Durch die Sünde waren wir
Leibeigene des Satans geworden, durch Christi
Tod sind wir das Eigentum des Erlösers geworden.

"Ihr seid nicht mit vergänglichem Gold
oder Silber erlöset, sondern mit dem kost=
baren Blute Christi." (I. Petr. 1, 18—19.)

3) Schon die Namen, welche dem Heilande beigelegt wurden, sollten das Amt und das Werk bezeichnen, welches zu vollführen Er gekommen war. Sein Name ist Jesus, das ist Helfer, Heiland, Erlöser. So sollte Er heißen nach der ausdrücklichen Anordnung des Erzengels Gabriel, der seine Geburt verkündigte und zu Maria sprach:

„Du sollst Ihm den Namen Jesus geben, denn Er wird sein Volk erlösen von dessen Sünden." (Matth. 1, 21.)

4) Den Erlöser, den die Juden erwarteten, nennen die heiligen Schriften: Messias, d. i. Christus oder der Gesalbte.

Der zukünftige Erlöser wurde aber vorzugsweise Christus, der Gesalbte, genannt, weil Er alle Aemter in sich vereinigen sollte, welche „die Gesalbten des Herrn" bekleideten. Gesalbt aber wurden im alten Bunde vor allem die Priester. So befahl Gott dem Moses: „Salbe Aaron und seine Söhne und heilige sie, auf daß sie als Priester Mir dienen." Der Erlöser aber ist der oberste Priester. Vom Sohne Gottes allein ist gesagt: Der Herr hat geschworen, und es wird Ihn nicht gereuen: „Du bist der Priester ewiglich nach der Ordnung Melchisedechs."

Der Heiland aber ist nicht nur Priester, sondern Er ist auch König und Prophet oder Lehrer im ausgezeichnetsten Sinne des Wortes. Er brachte nicht nur die Wahrheit, sondern Er allein konnte von sich sagen: „Ich bin die Wahrheit." (Joh. 14, 16.)

Die Wahrheit, die Er lehrte, läßt Er fort und fort durch den Geist, den Er gesandt hat, verkünden, und zwar wird dieser Geist auch Zukünftiges verkünden. (Joh. 16, 13.) So erfüllt sich, was der Prophet geweißagt: „Ich will meinen Geist über alles Fleisch ausgießen." (Joel 2, 28.)

5) Der Name Jesus, den Gott von Ewigkeit her seinem Sohne beizulegen beschlossen, faßt alles in sich, was an Gnade und Segen durch Christus uns geworden, so daß wir sagen können: es ist der allerheiligste Name. Der hl. Bernardin von Siena sagt deshalb mit Recht: „Der Name Jesus ist ein kurzes Wort und leicht auszusprechen, aber inhaltsschwer und voll von unaussprechlichen Geheimnissen."

Der Name Jesus ist das Unterpfand unserer Seligkeit. Darum sprach Petrus, als er mit Johannes vor dem hohen Rate stand und sich verantworten mußte: „Es ist kein anderer Name unter dem Himmel den Menschen gegeben, wodurch wir selig werden sollen." (Apg. 4, 12.)

Der Name Jesus ist ein anbetungswürdiger Name, wie geschrieben steht:

„Im Namen Jesu sollen sich beugen die Knie derer, die im Himmel, auf der Erde und unter der Erde sind." (Phil. 2, 10.)

Der Name Jesus ist der kräftigste Name. An Ihn knüpft sich alle Kraft und Macht, die den

Gläubigen von ihrem göttlichen Meister, dem alle Gewalt gegeben war, hinterlassen wurde. Darum sprach der Heiland vor seiner Himmelfahrt zu den Jüngern:

„Es werden denen, die da glauben, diese Wunder folgen: In meinem Namen werden sie Teufel austreiben; mit neuen Sprachen reden, Schlangen aufheben, und wenn sie etwas Tödliches trinken, wird es ihnen nicht schaden. Kranken werden sie die Hände auflegen, und sie werden gesund werden." (Mark. 16, 17—18.) So finden wir Hilfe in allen Nöten im Namen Jesu, wie denn auch Petrus, als er den Lahmgebornen heilen wollte, zu demselben sprach: „Im Namen Jesu Christi, des Nazareners, steh auf und wandle." (Apg. 3, 6.)

6) Es ist deshalb eine schöne und lobenswerte Sitte, den heiligen Namen Jesus uns oft in das Gedächtnis zu rufen. Wir treffen denselben oft auf Kirchenfahnen, kirchlichen Gerätschaften, Bildern 2c. in abgekürzter Form: I. H. S. Dies sind von den fünf Buchstaben, aus denen der Name Jesus besteht, die ersten drei, da das H im Griechischen den Laut E bezeichnet. Es werden diese drei Buchstaben also gelesen: JES. Man kann aber die Schrift auch deuten: Jesus, Heiland, Seligmacher, um alles, was der Sohn Gottes für uns ist, zu bezeichnen.

Wie mit dem Zeichen des heiligen Kreuzes

der katholische Christ ein sichtbares Glaubensbekenntnis ablegt, so legt er ein hörbares Glaubensbekenntnis ab mit dem katholischen Gruße: „Gelobt sei Jesus Christus" und der darauffolgenden Antwort: „In Ewigkeit. Amen." Die oftmalige Wiederholung dieses Grußes rechtfertigt sich schon dadurch, daß wir dem Sohne die gleiche Ehre schuldig sind, wie dem Vater, von welchem David sagt: „Ich will den Herrn preisen zu aller Zeit; immer soll sein Lob in meinem Munde sein." (Pf. 33, 2.)

Vom Feste des heiligen Namens Jesu.

Die Heiligen Gottes, von Petrus dem Apostel an, haben den anbetungswürdigen Namen Jesus auf das innigste verehrt. Schon vom heiligen Bischof und Märtyrer Ignatius, einem Apostelschüler, lesen wir, daß er mit dem Ausdrucke: „O Jesus, meine Liebe" sich oftmals im Tage gestärkt habe. Der heilige Justin, der Martyrer, gebrauchte den Namen Jesus als die beste Waffe in allen Versuchungen des Satans. Wunderbar drückt sich der hl. Bernhard über den Namen Jesus aus, den er Licht, Speise und Arznei zugleich nennt, weil wir in Ihm Erleuchtung, Kraft und Heilung finden. Ganz besondere Verehrung trug der heilige Franziskaner Bernhardin von Siena zu diesem Namen. Bei seinen Missionspredigten bediente er sich eines Fähnleins, auf dem der Name Jesus, von Strahlen umgeben, gemalt war, und entflammte durch seine Worte die Herzen seiner Zuhörer. Da nun die Verehrung des allerheiligsten Namens stets ungeschwächt in der Kirche fortlebte, ja immer mehr sich steigerte, so genehmigte Papst Clemens VII. dem Franziskanerorden einige Tagzeiten zu dessen Ehre, und Papst Innocenz XIII.

führte das Fest allgemein in der Kirche ein und befahl,
daß es am zweiten Sonntag nach dem Feste der Erscheinung des Herrn gefeiert werden soll.

Dritter Glaubensartikel.

Der empfangen ist von dem heiligen Geiste, geboren
aus Maria, der Jungfrau.

---

§ 14. Das Leben Jesu.
Vorgeschichte.

Der Prophet M a l a c h i a s hatte geweissagt,
daß dem Erlöser ein Mann vorangehen werde, an
Kraft und Eifer einem Engel gleich, und daß dann
bald darauf der Heiland erscheinen werde.

Dieser Vorläufer war Johannes der Täufer.

In einem Städtchen des Gebietes, welches einst
dem Stamme Juda gehörte, wahrscheinlich im Ge-
birgsstädtchen Hebron, wohnte ein frommer Priester
Zacharias. Seine Frau E l i s a b e t h war gleichfalls
aus priesterlichem Geschlechte und eine Anverwandte
der Mutter Jesu. (Luk. 1, 5. 36.) Beide waren gerecht vor Gott und wandelten in allen Geboten
und Satzungen des Herrn tadellos. Aber sie waren
schon bei Jahren und hatten noch keine Nachkommenschaft, was sie sehr in Betrübnis versetzte; denn
Kinder galten als ein Segen Gottes, mit welchem
der Gerechte belohnt wurde. (Ps. 127, 3.) Einmal
war Zacharias hinauf gegangen, und es traf ihn
das Los, im Tempel den Altar zu beräuchern. Da

erblickte er zur Rechten des Rauchaltars einen Engel. Furcht überfiel ihn. Der Engel aber sprach: „Fürchte dich nicht, Zacharias, dein Gebet ist erhört worden. Elisabeth, dein Weib, wird einen Sohn gebären, den sollst du Johannes nennen. Du wirst Freude und Wonne haben, und viele werden sich über seine Geburt freuen; denn er wird groß sein vor dem Herrn. Wein und starkes Getränke wird er nicht trinken und in seiner Mutter Leibe noch mit dem heiligen Geiste erfüllt werden." (Luk. 1, 8 ff.)

Dem Zacharias schien diese Verheißung bei dem hohen Alter seiner Gattin kaum glaublich. Für diese Glaubensschwäche wurde er bestraft und mußte stumm bleiben, bis die Verheißung erfüllt wurde.

Bei der Beschneidung wollten die Verwandten dem Kinde den Namen des Vaters beilegen. Aber Zacharias schrieb auf ein Täfelchen: „Johannes soll er heißen." Da löste sich das Band der Zunge, und es kam der heilige Geist über ihn.

Im sechsten Monat aber, nachdem Zacharias im Tempel die Erscheinung gehabt, ward der Engel Gabriel von Gott gesandt in eine Stadt mit Namen Nazareth. Dort wohnte jene Jungfrau, welche der Herr auserwählte, die Mutter des Sohnes Gottes zu werden. Ihr Name war Maria. Sie war aus Davids Stamme und mit Joseph, der ebenfalls aus dem Stamme Davids war, verlobt. Diese Verlobung geschah durch eine besondere Fügung Gottes, damit die Empfängnis und die Geburt des Erlösers aus einer Jungfrau verdeckt und dadurch dem Erbfeind des menschlichen Geschlechtes verborgen bleiben sollte. Der Engel kam zur hl. Jungfrau hinein und grüßte sie mit den Worten:

"Gegrüßt seist du, voll der Gnaden, der Herr ist mit dir. Du bist gebenedeit unter den Weibern." Da Maria diese Worte hörte, erschrak sie und dachte darüber nach, was das für ein Gruß sei. Der Engel aber sprach:

"Fürchte dich nicht, Maria; denn du hast Gnade gefunden bei Gott. Siehe, du wirst empfangen in deinem Leibe und einen Sohn gebären, und du sollst seinen Namen Jesus heißen. Dieser wird groß sein und ein Sohn des Allerhöchsten genannt werden; Gott, der Herr, wird Ihm den Thron seines Vaters David geben, und Er wird herrschen im Hause Jakobs ewiglich, und seines Reiches wird kein Ende sein." Maria aber sprach zu dem Engel: "Wie wird dies geschehen, da ich keinen Mann erkenne?" Der Engel antwortete und sprach:

"Der heilige Geist wird über dich kommen, und die Kraft des Allerhöchsten dich überschatten. Darum wird auch das Heilige, das aus dir geboren werden soll, Sohn Gottes genannt werden." Und der Engel gab ihr ein Wahrzeichen, indem er weiter sprach: "Siehe, Elisabeth, deine Verwandte, auch

dieſe hat einen Sohn empfangen, und ſie, die un=
fruchtbar heißt, geht nun ſchon im ſechſten Monat;
denn bei Gott iſt kein Ding unmöglich."

Maria aber ſprach: „Siehe, ich bin eine Magd
des Herrn, mir geſchehe nach deinem Worte."

Maria machte ſich nun auf und ging eilends
in das Gebirg. Und ſie kam in das Haus des
Zacharias und grüßte Eliſabeth. Als aber Eliſa=
beth den Gruß Mariä hörte, hüpfte das Kind
freudig auf in ihrem Leibe, und Eliſabeth ward
erfüllt von dem heiligen Geiſte und rief mit lauter
Stimme: „**Gebenedeit biſt du unter den Wei=
bern, und gebenedeit iſt die Frucht deines
Leibes. Woher geſchieht mir dies, daß die
Mutter meines Herrn zu mir kommt? Selig
biſt du, daß du geglaubt haſt,** denn was dir von
dem Herrn geſagt worden, wird in Erfüllung gehen."

Und Maria ſprach nun, vom Geiſte Gottes
erfüllt, das herrliche **Magnifikat.**

§ 15. Geburt und Jugendjahre Jeſu.

Es erging aber ein Befehl des Kaiſers Au=
guſtus, daß das ganze Land beſchrieben werden
ſolle, und alle gingen hin, ſich anzugeben, ein jeder
in ſeine Stadt, wo er her war. Joſeph und Maria
ſtammten, wie das Geſchlechtsregiſter beim Evan=
geliſten Matthäus meldet, von David ab, und
deshalb gingen ſie, gehorſam gegen den Befehl der
weltlichen Obrigkeit, hinauf nach Bethlehem, der
Stadt, auf deren Fluren David, der Sohn Iſais

(Jesses), einst seine Herden gehütet hatte. Als sie
aber hinauf kamen, da waren so viele Fremde
anwesend, daß sie in keiner Herberge mehr Auf=
nahme fanden, und so gingen sie vor die Stadt
hinaus in einen Stall, der den Hirten beim Un=
wetter zur Unterkunft diente, und in welchen Rei=
sende ihre Tiere einstellten. Hier nun kam der
Heiland zur Welt.

Maria aber wickelte das Kind in Windeln und
legte Es in die Krippe. Der Sohn Gottes, der
die Herrlichkeit des Himmels verlassen hatte, war
jetzt das ärmste Kind, das nicht einmal ein Bett=
lein hatte, und doch war Es der Herr des Erd=
kreises. (Pf. 23, 1.)

„Er kam in sein Eigentum, und die
Seinigen nahmen Ihn nicht auf.“

(Joh. 1, 11.)

Es waren aber Hirten in derselben Gegend,
die Nachtwache hielten bei ihrer Herde. Und siehe,
ein Engel des Herrn stand vor ihnen, und die
Herrlichkeit Gottes umleuchtete sie, und sie fürch=
teten sich sehr.

Der Engel aber sprach zu ihnen: „Fürchtet
euch nicht! denn siehe, ich verkündige euch eine große
Freude, die allem Volke widerfahren wird; denn
heute ist euch in der Stadt Davids der Heiland
geboren worden, welcher Christus der Herr ist.
Und dies soll euch zum Zeichen sein: ihr werdet
ein Kind finden, in Windeln eingewickelt und in
der Krippe liegend.“ Und sogleich war bei

dem Engel eine Menge himmlischer Heerscharen, welche Gott lobten und sprachen:

„Ehre sei Gott in der Höhe und Friede den Menschen auf Erden, die eines guten. Willens sind.“

Die Hirten aber gingen eilends nach Bethlehem, und sie fanden Maria und Joseph und das Kind, das in der Krippe lag. Und sie lobten Gott um dessenwillen, was sie gesehen und gehört hatten; und alle, denen die Hirten erzählten, wunderten sich über das, was geschehen war. (Luk. 2, 18.)

Nach acht Tagen wurde das Kind beschnitten und Jesus genannt, wie es der Engel besohlen hatte. (Luk. 2, 21.)

Nachdem aber die Tage der Reinigung erfüllt waren, brachten die Eltern das Knäblein in den Tempel nach Jerusalem, um Es dort darzustellen, wie es im Gesetze Mosis geboten war, und das Opfer darzubringen, ein Paar Tauben, wie es für die Armen vorgeschrieben war. Es war aber ein Mann zu Jerusalem mit Namen Simeon; dieser war gerecht und gottesfürchtig. Simeon kam aus Antrieb des Geistes in den Tempel und erkannte in dem Kinde den zukünftigen Messias. Er nahm es auf die Arme, pries Gott und sprach: „Nun entlässest Du, Herr! nach deinem Worte deinen Diener im Frieden; denn meine Augen haben dein Heil gesehen, das Du bereitet hast vor dem Angesichte aller Völker, als ein Licht zur Erleuchtung

der Heiden und zur Verherrlichung deines Volkes
Israel."

Es kamen aber Weise aus dem Morgenlande
nach Jerusalem, wo damals der König Herodes
seinen Wohnsitz hatte. Die fragten: „Wo ist der
neugeborne König der Juden? Wir haben seinen
Stern im Morgenlande gesehen, und sind gekommen, Ihn anzubeten." Als Herodes dies hörte,
erschrak er; sofort ließ Herodes alle Hohenpriester
und die Schriftgelehrten des Volkes zusammenkom-
men und erforschte von ihnen, wo Christus geboren werden sollte. Diese wiesen auf die Pro-
phezeiung des Michäas hin und bezeichneten
Bethlehem als die Geburtsstätte. Nun berief Herodes heimlich die Weisen und erforschte von ihnen
genau die Zeit, wann der Stern ihnen erschienen
war. Dann sandte er sie nach Bethlehem und
sprach: „Gehet hin und forschet genau nach dem
Kinde, und wenn ihr Es gefunden habt, so zeiget
es mir an, damit auch ich komme, Es anzubeten."
Und die Weisen zogen hin, und der Stern, den
sie im Morgenlande gesehen, ging vor ihnen her,
bis er über dem Orte, wo das Kind war, ankam
und stille stand. Da sie aber den Stern sahen,
hatten sie eine überaus große Freude. Und sie
gingen in das Haus, fanden das Kind mit Maria seiner Mutter, fielen nieder und beteten Es
an. Sie thaten auch ihre Schätze auf und brachten
Ihm Geschenke, Gold, Weihrauch und Myrrhen.
Und als sie im Schlafe durch eine Offenbarung

gewarnt wurden, daß sie nicht mehr zu Herodes
zurückkehren sollten, gingen sie auf einem andern
Wege in ihr Land zurück. (Matth. 2, 1—13.)

Dem Joseph erschien aber ein Engel des Herrn
im Schlafe und sprach: „Steh auf, nimm das
Kind und seine Mutter, und flieh nach Aegypten,
und bleib allda, bis ich dir's sage. Denn es wird
geschehen, daß Herodes das Kind suchet, um Es
zu töten.“ Da stand er auf, nahm das Kind und
seine Mutter bei der Nacht und zog fort nach
Aegypten. Und er blieb allda bis zum Tode des
Herodes, damit erfüllet würde, was von dem Herrn
durch den Propheten gesagt worden ist, der da
spricht: „Aus Aegypten habe Ich meinen Sohn
berufen.“ Als nun Herodes sah, daß er von den
Weisen hintergangen war, wurde er sehr zornig
und schickte aus und ließ ermorden in Bethlehem
und in der ganzen Umgegend desselben alle Knäblein von zwei Jahren und darunter, nach der Zeit,
die er von den Weisen erforscht hatte. Nachdem
aber Herodes gestorben war, siehe, da erschien der
Engel des Herrn dem Joseph im Schlafe in Aegypten und sprach: „Steh auf, und zieh in das
Land Israel; denn die dem Kinde nach dem Leben
strebten, sind tot.“ Da stand er auf, nahm das
Kind und seine Mutter und kam in das Land
Israel. Als er aber hörte, daß Archelaus anstatt
des Herodes, seines Vaters, im Judenlande regiere,
fürchtete er sich, dahin zu ziehen; und nachdem er
im Schlafe erinnert worden, zog er in das Land

von Galiläa. Und er kam und wohnte in der Stadt, welche Nazareth genannt wird, damit erfüllet würde, was durch die Propheten gesagt worden ist, daß er ein Nazaräer wird genannt werden. (Matth. 2, 13-23.)

Joseph und Maria gingen aber alle Jahre nach Jerusalem auf das Osterfest. Als Jesus zwölf Jahre alt war, reiste Er auch mit. Und da sie am Ende der Festtage wieder zurückkehrten, blieb der Knabe in Jerusalem zurück, ohne daß es seine Eltern wußten. Da sie aber meinten, Er sei bei der Reisegesellschaft, so machten sie eine Tagreise und suchten Ihn unter den Verwandten und Bekannten. Als sie Ihn nicht fanden, kehrten sie nach Jerusalem zurück und suchten Ihn. Und es geschah, nach drei Tagen fanden sie Ihn im Tempel, sitzend unter den Lehrern, wie Er ihnen zuhörte und sie fragte. Und es erstaunten alle, die Ihn hörten, über seinen Verstand und seine Antworten. Als sie Ihn sahen, wunderten sie sich. Seine Mutter aber sprach zu Ihm: „Kind! warum hast Du uns das gethan? Siehe, dein Vater und ich haben Dich mit Schmerzen gesucht."

Und Er sprach zu ihnen: „Warum habet ihr Mich gesucht? Wußtet ihr nicht, daß Ich in dem sein muß, was meines Vaters ist?" Und Er zog mit ihnen hinab und kam nach Nazareth und war ihnen unterthan. Und Jesus nahm zu an Weisheit und Alter und Gnade bei Gott und den Menschen. (Luk. 2.)

Dritter Glaubensartikel.

Der empfangen ist von dem heiligen Geiste, geboren aus
Maria, der Jungfrau.

Lehrftücke.

1) Der Gottmenfch kam nicht in der Herrlichkeit feines Vaters, fondern als ein armes Kind. Er wollte fo arm geboren werden, weil Er von Geburt an ein Bußleben für die fündige Menfchheit führen wollte. Sein ganzes Leben war Buße für uns, und das Leiden Chrifti beginnt mit der Geburt Chrifti.

Er wollte aber zugleich uns lehren, daß wir die trügerifchen zeitlichen Güter gering achten und uns nicht betrüben follen, wenn Gott fie uns verfagt.

Chriftus hat die Armut geheiligt und den Armen fich zuerft geoffenbart und dadurch uns gelehrt, daß die Armen die liebften Kinder Gottes find.

2) Wie Chriftus der zweite Adam genannt wird, weil Er der Urheber der Gnade und Herrlichkeit ift, wie Adam der Vater des menfchlichen Gefchlechtes war, fo wird auch Maria die andere Eva genannt. Der Römifche Katechismus fagt: „Da Eva der Schlange Glauben fchenkte, brachte fie Fluch und Tod über das menfchliche Gefchlecht, und durch Maria, nachdem fie dem Engel glaubte, gefchah es durch Gottes Güte, daß fich Segen und Leben über die Menfchen ergoß. Wegen Eva werden wir als Kinder des Zornes geboren, von Maria empfingen wir Jefum Chriftum, durch den wir zu Kindern der Gnade wiedergeboren werden."

3) „Wie Chriftus der Herr aus dem verfchloffenen und verfiegelten Grabe hervorgegangen und zu den Jüngern bei verfchloffenen Thüren eingetreten ift, oder, fo wie die Sonnenftrahlen die dichte Maffe des Glafes durchdringen, ohne es jedoch zu zerbrechen oder irgendwie zu verletzen, fo ging Chriftus auf eine ähnliche, aber erhabenere Weife aus dem mütterlichen Schoße ohne den geringften Nachteil der Jungfraufchaft feiner Mutter hervor, darum preifen wir deren unverletzte und beftändige Jungfraufchaft mit den wahrhaftigften Lobfprüchen."

4) Die katholische Kirche feiert den heiligen Joseph nächst der allerseligsten Jungfrau am meisten unter den Heiligen. Und dies gewiß mit Recht; denn ihm vertraute Gott seinen Sohn an, und seine Hände arbeiteten für den, durch welchen alles erschaffen wurde. Er war der treue Beschützer des göttlichen Kindes und seiner gebenedeiten Mutter; an seiner Seite arbeitete der Heiland, in des Heilands Armen starb der heilige Joseph. Darum wird dieser glorreiche Patriarch als Patron in der Sterbestunde angerufen, und Papst Pius IX. hat ihn auf die Bitte einer großen Anzahl von Bischöfen zum Patron und Beschützer der Christenheit erklärt. Als der Heiland öffentlich auftrat, scheint der heilige Joseph gestorben gewesen zu sein; denn er erscheint schon nicht mehr bei der Hochzeit zu Kana. Sein Tod mag in den Frühling gefallen sein; denn die Kirche feiert dessen Fest am 19. März, das Patrocinium des heiligen Joseph wird aber schon seit alten Zeiten am dritten Sonntag nach Ostern gefeiert. Als Pius IX. den heiligen Joseph zum Patron der ganzen Christenheit erklärte, hat er demnach nur das ausgesprochen, was zu allen Zeiten in der Kirche frommer Glaube war.

§ 16. Das Kirchenjahr.

Der katholische Christ soll nicht nur die heilige Geschichte kennen, sondern er soll sie auch selbst mitleben und soll denselben Weg gehen, den der Heiland gegangen ist, und auf dem die Heiligen Gottes Ihm nachgefolgt sind. Darum führt die Kirche uns im Kreislauf eines Jahres die wichtigsten Geheimnisse des Lebens, Leidens und der Verherrlichung des Heilandes vor, an das sich die Erinnerung an die Stiftung der Kirche und die Geheimnisse der Heiligung der Seelen anschließen.

In diesen heiligen Zeiten soll sich der Christ für die Gnade vorbereiten, dieselbe empfangen und in sich wirken lassen, so daß er mit den Aposteln allezeit soll sagen können: „Ich lebe, doch nicht ich, sondern Christus lebt in mir." (Gal. 2, 20.)

Das Kirchenjahr wird in drei Festkreise eingeteilt, in den Weihnachts=, Oster= und Pfingstkreis.

Der Weihnachtsfestkreis.

Der Weihnachtsfestkreis beginnt nicht mit dem Weihnachtsfeste selbst, sondern es geht die Zeit des Advents voraus.

Der Advent.

Advent heißt Ankunft. Die Adventszeit ist also die Zeit, in der wir uns auf die Ankunft Jesu vorbereiten sollen, auf die geistige Wieder= geburt sowohl als auf die Ankunft des Welten= richters beim jüngsten Gericht. Darum fasten und beten wir, auf daß unsere bußfertige Gesinnung den Herrn uns gnädig erscheinen lasse. Früher fing die Adventszeit mit Martini an und war somit ebenfalls eine vierzigtägige Fastenzeit. Heute halten diese Fastenzeit nur noch einzelne strengere Orden, z. B. die Kapuziner, gemäß ihrer Regel ein, viele fromme Seelen aber freiwillig. Der Advent der Kirche beginnt mit dem vierten Sonntag vor dem Weihnachtsfeste, welcher als der erste Adventsonntag gilt. Die vier Wochen bedeuten die vier Jahr= tausende, welche der Geburt des Heilandes voraus=

gingen, in denen die Gerechten des alten Bundes
sich nach dem Erlöser sehnten und mit schmerz-
lichem Verlangen dem Heiland entgegenharrten.

Das Weihnachtsfest.

Das heilige Weihnachtsfest bildet mit dem
Osterfeste und dem Pfingstfeste die Grundlage
des christlichen Kirchenjahres. Die Zeit seiner Ein-
führung kann ebensowenig angegeben werden, als
die der beiden andern hohen Feste, eben aus dem
Grunde, weil den Christen die Tage der Geburt,
wie der Auferstehung Jesu und der Ausgießung
des göttlichen Geistes von jeher heilige Tage waren.
An diesem Tage waren früher, wie an Ostern und
Pfingsten, sämtliche Gläubige verpflichtet, die heilige
Kommunion zu empfangen, bis das vierte all-
gemeine lateranensische Konzil auch diese
Kirchenvorschrift milderte. Dieser Tag wird jedoch
in der Kirche am festlichsten begangen, indem die
Bischöfe und Priester an diesem Tage drei heilige
Messen lesen dürfen, um die dreifache Geburt des
Sohnes Gottes zu feiern.

Es wird nämlich gefeiert die ewige Geburt des
göttlichen Sohnes aus dem Schoße des Vaters,
wie geschrieben steht: „Aus dem Innern er-
zeugte Ich Dich vor dem Morgensterne.“.
(Pf. 109, 3.) Darum wird diese Messe im Dunkel
der Mitternacht gelesen, und auch da, wo die
Stunde hinausgeschoben wird, nicht später als um
sechs Uhr in der Frühe. Wenn der Priester im

feierlichen Gottesdienste das Gloria in excelsis an-
stimmt, wird mit allen Glocken geläutet, und weit-
hin erschallt das Friedensgeläute durch die Nacht.
Die zweite heilige Messe wird etwas später, aber
auch noch in der Frühe gefeiert, und heißt die
Hirtenmesse: wie die Hirten, sollen auch wir
den Heiland, der jetzt in der Krippe liegt, anbeten
und Ihm danken, daß Er zu uns gekommen. Um
dieses zu versinnbilden, wird den Gläubigen in
dieser zweiten Messe die heilige Kommunion gespendet.   Die Anbetung der Hirten ist die Feier
der Geburt des Sohnes Gottes im Fleische. Es
soll der Heiland aber auch wiedergeboren werden
in den Herzen der Menschen und dadurch verscheucht
werden die Finsternis des Geistes, auf daß wir
wandeln im Lichte und nicht mehr im Schatten
des Todes.   Darum ist die dritte Messe im öffentlichen Gottesdienste ein Hochamt zur hellen Ta-
geszeit. Das Weihnachtsfest hat überdies eine Oktav.
d. h. während der nachfolgenden sieben Tage wird
in jeder heiligen Messe dieses Festes in der Art
gedacht, daß die Festgebete ebenfalls in die Tages-
messe aufgenommen werden.

Es ist eine schöne und ehrwürdige Sitte, die
Christfeier auch in der Familie zu begehen.   Da
wir an diesem Tage so hoch begnadigt worden sind,
daß der Vater seinen eingebornen Sohn vom Himmel uns sandte, so pflegt man einander an diesem
Tage zu beglückwünschen und zu beschenken. Dadurch soll thatsächlich ausgeführt werden, wozu der

Evangelist Johannes uns ermahnt: „Geliebteste!
Da Gott uns so geliebt, so müssen wir uns
auch einander lieben." (I. Joh. 4, 11.)

Heiligenfeste.

Mit dem Weihnachtsfeste verbindet die Kirche
drei weitere Feste, welche an den drei darauffolgenden Tagen gefeiert werden, und welche die Ver-
treter aller sind, die im Glauben und in der Liebe
mit Christo sich vereinigten. Das sind die Feste
des heiligen Erzmärtyrers Stephanus, des heiligen Evangelisten Johannes und der unschuldigen Kinder. Der heilige Stephanus bekannte
Christum und bezeugte seinen Glauben mit seinem
Blute. Der heilige Evangelist und Apostel Johannes bekannte seinen Glauben durch seine apostolische Thätigkeit in einem langen, der Verkündigung des Evangeliums gewidmeten Leben, hauptsächlich zur Liebe Gottes und des Nächsten er-
mahnend. Die von dem grausamen Herodes ge-
mordeten Kinder konnten den Glauben nicht
bekennen, aber sie waren die vom Herrn erwählten
Erstlinge, die darum auch als Heilige verehrt werden.

Das Fest der Beschneidung.

Die Oktav, d. h. der achte Tag, an dem das
Knäblein Jesu beschnitten wurde, ist ebenfalls ein
Festtag geworden: Beschneidung des Herrn. Bei
dieser Ceremonie, welche das Gesetz des alten Bundes vorschreibt, geschah die erste der sieben Blut-

vergießungen, welche die Gläubigen verehren. Ursprünglich war der Tag ein Bet- und Bußtag. Da die Heiden an diesem Tage durch Maskeraden, Eß- und Trinkgelage und andere Ausschweifungen den Jahreswechsel feierten, so untersagten die Bischöfe (Johannes Chrysostomus, Ambrosius, Augustinus, Petrus Chrysologus u. a.) nicht nur auf das strengste alle Teilnahme an diesen Festlichkeiten, sondern sie ordneten allgemeines Fasten und sogar Bittgänge an diesem Tage an. Später, als das Heidentum erloschen war, gestaltete man die Feier dieses Tages als ein Fest der Dankbarkeit gegen Gott, der um Segen auch für das kommende Jahr angefleht wurde.

Das Dreikönigsfest.

Sechs Tage nach Neujahr feiern wir das Dreikönigsfest. Dieses Fest heißt in der Kirchensprache Epiphanie, d. i. Erscheinung oder Offenbarung. Es wurden vorzüglich drei Ereignisse gefeiert, an denen die Gottheit des Herrn sich offenbarte. Einmal feierte man die Offenbarung der Geburt des Erlösers an die Heiden, also das eigentliche Dreikönigsfest. Dann feierte man die Offenbarung der Gottheit des Menschensohnes an die Juden durch das Zeugnis des himmlischen Vaters am Jordan. Endlich feierte man die Offenbarung der Kraft und Macht des Herrn in seinen Wundern, besonders in seinem ersten Wunder auf der Hochzeit zu Kana.

Zum Andenken an die Taufe Jesu im Jordan und an unsere eigene Taufe wird an diesem Tage Wasser und Salz geweiht; denn der Geist Gottes, der Geist der Weisheit, der am Jordan auf den Herrn herabstieg, stieg in der heiligen Taufe auch auf uns herab. Das Salz aber ist das Sinnbild der Weisheit. Darum spricht der Priester zum Täufling, indem er ihm Salz dar-reicht: „Nimm hin das Salz der Weisheit, es be-wahre dich zum ewigen Leben. Amen."

In der abendländischen Kirche wird aber hauptsächlich die Ankunft der drei Weisen aus dem Morgenlande oder das eigentliche Dreikönigsfest gefeiert.

Mariä Lichtmeß.

Auch der vierzigste Tag nach Weihnachten, an welchem der Heiland im Tempel dargestellt wurde, wird in der Kirche gefeiert unter dem Namen Mariä Lichtmeß oder Mariä Reinigung. Den letzten Namen erhielt das Fest daher, weil Maria sich dem Gesetze unterwarf, obwohl sie es als reine Jungfrau nicht notwendig hatte. Das mosaische Gesetz (III. Mos. 12, 2.) erklärte nämlich jede Mutter, die einen Sohn geboren hatte, vierzig Tage als unrein. Nach Ablauf dieser Tage mußte sie im Vorhofe des Tempels erscheinen und ein Opfer bringen, ein Lamm und eine Taube oder, wenn sie arm war, zwei Tauben, und wurde alsdann vom Priester rein gesprochen. Ein anderes Gesetz

erklärte alle erstgebornen Söhne für den Dienst
des Herrn geweiht, zum Andenken daran, daß die
Erstgeburt der Israeliten in der ägyptischen Knecht=
schaft vom Würgengel verschont wurde. Darum
mußte der erstgeborne Sohn in den Tempel ge=
bracht und losgekauft werden. Daher hat dieses
Fest auch den Namen: Darstellung Jesu im
Tempel. Den Namen „Lichtmeß“ aber trägt das=
selbe von der Begegnung mit Simeon, der das
dargebrachte Knäblein als das Licht pries, welches
die Völker erleuchten werde. Schon in frühester
Zeit wurde zur Versinnbildung dieser Worte ein
Umgang mit Lichtern gehalten, damit der Erlöser,
der dem Simeon im Tempel entgegen gekommen
war, auch den Bedrängten gnädig entgegen oder
vielmehr zu Hilfe kommen möge.

§ 17. Das öffentliche Leben Jesu.

Während Jesus still und ohne Aufsehen zu er=
regen, bei seinen Eltern in Nazareth weilte, hatte
Johannes, den Gott zum Vorläufer Christi be=
stimmte, in der Wüste als Einsiedler ein hartes
und rauhes Leben geführt und sich auf seine gött=
liche Sendung durch Fasten, Gebet und Entbeh=
rungen aller Art vorbereitet. So war er „stark
im Herrn“ geworden. Da er nun das Alter
erreicht hatte, in dem die Lehrer in Israel öffent=
lich auftreten durften, erging das Wort des Herrn
an ihn; er folgte dessen Rufe und kam hinaus an
den Jordan und predigte Buße zur Vergebung der

Sünden. Seine Worte machten tiefen Eindruck
auf alle, die ihn hörten; denn schon sein Aeußeres
zeigte an, daß er ein anderer Elias sei. Er trug
ein Kleid von Kamelhaaren und einen ledernen
Gürtel um seine Lenden, und seine Nahrung waren
Heuschrecken und wilder Honig. Die Bewohner
Jerusalems und der ganzen Gegend am Jordan
gingen zu ihm hinaus. Johannes aber predigte:
„Thut Buße, denn das Himmelreich ist nahe.“
Und er sprach weiter: „Bringet würdige Früchte
der Buße. Die Axt ist schon an die Wurzel der
Bäume gesetzt. Ein jeder Baum, der keine gute
Frucht bringt, wird umgehauen und ins Feuer
geworfen.“

Zugleich wies Johannes darauf hin, daß der
Messias jetzt auftreten werde. „Ich taufe,“ sagte
er, „euch zwar im Wasser zur Buße, aber der
nach mir kommt, ist stärker als ich, und ich bin
nicht würdig, seine Schuhe zu tragen. Dieser wird
euch mit dem heiligen Geiste und mit Feuer taufen.“

Unterdessen war Jesus, der nur sechs Monate
jünger war, auch dreißig Jahre alt geworden; Er
kam an den Jordan und verlangte getauft zu
werden. Johannes wollte den Herrn abhalten, da
er den Sündelosen erkannte. Er sprach zu Ihm:
„Ich habe nötig, von Dir getauft zu werden, und
Du kommst zu mir?“ Jesus aber antwortete: „Laß
es jetzt geschehen, denn so geziemt es sich, daß wir
jede Gerechtigkeit erfüllen.“ Nun ließ es Johannes
zu. Als aber Jesus getauft war, stieg Er sogleich

aus dem Wasser herauf, und siehe, der Himmel öffnete sich Ihm, und der heilige Geist stieg in körperlicher Gestalt gleich einer Taube auf Ihn herab und eine Stimme erscholl vom Himmel: „Du bist mein geliebter Sohn, an Dir habe Ich mein Wohlgefallen." (Luk. 3, 22.)

Am andern Tage sah Johannes Jesus zu sich kommen und sprach: „Siehe das Lamm Gottes, siehe, das da hinwegnimmt die Sünden der Welt!" Und er bezeugte offen: „Ich kannte Ihn nicht, aber der mich gesandt hat, mit Wasser zu taufen, sprach zu mir: Ueber welchen du sehen wirst den Geist herabsteigen und auf Ihm bleiben, dieser ist's, der mit dem heiligen Geiste tauft." (Joh. 1, 29. 33.) Dieselben Worte wiederholte er auch am dritten Tage, als er Jesus abermals wandeln sah.

Jesus aber ging hinweg vom Jordan und wurde vom Geiste in die Wüste geführt. Allda blieb Er vierzig Tage und Er aß nichts in denselben Tagen, und als sie vorüber waren, hungerte Ihn. Da trat der Teufel zu Ihm, Ihn zu versuchen, und sprach: „Bist Du Gottes Sohn, so sprich zu diesem Steine, daß er Brot werde." Jesus aber antwortete ihm: „Nicht vom Brote allein lebt der Mensch, sondern von jedem Worte Gottes."

Dann nahm Ihn der Teufel mit sich in die heilige Stadt und stellte Ihn auf die Zinne des Tempels und sprach zu Ihm: „Bist Du Gottes

Sohn, so stürze Dich hinab; denn es steht geschrieben: Er hat seinen Engeln Deinetwegen befohlen und sie sollen Dich auf den Händen tragen, damit Du nicht etwa einen Fuß an einen Stein stoßest." Jesus aber sprach zu ihm: „Es steht aber auch geschrieben: Du sollst Gott, deinen Herrn nicht versuchen." Abermal nahm Ihn der Teufel mit sich auf einen sehr hohen Berg und zeigte Ihm alle Königreiche der Welt und ihre Herrlichkeit und sprach zu Ihm: „Dies alles will ich Dir geben, wenn Du niederfällst und mich anbetest." Da sprach Jesus zu ihm: „Weiche, Satan! denn es steht geschrieben: Du sollst Gott, deinen Herrn anbeten und Ihm allein dienen." Hierauf verließ Ihn der Teufel, und siehe, die Engel traten hinzu und dienten Ihm.

Nachdem Jesus die Wüste verlassen hatte, trat Er öffentlich als Lehrer auf und fing an, Jünger um sich herum zu sammeln, die Zeugen seiner Lehren und Thaten sein sollten, um sie später der Welt zu verkünden. Aus diesen wählte Er zwölf aus, die Er Apostel nannte.

Drei Jahre wandelte der Heiland unter den Menschen im Judenlande umher, und lehrte die Wahrheit, die Er vom Himmel brachte. Er lehrte nur Einen Gott, den allmächtigen Schöpfer Himmels und der Erde, der alle Menschen erschaffen hat und selig machen will. Dieser Gott ist ein Geist, den wir im Geiste und in der Wahrheit anbeten müssen. In seiner Hand ruht das Schicksal

eines jeden. Er ift die Liebe. Wie Er die Liebe
ift, fo müffen wir auch unfere Mitmenfchen lieben,
und zwar werkthätig und aus allen Kräften. Selbft
unfere Feinde dürfen wir von unferer Liebe nicht
ausfchließen. Gott ift vollkommen, und wie Er, fo
follen auch wir vollkommen fein. Es genügt nicht,
uns von böfen Thaten zu enthalten, auch unfer
Herz muß rein fein; wir dürfen das Böfe nicht
nur nicht thun, fondern auch nicht begehren. Den
Geift, den wir in uns pflegen follen, hat Er uns
in den acht Seligkeiten gezeichnet. Die Selbftver=
leugnung bahnt den Weg zu unferm Ziele, welches
kein anderes als der Himmel ift. Durch Buße kann
der Sünder die Gnade Gottes wieder erwerben.
Gott ift langmütig und will den glimmenden Docht
nicht auslöfchen und das fchwankende Rohr nicht
vollends zerbrechen. Wenn aber die irdifche Lauf=
bahn vollendet ift, dann wird jeder Menfch vor
den Richterftuhl Gottes geftellt. Und diefen Richter
kann niemand täufchen und niemand hintergehen;
denn Er fieht in das Herz des Menfchen, prüft
Herzen und Nieren und kennt alle Ratfchläge. Und
vor Ihm gilt kein Anfehen der Perfon, der Arme
ift vor Ihm wie der Reiche, der Bettler wie der
König. Ein unerbittliches Gericht wird über die
Böfen ergehen, die in die Hölle geftoßen werden,
um dort zu leiden auf ewig. Die Guten aber wer=
den in die Seligkeit des Himmels eingehen, um
dort mit dem dreieinigen Gott ewiglich zu leben
und zu herrfchen.

Diese Lehre, welche im geradesten Gegensatze zu dem stand, was die Menschen bis jetzt gesehen und gehört hatten, mußte alle, die eines guten Willens waren, mit Trost und Hoffnung erfüllen. Darum heißt die Lehre Jesu mit Recht Evangelium, d. h. frohe Botschaft; war sie doch die Kunde von der Erlösung, Heiligung und Beseligung der Menschheit.

Was der Heiland lehrte, das übte Er selbst. Die Pharisäer und Priester legten dem Volke unerträgliche Lasten auf, sie selbst aber wollten dieselben mit ihren Fingern nicht bewegen. (Matth. 23, 4.) Der Heiland aber ist für alle das erhabenste Vorbild geworden. Er zeigte durch sein Beispiel, wie man dem Vater im Himmel dienen soll. Er konnte von sich sagen: „Das ist meine Speise, daß Ich den Willen dessen erfülle, der Mich gesandt hat." (Joh. 4, 34.) Sein ganzes Leben war ein beständiges Wohlthun. „Gutes thuend," sagt der Evangelist Lukas, „wandelte Er umher." (Apg. 10, 38.) Den Juden gegenüber konnte Er fragen: „Wer von euch kann Mich einer Sünde beschuldigen?" (Joh. 8, 46.) Wie seine Lehre, so war auch sein Wandel das sprechendste Zeugnis für die Göttlichkeit seiner Sendung.

Jesus lehrte aber auch nicht wie ein gewöhnlicher Lehrer, nicht wie die Schriftgelehrten und Pharisäer, sondern „wie einer, der Macht hat." (Matth. 7, 29.) Er sprach nicht nur göttliche Worte, sondern Er wirkte auch göttliche Werke. (Joh. 9, 4.)

Er, der Sohn Gottes, that auch die Werke seines
Vaters. (Joh. 10, 37.) Durch eine Reihe von Wun=
dern bezeugte Er, daß Gottes Kraft und Macht
auch seine Kraft und Macht sei. Gleich im An=
fange seines öffentlichen Auftretens, auf der Hoch=
zeit zu Kana, wo Er Wasser in Wein verwandelte,
„offenbarte Er seine Herrlichkeit, und seine Jünger
glaubten an Ihn." (Joh. 2, 11.) Er zeigte seine
Macht zu unzähligen Malen, indem Er Kranke
heilte, die urplötzlich und auf seinen Befehl gesund
wurden. So heilte Er Blinde, vom Teufel Besessene,
Taube und Stumme, Gichtbrüchige und Aussätzige.
Er zeigte seine Kraft durch die Auferweckung
dreier Toten.

Solche wunderbare Handlungen bestärkten nun
viele in dem Glauben, Jesus werde ein irdisches
Reich gründen, und selbst von den Aposteln mochten
einige dieser Meinung sein. Darum wollte der
Herr drei seiner Apostel tiefer in die Geheimnisse
des Reiches Gottes einweihen, damit sie die übrigen
Apostel aufrichteten, wenn dieselben Ihn später in
seiner tiefsten Niedrigkeit sehen würden. Deshalb
nahm Er einmal Petrus, den Er zum Ober=
haupte der Kirche erkoren, Jakobus und Jo=
hannes mit auf den Berg Tabor. Dort ward
Er vor ihnen verklärt. Seine Kleider wurden
glänzend und überaus weiß wie der Schnee, so
wie kein Walker auf Erden weiß machen kann.
Und es erschien Elias mit Moses, und diese re=
deten mit Jesus. Die Jünger aber erhielten einen

Vorgeschmack der Seligkeit, und Petrus sprach:
„Meister, gut ist's für uns, hier zu sein; wir
wollen drei Hütten bauen, Dir eine, dem Moses
eine und dem Elias eine." Und es kam eine
Wolke, die sie überschattete, und aus der Wolke
erscholl eine Stimme und sprach: „Dies ist mein
geliebter Sohn; den sollt ihr hören." Und plötzlich,
da sie herum schauten, sahen sie niemand mehr als
Jesus allein bei ihnen. (Mark. 9, 1 ff.) So bekräf=
tigte der himmlische Vater das Zeugnis, das Er
am Jordan dem Heilande ausgestellt.

Je mehr aber die Anhänglichkeit des Volkes
an Jesum wuchs, desto größer wurde auch der
Ingrimm der Priester und Pharisäer. Sie suchten,
ob sie nichts an Ihm fänden, weswegen sie Ihn
bei den Römern als Aufrührer anklagen oder um
das Zutrauen des Volkes bringen könnten. Allein
sie fanden nichts, weder in seinem Wandel, noch
in seinen Reden. Der Herr aber kannte ihre Ge=
danken und Anschläge und bereitete seine Jünger
darauf vor. Als Er das letzte Mal mit seinen Jüngern
nach Jerusalem ging, nahm Er seine zwölf Jünger
zu sich beiseits und sprach zu ihnen: „Siehe, wir
ziehen hinauf nach Jerusalem, und des Menschen
Sohn wird den Hohenpriestern und Schriftgelehrten
überliefert werden, und sie werden Ihn zum Tode
verurteilen. Sie werden Ihn den Heiden aus=
liefern, daß sie Ihn verspotten, geißeln und kreu=
zigen; und am dritten Tage wird Er wieder auf=
erstehen." (Matth. 20, 17—19.)

In Bethanien hielt der Heiland sich öfters
im Hause des Lazarus auf, den Er von den Toten
erweckt hatte. Diesmal aber finden wir Ihn im
Hause Simons, den man den „Aussätzigen" nannte,
wahrscheinlich, weil er früher aussätzig war und
von Jesus wird geheilt worden sein. Dieser bereitete Ihm ein Gastmahl. Lazarus saß ebenfalls mit zu Tische, und Martha, die Schwester
des Lazarus bediente den Herrn. Maria aber,
die andere Schwester des Lazarus, brachte in einem
Gefäße von Alabaster eine kostbare Salbe, salbte
die Füße Jesu und trocknete sie mit ihren Haaren.
Dann zerbrach sie das Gefäß und goß das Oel
über des Herrn Haupt, also, daß das ganze Haus
voll vom Wohlgeruch der Salbe wurde. Darob
murrte einer der Apostel, Judas mit dem Bei-
namen Iskariot. Dieser führte den Beutel, in
welchen das Almosengeld gelegt wurde. Der Geiz
hatte sich dieses Jüngers bemächtigt; er war zum
Diebe geworden und hätte das Geld, welches die
Salbe kostete, lieber in seinem Beutel gesehen.
Darum sprach er: „Warum hat man diese Salbe
nicht um mehr als 300 Denare verkauft und den
Armen gegeben?" Der Heiland aber sprach ruhig:
„Warum belästigt ihr dieses Weib? Sie hat ein
gutes Werk an Mir gethan. Arme habt ihr allezeit bei euch, Mich aber habt ihr nicht immer.
Diese that, was sie konnte; sie salbte schon zum
voraus meinen Leib zum Begräbnisse ein." (Mark.
14, 3—8.) Jesus kannte die Verworfenheit des

Judas wohl, aber Er duldete ihn, denn dieser sollte das Werkzeug seines Leidens werden.

Von Bethanien ging der Herr nach Jerusalem. Als Er nach Betphage in der Nähe von Jerusalem kam, gab Er zwei Jüngern den Auftrag: „Gehet in den Flecken, der euch gegenüber liegt, und ihr werdet alsbald eine Eselin angebunden finden, und bei ihr ein Füllen, auf dem noch niemand gesessen." Die Jünger fanden es, wie der Heiland gesagt hatte. Sie legten ihre Kleider auf das Füllen und setzten Jesum darauf. So ging in Erfüllung, was Isaias und Zacharias geweissagt: „Siehe, dein König kommt zu dir, sanftmütig sitzend, auf einem Füllen, dem Jungen eines Lasttieres." (If. 62, 11; Zach. 9, 9.) Die Volksmenge aber, welche nach Jerusalem zum Feste gekommen war, als sie hörte, Jesus von Nazareth ziehe heran, gaben ihrer Verehrung und ihrem Glauben Ausdruck. Sie gingen Ihm mit Palmen entgegen, viele breiteten ihre Kleider auf den Weg, andere hieben Zweige von den Bäumen und streuten sie noch auf den Weg, und die vorangingen und nachfolgten, schrien und sprachen:

„Hosanna! Hochgelobt sei, der da kommt im Namen des Herrn! Hochgelobt sei das Reich unsers Vaters David, das da kommt! Hosanna in der Höhe!" (Mark. 11, 10.)

Unterdessen war der Ingrimm der Hohenpriester und der Schriftgelehrten auf das höchste gestiegen. Schon nach der Erweckung des Lazarus faßten sie

den Plan, Jefum zu töten, da fie fahen, wie fein
Anhang fich mehrte. Bald darauf befchloffen fie
nun, den Herrn ergreifen zu laffen, nur follte dies
nicht am Ofterfefte gefchehen. Es fuhr aber der
Satan in den Judas Iskariot, und er ging hin
und beredete fich mit den Hohenprieftern und Haupt=
leuten, wie er ihnen Jefum überliefern wollte, und
diefe verfprachen ihm dreißig Silberlinge. Und von
da fuchte er eine Gelegenheit, Jefum zu überliefern.

Am erften Tage des Feftes der ungefäuerten
Brote mußte nach dem Gefetze das Ofterlamm
gegeffen werden. Die Jünger fuchten und fanden,
nach der Weifung des Meifters, den bezeichneten
Speifefaal. Als es Abend geworden, fetzte fich der
Herr mit feinen Jüngern zu Tifche und fprach in herz=
ergreifender Weife: „Ich habe ein großes Ver=
langen gehabt, das Ofterlamm mit euch zu effen,
bevor Ich leide." Zugleich aber fagte Er voraus:
„Einer von euch, der mit Mir in die Schüffel
tunkt, wird Mich verraten." Die Jünger wurden
fehr betrübt, und einer um den andern fragte:
„Bin ich es, Herr?" Auch Judas fragte: „Bin
ich es, Meifter?" Und Jefus antwortete ihm:
„Du haft's gefagt." (Matth. 26, 21—25.)

So hatte denn der Heiland das Gefetz erfüllt.
Nun wollte der Herr aber an die Stelle des alten
Mahles das Mahl des Neuen Bundes einfetzen,
an dem niemand teilnehmen darf, der nicht rein
ift. Darum verfinnbildete Er den Apofteln diefe
Reinheit dadurch, das Er ihnen die Füße wufch.

Dadurch zeigte Er ihnen zugleich, wie sie in aller Demut dem Tische des Neuen Bundes sich nahen sollten. Dem Petrus, der erstaunt dies an sich nicht geschehen lassen wollte, bedeutete Jesus: „Wenn Ich dich nicht wasche, so hast du keinen Teil an Mir." Da sagte Petrus zu Ihm: „Herr, nicht allein die Füße, sondern auch die Hände und das Haupt." Jesus aber sprach zu ihm: „Wer gewaschen ist, bedarf nicht mehr, als daß Er die Füße wasche, so ist er ganz rein. Auch ihr seid rein, aber nicht alle." (Joh. 13, 10.)

Hierauf ermahnte Er die Jünger, sie sollten ebenfalls an einander thun, wie Er ihnen gethan habe und deutete noch einmal ganz bestimmt auf den Verrat des Judas hin. Dann aber setzte Er jenes wunderbare Liebesmahl ein, durch welches Er sich mit den Aposteln und allen, die an Ihn glauben, bis an das Ende der Zeiten fortwährend vereinigen wollte.

Jesus nahm das Brot, segnete und brach es, gab es seinen Jüngern und sprach: „Nehmet hin und esset, das ist mein Leib, der für euch hingegeben wird. Dies thuet zu meinem Andenken." Und Er nahm den Kelch, dankte, gab ihnen denselben und sprach: „Trinket alle daraus, denn dies ist mein Blut des neuen Testamentes, das für viele vergossen werden wird zur Vergebung der Sünden." (Matth. 26, 26—28; Mark. 14, 22—24; Luk. 22, 19—20; I. Kor. 11, 24—27.)

Zugleich setzte der Heiland bei: „Siehe, die Hand meines Verräters ist mit Mir auf dem Tische." (Luk. 22, 21.) Und als Johannes, der sich an die Brust des Heilandes lehnte, fragte: „Herr, wer ist's?" antwortete Jesus: „Der ist es, dem Ich das Brot, welches Ich eintunke, reichen werde." Und Er reichte den Bissen dem Judas Iskariot. Jetzt nahm der Satan den Judas völlig in Besitz. Frech fragte er noch: „Bin ich es, Meister?" und der Meister antwortete: „Du hast es gesagt." Und Er fügte noch bei: „Was du thun willst, das thue bald." Und Judas ging fort, um sein abscheuliches Vorhaben auszuführen.

Lehrstücke.

1) Christus der Herr ließ sich von Johannes taufen, „damit alle Gerechtigkeit erfüllt werde." Obwohl Christus keine Sünde kannte, so stellte Er sich unter die Sünder, weil Er die Sünden der Welt auf sich genommen hatte. Auch wollte Er damit uns zeigen, daß Johannes mit Recht nicht bloß Sinnesänderung, sondern auch Buße verlange, und daß Er mit uns büßen wolle. Denn das ganze Leben Christi war ein Bußweg, ein Weg voll Entbehrungen und Schmerzen, auf welchem Er uns voranging.

2) Durch die Taufe Jesu wurde, wie manche Kirchenväter lehren, zugleich das heilige Sakrament der Taufe eingesetzt.

Hiefür kann zum stärksten Beweise dienen, daß damals die heiligste Dreifaltigkeit, in deren Namen die Taufe erteilt wird, die Gegenwart ihrer Gottheit kundgab. Denn die Stimme des Vaters wurde vernommen, die Person des Sohnes war zugegen, und der heilige Geist stieg in Gestalt einer Taube herab. Ueberdies öffnete sich der

Himmel, wohin uns nun durch die Taufe hinauf zu steigen
vergönnt ist.

3) Der Heiland fastete in der Wüste 40 Tage und
40 Nächte. Die Zahl 40 ist eine ganz bedeutungsvolle
Zahl, besonders in der Buße und in der Gnade. Auch
die Niniviten thaten 40 Tage Buße und wendeten
dadurch das Strafgericht Gottes ab. (Jon. 3.) Moses
war 40 Tage und 40 Nächte auf Sinai bei dem Herrn:
er aß kein Brot und trank kein Wasser. (II. Mof. 34, 28.)
Elias ging 40 Tage und 40 Nächte bis zum Berge
Horeb, und dies konnte er in Kraft der Speise, die ihm
der Engel gereicht hatte. (III. Kön. 19, 8.)

4) Die Versuchung Christi vom Teufel konnte statt=
finden, wenn der Teufel auch wissen mußte, daß der Sohn
Gottes, der zweite Adam, nicht, dem ersten Adam gleich,
sich überwinden lasse. Denn es ist ja noch jetzt und immer
das Streben des Teufels, das Reich Gottes anzugreifen
und zu zerstören, obschon er weiß, daß es ihm nicht ge=
lingen werde.

Da alles, was in der Welt nicht vom Vater ist,
Begierlichkeit des Fleisches, Begierlichkeit der Augen und
Hoffart des Lebens ist (I. Joh. 2, 16.), so wurde der Hei=
land auch auf diese dreifache Weise versucht. Zunächst
mutete der Teufel Ihm zu, auf übernatürliche Weise sich
Speise zu verschaffen, um seinen Hunger zu stillen. Dann
sollte Er in wunderbarer Weise vor den Augen der Ju=
den von der Zinne des Tempels sich herniederlassen, was
der menschlichen Hoffart und Eitelkeit geschmeichelt hätte.
Endlich wollte der Teufel sehen, ob das, was die meisten
Menschen zum Falle bringt, Geld und Gut, den Herrn
nicht zum Abfalle von Gott bewegen könnte. Jesus aber
zeigte uns, wie wir den Versuchungen Widerstand leisten sollten.

Der Heiland gestattete dem Teufel aber auch, Ihn
zu versuchen, um alle frommen und gottesfürchtigen Per=
sonen, welche Versuchungen erleiden, zu trösten und sie
zu belehren, daß auch die größten Heiligen von den Ver=

suchungen nicht frei sind. Zugleich zeigte Er uns die
Mittel, welche uns stark machen, um den Versuchungen
Widerstand zu leisten: Wachsamkeit, Gebet und Abtötung.

5) Die Aufgabe des Heilandes war eine dreifache.
Er mußte dem menschlichen Geschlechte Prophet, Hoher=
priester und König sein, wie dies vom Messias voraus=
gesagt war. Darum sprechen wir von einem dreifachen
Amte Christi: vom prophetischen, vom hohepriester=
lichen und vom königlichen Amte Christi.

Wie der Heiland das hohepriesterliche und
königliche Amt nach seiner Himmelfahrt durch alle Zeiten
fortsetzt, so setzt Er auch das prophetische Amt in der
von Ihm gestifteten Kirche fort. Denn der heilige Geist,
der die Kirche belehrt, nimmt von dem Seinigen und
verkündet es. (Joh. 16, 15.)

6) Die wunderbaren Werke, welche Jesus ver=
richtete, sind der vorzüglichste Beweis seiner Gottheit;
denn das wird jedermann zugeben, daß Wunder nur von
Gott oder durch Gott gewirkt werden können.

Die Wunder, welche der Heiland verrichtete, haben
aber die Zeitgenossen desselben nie geleugnet. Die Ho=
henpriester und Schriftgelehrten, die Todfeinde Christi,
dachten nicht daran, dieselben zu leugnen.

Der Heiland konnte sich auf die Wunder, die Er
verrichtete, als auf die vorzüglichsten Beweise seiner gött=
lichen Sendung berufen:

„Wenn ihr Mir nicht glauben wollet, so
glaubet den Werken, damit ihr erkennet und
glaubet, daß der Vater in Mir ist und Ich in
dem Vater." (Joh. 10, 38.)

Nikodemus, der heilsbegierige Ratsherr, der den Hei=
land nachts besuchte, sprach nur den allgemeinen Glauben
der redlichen Juden aus, als er sagte: „Meister, wir
wissen, daß Du ein Lehrer bist, der von Gott gekommen
ist; denn niemand kann diese Wunder wirken, welche Du
wirkest, wenn nicht Gott mit ihm ist." (Joh. 3, 2.) Und

der Apostel Petrus, als er, erleuchtet und gestärkt durch den heiligen Geist, am Pfingstfest unter die Juden trat, konnte Jesum, den Nazarener, einen Mann nennen, „dem Gott Zeugnis gab durch Thaten, Wunder und Zeichen, welche Gott durch Ihn in eurer Mitte wirkte, wie ihr auch selbst wisset." (Apg. 2, 22.) Die Männer, welche uns die Wunder Jesu berichteten, haben sie nicht nur geglaubt, sondern auch für die Wahrheit ihrer Worte das Leben gelassen.

7) Bevor Jesus seinem Leiden entgegenging, verrichtete Er ein langes Gebet zum himmlischen Vater. Er bat zunächst für seine Jünger, daß sie eins sein möchten im Glauben; dann bat Er für alle, welche durch den Glauben in alle Zukunft mit Ihm vereinigt sein werden, also für die Kirche Gottes. Als Mensch bittet Er zugleich für sich, daß Er nunmehr, nachdem Er auf Erden den Vater verherrlicht hatte, das Werk der Verherrlichung vollende und alsdann in seiner Menschheit in der Herrlichkeit Gottes aufgenommen werde, die Er mit dem Vater von Anbeginn der Welt besaß. So opfert Er als ewiger Hoherpriester sich, seine Jünger und seine Kirche dem Herrn auf. Es wird deshalb dieses Gebet auch das h o h e p r i e s t e r l i ch e Gebet genannt.

Vierter Glaubensartikel.

Gelitten unter Pontius Pilatus, gekreuzigt, gestorben und begraben.

---

§ 18. Das bittere Leiden unseres Herrn und Heilandes Jesu Christi nach den vier Evangelien.

(In der Karwoche zu lesen.)

Jesus begab sich mit seinen Jüngern hinaus über den Bach Cedron und ging nach seiner Ge-

wohnheit an den Oelberg, wohin auch die Jünger Ihm folgten.

Hierauf kam Er mit ihnen in den Meierhof,
Gethsemane genannt, wo ein Garten war, in welchen
Er mit seinen Jüngern ging. Es wußte aber auch
Judas, der Ihn verriet, den Ort; denn Jesus war
oft mit seinen Jüngern dahin gekommen. Und Er
sprach zu seinen Jüngern: „Setzet euch hier nieder,
während Ich hingehe und bete." Und Er nahm
den Petrus, Jakobus und Johannes mit sich in
den Garten hinein. Als Er mit diesen allein war,
sprach Er zu ihnen: „Meine Seele ist betrübt bis
in den Tod. Bleibet hier und wachet und betet!"
Und Er entfernte sich etwa einen Steinwurf weit,
fiel auf die Erde nieder und sprach: „Mein Vater,
wenn es möglich ist, so gehe dieser Leidens-Kelch
an Mir vorüber! Doch nicht mein, sondern dein
Wille geschehe!" Darnach kam Er zu den drei
Aposteln zurück und fand sie schlafend. Da sprach
Er zu Petrus: „Simon, schläfst du? So habt ihr
denn nicht eine Stunde mit Mir wachen können?
Wachet und betet, auf daß ihr nicht in Versuchung
fallet; denn der Geist ist zwar willig; aber das
Fleisch ist schwach." Hierauf ging Er abermals
hin und betete: „Mein Vater, wenn es nicht möglich ist, daß dieser Kelch an Mir vorübergehe, ohne
daß Ich ihn trinke, so geschehe dein Wille!" Alsdann kam Er wieder zu seinen Jüngern zurück und
fand sie abermals schlafend. Er verließ sie, ging
hin und betete zum dritten Male, wie zuvor. Da

überfiel Ihn Todesangst, und sein Schweiß ward
wie Tropfen Blutes, das auf die Erde herabrann.
Da erschien Ihm ein Engel vom Himmel und
stärkte Ihn.

Hierauf begab Er sich zu den Jüngern zurück
und sprach zu ihnen: „Stehet auf und lasset uns
gehen! Die Stunde ist gekommen, da der Menschensohn in die Hände der Sünder überliefert wird.
Sehet, mein Verräter naht!"

Kaum hatte Jesus dies gesagt, da kam eine
große Rotte Menschen daher, welche von den Hohenpriestern und Aeltesten des Volkes gesandt war.
Sie trugen Schwerter und Stangen. Auch hatten
sie Laternen und Fackeln; denn es war Nacht. Judas
Iskariot ging vor ihnen her. Er hatte zu ihnen
gesagt: „Den ich küssen werde, Der ist es, Den
ergreifet!" Sobald er nun Jesus erblickte, eilte Er
auf Ihn zu, küßte Ihn und sprach: „Sei gegrüßt,
Meister!" Jesus aber sprach zu ihm: „Freund,
wozu bist du gekommen? Mit einem Kusse ver-
rätst du den Menschensohn?"

Jesus, der alles wußte, was über Ihn kommen
sollte, trat nun der Rotte entgegen und sprach:
„Wen suchet ihr?" Sie antworteten: „Jesus von
Nazareth." Jesus sprach: „Ich bin es." Da wurden sie plötzlich von Schrecken erfaßt, wichen zurück
und fielen zu Boden. Jesus fragte sie wiederum:
„Wen suchet ihr?" Sie sagten: „Jesus von Nazareth." Jesus sprach nun zu ihnen: „Wie gegen
einen Mörder seid ihr ausgezogen mit Schwertern

und Stangen, um Mich zu ergreifen. Täglich war
Ich bei euch im Tempel, und ihr habt es nicht
gewagt, die Hände gegen Mich auszustrecken. Doch
wenn ihr also Mich suchet, so lasset meine Jünger
gehen."

Nun legten die Kriegsknechte Hand an Ihn.
Als die Jünger dieses sahen, sprachen sie: „Herr,
sollen wir mit dem Schwerte dreinschlagen?" Und
sogleich ergriff Petrus sein Schwert und hieb dem
Malchus, dem Knechte des Hohenpriesters, das rechte
Ohr ab. Da sprach Jesus zu Petrus: „Stecke dein
Schwert in die Scheide! Wenn Ich meinen Vater
bitten wollte, würde Er mir seine Engel zu Hilfe
schicken. Allein wie würden dann die Weissagungen
der Propheten erfüllt werden? Soll Ich den Kelch
nicht trinken, den Mir der Vater gegeben hat?"
Hierauf heilte Er dem Malchus das Ohr wieder
an. Dann übergab Er sich freiwillig der Rotte,
und die Kriegsknechte ergriffen und banden Ihn.
Die Jünger aber entflohen; nur Petrus und Johannes folgten Ihm von ferne.

Die Rotte führte Jesus zuerst zum Hohenpriester
Annas. Dieser befragte den Heiland über seine
Jünger und seine Lehre. Jesus antwortete: „Ich
habe öffentlich gelehrt. Frage diejenigen, welche
mich gehört haben; diese wissen, was Ich gesagt
habe." Da gab Ihm einer von den Dienern mit
der Faust einen Schlag ins Gesicht und sprach:
„Antwortest Du so dem Hohenpriester?" Jesus er-
wiederte sanftmütig: „Habe Ich unrecht geredet,

so beweise es; habe Ich aber recht geredet, warum
schlägst du Mich?"

Annas ließ Jesus hierauf gebunden zu seinem
Schwiegersohne, dem Hohenpriester Kaiphas, führen,
bei welchem sich die Priester, die Schriftgelehrten
und Aeltesten noch während der Nacht versammelt
hatten. Diese hatten viele schlechte Menschen be-
stochen, daß sie falsches Zeugnis wider Jesus ab-
legten, damit sie Ihn dem Tode überliefern könnten.
Aber die Zeugnisse widersprachen sich und waren
deswegen ungültig. Nun erhob sich Kaiphas und
sprach: "Antwortest Du nichts auf das, was diese
wider Dich bezeugen?" Jesus aber schwieg. Darum
sprach jetzt der Hohepriester: "Ich beschwöre Dich
bei dem lebendigen Gott, daß Du uns sagest, ob
Du bist Christus, der Sohn Gottes." Jesus antwortete mit göttlicher Würde: "Ja, Ich bin es,
und Ich sage euch: Ihr werdet den Menschensohn
zur Rechten Gottes sitzen und auf den Wolken des
Himmels kommen sehen." Da zerriß der Hohepriester seine Kleider und rief: "Er hat Gott ge-
lästert! Was haben wir noch Zeugen nötig? Ihr
selbst habt die Gotteslästerung gehört. Was dünkt
euch nun?" Alle sprachen: "Er ist des Todes
schuldig."

Während Jesus vor dem hohen Rate der Priester
und Schriftgelehrten stand, war Petrus in den Vor-
hof des Hohenpriesters gekommen, um zu sehen,
wie es dem Herrn ergehe. Die Kriegsknechte aber
hatten ein Feuer angezündet, um sich zu erwärmen;

denn es war kalt. Petrus setzte sich zu den Kriegs=
knechten ans Feuer. Da kam eine Magd des Hohen=
priesters herzu und sprach zu Petrus: „Auch du
warst bei Jesus, dem Galiläer." Er aber leugnete
und sprach: „Ich kenne Ihn nicht." Da krähte der
Hahn zum ersten Male. Bald darauf sah ihn eine
andere Magd und sprach zu den Umstehenden:
„Dieser war auch bei Jesus von Nazareth." Petrus
leugnete es wiederum und versicherte mit einem
Eidschwure, daß er Jesus gar nicht kenne. Unge=
fähr eine Stunde später sprach ein Verwandter des
Malchus, dem Petrus das Ohr abgehauen hatte,
zu ihm: „Wahrlich, du bist einer von seinen Jün=
gern. Du bist ja ein Galiläer; deine Sprache verrät
dich." Nun fing Petrus an, zu schwören, daß er
den Menschen nicht kenne. Da krähte der Hahn zum
zweiten Male. In diesem Augenblicke wurde der
Heiland von den Kriegsknechten aus der Versamm=
lung weggeführt. Da wandte Er sich um und sah
den Petrus an. Jetzt erinnerte sich Petrus, daß
Jesus zu ihm gesagt hatte: „Ehe der Hahn zwei=
mal kräht, wirst du Mich dreimal verleugnen."
Und er ging hinaus und weinte bitterlich.

. Als Judas sah, daß Jesus vom hohen Rate
des Todes schuldig erklärt wurde, reute ihn sein
Verrat. Er brachte die 30 Silberlinge den Hohen=
priestern und Aeltesten zurück und sprach: „Ich
habe gesündigt; denn ich habe unschuldiges Blut
verraten." Sie aber sprachen: „Was geht das uns
an? Siehe du selbst zu!" Da warf Judas das

Geld in den Tempel hinein, ging voll Verzweiflung fort und erhängte sich mit einem Stricke.

Die Hohenpriester aber nahmen die Silberlinge und sprachen: „Es ist nicht erlaubt, das Geld in den Tempelschatz zu legen; denn es ist Blutgeld." Und sie kauften dafür den Acker eines Töpfers und machten daraus einen Begräbnisplatz für Fremdlinge. Dieser Acker heißt deswegen Hakeldama, d. h. Blutacker.

Nachdem Jesus von dem hohen Rate des Todes schuldig erklärt worden war, wurde Er den Gerichtsdienern zur Bewachung übergeben. Diese verspotteten Ihn während der ganzen Nacht; sie spieen in sein Angesicht, schlugen Ihn mit Fäusten, verhüllten seine Augen, gaben Ihm Backenstreiche und sprachen: „Christus, weissage uns: Wer ist es, der Dich geschlagen hat?" Und noch viele andere Lästerungen stießen sie wider Ihn aus. Jesus aber schwieg und litt geduldig alle Beschimpfungen.

In der Frühe des Morgens versammelte sich der hohe Rat der Juden noch einmal und erklärte Jesus aufs neue des Todes schuldig. Der hohe Rat durfte aber kein Todesurteil vollziehen ohne Genehmigung des römischen Landpflegers. Deshalb führten Ihn die Hohenpriester vor das Gerichtshaus des Landpflegers Pilatus. Dieser trat zu ihnen heraus und fragte sie: „Welche Anklage habt ihr wider diesen Menschen?" Sie antworteten: „Er ist ein Aufwiegler unseres Volkes und verbietet dem Kaiser Zins zu geben, indem Er sagt, Er sei Christus,

der König." Da ging Pilatus in den Gerichtsſaal
hinein, ließ Jeſus vor ſich kommen und ſprach zu
Ihm: „Biſt Du der König der Juden?" Jeſus
antwortete: „Ja, Ich bin ein König; aber mein
Reich iſt nicht von dieſer Welt. Ich bin deswegen
in die Welt gekommen, daß Ich der Wahrheit
Zeugnis gebe." Pilatus ging hierauf zu den Juden
hinaus und ſprach: „Ich finde keine Schuld an
dieſem Menſchen." Sie aber beſtanden nur deſto
heftiger auf ihrer Anklage und riefen: „Er wiegelt
das Volk auf, von Galiläa bis hieher nach Jeruſalem." Als Pilatus das Wort „Galiläa" hörte,
fragte er, ob Jeſus ein Galiläer ſei. Als dieſes
bejaht wurde, ließ er Ihn zu Herodes führen, der
über Galiläa zu gebieten hatte und wegen des Oſter-
feſtes nach Jeruſalem gekommen war.

Herodes freute ſich ſehr, daß er eine Gelegenheit fand, Jeſus kennen zu lernen; denn er hatte
ſchon vieles von Ihm gehört. Er meinte, Jeſus
werde vor ihm ein Wunder wirken; darum legte
er Ihm viele Fragen vor. Allein Jeſus ſchwieg.
Deswegen verſpottete und verhöhnte Ihn Herodes
mit ſeinen Soldaten, ließ Ihm zum Spotte ein
weißes Kleid anziehen und ſchickte Ihn zu Pilatus
zurück.

Herodes und Pilatus aber, die vordem Feinde
geweſen waren, wurden an dieſem Tage Freunde.

Pilatus wünſchte, Jeſus freizugeben; denn er
hielt Ihn für ſchuldlos. Auch hatte ihn ſein Weib
erſchreckt, welches ihm ſagen ließ: „Beflecke dich

nicht mit dem Blute dieses Unschuldigen; ich habe Seinetwegen diese Nacht im Traume viel gelitten."

Um daher Jesus zu retten, stellte Pilatus den Barabbas, einen Räuber, Aufrührer und Mörder, neben Ihn und fragte das Volk: "Welchen von beiden soll ich euch losgeben?" Es war nämlich Sitte, daß der Landpfleger am Osterfeste dem Volke einen Gefangenen frei gab. Da wiegelten die Hohenpriester und die Aeltesten das Volk auf, so daß alle schrieen: "Hinweg mit diesem, ans Kreuz mit Ihm, gieb uns den Barabbas los!" Pilatus erwiderte: "Was hat denn Jesus Böses gethan? Ich finde keine Todesschuld an Ihm; ich will Ihn züchtigen lassen und dann frei geben."

Pilatus ließ Jesus nun in das Gerichtshaus hineinführen und übergab Ihn einer Rotte Kriegsknechte. Diese zogen Ihm die Kleider aus, banden Ihn an eine Säule und schlugen Ihn so unbarmherzig mit Geißeln, daß Er am ganzen Körper mit Wunden bedeckt war. Darauf legten sie Ihm zum Spotte einen roten Soldatenmantel um, flochten eine Krone von Dornen und drückten sie Ihm auf das Haupt. In die rechte Hand gaben sie Ihm ein Rohr statt eines Scepters. Nun beugten sie die Kniee vor Ihm und sprachen: "Sei gegrüßt, Du König der Juden!" Auch spieen sie Ihn an, gaben Ihm Backenstreiche, rissen Ihm das Rohr aus der Hand und schlugen Ihn damit auf das Haupt, so daß die Dornen noch tiefer in die Stirne eindrangen.

Als Jesus so schrecklich zugerichtet war, glaubte

Vierter Glaubensartikel.

Gelitten unter Pontius Pilatus, gekreuzigt, gestorben und begraben worden

Pilatus, sein Anblick würde die Juden zum Mit-
leid bewegen. Er zeigte Ihn daher dem Volke und
sprach: „Sehet, welch ein Mensch!" Allein die Rotte
der Juden fühlte kein Erbarmen, sondern schrie:
„Kreuzige Ihn; kreuzige Ihn!" Pilatus aber wollte
über Jesus immer noch nicht das Todesurteil fällen.
Da riefen ihm die Hohenpriester und Aeltesten zu:
„Wenn du diesen loslassest, so bist du nicht der
Freund des Kaisers; denn jeder, der sich zum Könige
macht, widersetzt sich dem Kaiser." Da erschrak
Pilatus. Er ließ sich Wasser bringen, wusch die
Hände vor dem Volke und sprach: „Ich bin unschuldig an dem Blute dieses Gerechten; ihr möget
es verantworten!" Da schrie das ganze Volk: „Sein
Blut komme über uns und unsere Kinder!" Hierauf
übergab Pilatus den Juden Jesus zur Kreuzigung.

Sobald Pilatus den Heiland den Juden übergeben hatte, ergriffen Ihn die Kriegsknechte und
zogen Ihm seine Kleider wieder an. Dann legten
sie ein schweres Kreuz auf seine Schultern und
führten Ihn nach Golgatha, d. h. zur Schädelstätte
auf den Kalvarienberg hinaus, um Ihn dort zu
kreuzigen. Auf dem Kreuzwege fiel Jesus unter
der schweren Last mehrere Male zu Boden. Darum
zwangen die Juden einen gewissen Simon von Cyrene,
der eben vorüberging, Ihm das Kreuz tragen zu
helfen. Gleichzeitig mit Jesus wurden noch zwei
Missethäter zur Kreuzigung hinausgeführt. Eine
große Menge Volkes begleitete den Zug. Darunter
waren viele Frauen, die den göttlichen Heiland be-

klagten und beweinten. Aber Jesus wendete sich
zu ihnen und sprach: „Ihr Töchter von Jerusalem,
weinet nicht über Mich, sondern weinet über euch
selbst und über eure Kinder. Denn es werden Tage
kommen, da man zu den Bergen sagen wird: Fallet
über uns, und zu den Hügeln: Bedecket uns, denn
wenn solches am grünen Holze geschieht, was wird
erst mit dem dürren geschehen?" Auch Maria begegnete ihrem Sohne auf dem Kreuzwege, und Jesus
tröstete sie. Auf der Schädelstätte reichten die Kriegsknechte dem Heilande ein wenig Wein dar, welcher mit
Myrrhe und Galle vermischt war. Dadurch wollten
sie die Schmerzen der Kreuzigung etwas lindern;
allein Jesus wollte nicht trinken. Darauf zogen sie
Ihm seine Kleider wieder aus und nagelten Ihn
an Händen und Füßen an das Kreuz. Dann rich-
teten sie das Kreuz zwischen den zwei Missethätern
auf. Seine Kleider verteilten sie unter sich. Ueber
den Rock aber warfen sie das Los.

So hing nun Jesus unter furchtbaren Qualen
am Kreuzesstamme. Sein Blut floß zur Erde nieder.
Allein durch seine Schmerzen wurden die Juden
nicht zum Mitleiden bewegt; sie verhöhnten Ihn
vielmehr noch und sprachen: „Ei, der Du den
Tempel Gottes zerstören und in drei Tagen wieder
aufbauen willst, hilf Dir selbst! Wenn Du der
Sohn Gottes bist, so steige herab vom Kreuze!
Andern hat Er geholfen; sich selbst kann Er nicht
helfen!" Jesus aber betete: „Vater, vergieb
ihnen; denn sie wissen nicht, was sie thun!"

Auch einer der Missethäter lästerte den Heiland. Der andere machte ihm Vorwürfe und sprach: „Fürchtest auch du Gott nicht, da du doch dem Tode nahe bist? Wir leiden nur, was wir verdient haben; dieser aber hat nichts Böses gethan." Hierauf sagte er zu Jesus: „Herr, gedenke meiner, wenn Du in dein Reich kommst." Jesus sprach zu ihm: „Wahrlich sage Ich dir: Heute wirst du mit Mir im Paradiese sein."

Zunächst bei dem Kreuze standen die Mutter Jesu und der Apostel Johannes. Als Jesus sie erblickte, sprach Er zu seiner Mutter: „Siehe da deinen Sohn!" Zu Johannes aber sprach Er: „Siehe da deine Mutter!" Und von derselben Stunde an nahm Johannes die Mutter Jesu zu sich.

Um die Mittagsstunde brach über die ganze Erde eine Finsternis herein, welche drei Stunden lang dauerte. Gegen das Ende derselben fühlte sich Jesus von Gott und von der Welt gänzlich verlassen, und Er rief mit lauter Stimme: „Mein Gott, mein Gott, warum hast Du Mich verlassen?" Nach einer Weile sprach Er: „Mich dürstet." Da reichte Ihm ein Soldat auf einem Ysopstengel einen mit Essig gefüllten Schwamm. Nachdem Jesus etwas Essig getrunken hatte, sprach Er: „Es ist vollbracht!" Dann rief Er mit lauter Stimme: „Vater, in deine Hände empfehle Ich meinen Geist!" Und Er neigte sein Haupt und starb.

In diesem Augenblicke bebte die Erde; die

Gräber öffneten sich, und viele Leichname der verstorbenen Gerechten standen auf. Der Vorhang des Tempels zerriß von oben bis unten. Schrecken ergriff die Soldaten, welche Jesus bewachten, und ihr Hauptmann rief aus: „Wahrlich, dieser Mensch war gerecht: Er war der Sohn Gottes!" Auch das anwesende Volk schlug zitternd an die Brust und kehrte schweigend nach Jerusalem zurück.

Die Kreuzigung geschah am Tage vor dem Sabbat. Damit die Gekreuzigten nicht während des hohen Osterfestes am Kreuze hingen, kamen die Soldaten und zerbrachen den zwei Missethätern die Gebeine, um sie dadurch zu töten. Als sie aber zu Jesus kamen und sahen, daß Er schon tot sei, zerbrachen sie Ihm kein Bein. Um sich jedoch zu überzeugen, daß Er wirklich gestorben sei, stieß Ihm ein Soldat seine Lanze in die Seite, und sogleich floß Blut und Wasser heraus.

Als es Abend geworden war, ging Joseph von Arimathäa, welcher ein geheimer Jünger Jesu und ein angesehenes Mitglied des hohen Rates war, zu Pilatus und bat ihn um den Leichnam Jesu. Pilatus schenkte ihm denselben. Da nahmen Joseph und Nikodemus den Leichnam Jesu vom Kreuz, umgaben Ihn mit kostbaren Spezereien und hüllten Ihn in reine Leinwand ein. Joseph aber hatte in der Nähe einen Garten und darin ein neues Grab, in einen Felsen eingehauen. In dieses Grab legten sie den Leichnam Jesu und vor den Eingang zum Grabe wälzten sie einen großen Stein.

Die Hohenpriester und Pharisäer hatten jedoch noch keine Ruhe. Sie gingen des andern Tages zu Pilatus und sprachen: „Als jener Verführer noch lebte, sagte Er: Nach drei Tagen werde Ich wieder auferstehen! Befiehl also, daß man das Grab bis auf den dritten Tag bewache, damit nicht etwa seine Jünger kommen, seinen Leichnam stehlen und dann dem Volke sagen: Er ist von den Toten auferstanden!" Pilatus gab ihnen eine Wache. Diese stellten sie vor das Grab hin und versiegelten überdies noch den Stein.

Lehrstücke.

1) Alles, was Christus duldete und litt, gehört zum hohenpriesterlichen Amte Jesu Christi oder zu Jesu Christi Mittleramt. Dieses Amt verwaltete der Heiland sein ganzes Leben hindurch von seinem Eintritte in die Welt, da Er armselig und hilflos in der Krippe lag, bis zu dem Augenblicke, da Er am harten Holze des Kreuzes unter unsäglichen Schmerzen den Geist aufgab. Und zwar müssen wir von diesem Mittleramte glauben:

a) Das Leiden des Heilandes war ein durchaus freiwilliges Leiden, wie es der Prophet Isaias vorausgesagt. Christus selbst bekräftigt und die Apostel gelehrt haben. „Er wird geopfert, weil Er selbst wollte."

(Is. 53, 7.)

„Niemand nimmt das Leben von Mir, sondern Ich gebe es von Mir selbst hin. Ich habe Macht, es hinzugeben und es wieder zu nehmen." (Joh. 10, 18.)

„Ich lebe im Glauben an den Sohn Gottes, der Mich geliebt und sich selbst für mich dargegeben hat." (Gal. 2, 20.)

b) Christus ist unschuldig für uns gestorben.

„Ihr wisset, daß Er erschienen ist, damit Er unsere Sünden wegnehme, und in Ihm ist keine Sünde." (I. Joh. 3, 5.)

c) Christus ist gestorben für unsere Sünden und hat uns durch seinen Tod von aller Ungerechtigkeit gereinigt.

„Jesus Christus ist die Versöhnung für unsere Sünden, doch nicht allein für die unsrigen, sondern auch für die Sünden der ganzen Welt." (I. Joh. 2, 1. 2.)

d) Durch den Tod Christi ist es uns möglich geworden, wieder in den Himmel zu kommen.

„Christus ist einmal für unsere Sünden gestorben, ein Gerechter für Ungerechte, damit Er uns vor Gott brächte." (I. Petr. 3, 18.)

e) Christus hat viel mehr gelitten, als zu leiden notwendig war. Dies hat Er gethan, um uns die unendliche Bosheit der Sünde begreiflich zu machen. Er wollte uns ferner die unendliche Liebe des Vaters und seine eigene Liebe zu uns, die selbst das Allerherbste und Bitterste nicht scheut, zum Verständnis bringen. Und Er wollte uns zu freiwilligen Entsagungen aufmuntern, weil ja gerade durch das, was freiwillig geschieht, Gott verherrlicht wird. Endlich wollte Er durch sein überschwengliches Leiden auch den gedrücktesten und verlassensten Menschen vor Verzweiflung bewahren und den größten Sünder aufmuntern, zur Barmherzigkeit des durch das Leiden des Sohnes versöhnten Vaters seine Zuflucht zu nehmen. So wollte Christus nicht nur für uns, sondern auch mit uns leiden.

„Bei dem Herrn ist Barmherzigkeit und bei Ihm ist überreiche Erlösung." (Pf. 129, 7.)

2) Das Leiden Christi war ein Leiden an der Seele wie am Leibe. Er litt in seiner Seele Traurigkeit bis zum Blutschweiß, Verrat durch seinen Apostel Judas, Verleugnung durch seinen Apostel Petrus, Verlassung

durch seine übrigen Apostel und Jünger, Verwerfung von
seinem Volke, den Spott und Hohn seiner Feinde, das
Herzeleid seiner Mutter, die Verlassenheit von seinem
himmlischen Vater, den Jammer über den ewigen Unter=
gang so vieler, für die Er litt und starb.

3) Beim Tode Christi ist zwar seine Seele von sei=
nem Leibe getrennt worden, die Gottheit aber ist mit dem
Leibe und mit der Seele vereinigt geblieben.

Anwendung.

1) Betrachte, o Mensch, den Wert deiner Seele!
Sie vom ewigen Verderben zu erretten, kam kein Geringerer
als der Sohn Gottes. Christi Blut mußte fließen, um
unsere Sünden zu tilgen.

„Ihr wisset, daß ihr nicht mit vergänglichem
Golde oder Silber erlöset seid von dem eiteln
Wandel, der sich von den Vätern auf euch vererbt
hat, sondern mit dem kostbaren Blute Christi,
als eines unbefleckten und tadellosen Lammes."
(I. Petr. 1, 18. 19.)

2) Das Leiden Christi hat die Sünde vernichtet;
hinwiederum vernichtet der Sünder für sich das Leiden
Christi, wenn er jetzt, nachdem er von der Sünde erlöst
worden, damit er der Gerechtigkeit lebe, wieder von der
Sünde sich beherrschen läßt. Ihm gereicht das Blut Christi
nicht zum Heil, sondern zum Verderben. Für ihn ist
Christus der Eckstein, den er verworfen, der Stein, der
auf ihn fallen und ihn zerschmettern wird. (Matth. 21,
42. 44.)

„Sie kreuzigen und verspotten auf ein neues
den Sohn Gottes." (Hebr. 6, 6.)

„Wenn diejenigen, welche durch die Erkennt=
nis unseres Herrn und Heilandes Jesu Christi
den Unlauterkeiten der Welt entkommen waren,
wiederum davon verstrickt und überwunden

werden, so wird mit ihnen das Letzte ärger
als das Erste." (II. Petr. 2, 20.)

3) Obschon die Genugthuung, die Christus geleistet
hat, eine vollkommene ist, so ist es doch notwendig, daß
der Mensch auch den Willen hat, für seine Sünden zu
büßen und dadurch einigermaßen dem leidenden Heiland
ähnlich zu werden. Daher der hohe Wert, den alle Arten
von Abtötungen, die im Sinne Christi verrichtet werden,
für die Heiligung des Menschen haben.

4) Christus ist für alle Menschen gestorben und hat
allen Menschen die Kindschaft Gottes wieder erworben.
Alle Menschen sind durch Christi Blut erlöst und für das
Himmelreich wieder gewonnen. Darum gilt in der Kirche
Gottes weder arm noch reich, weder hoch noch niedrig.
Hüte dich daher, einen Menschen, sei er noch so gering,
zu verachten. Vielleicht steht er in den Augen Gottes
sogar höher als du.

„Alle, die vom Geiste Gottes getrieben
werden, sind Kinder Gottes. — Wenn aber
Kinder Gottes, (sind wir) auch Erben, nämlich
Erben Gottes und Miterben Christi."

(Röm. 8, 14. 17.)

5) Die christliche Religion ist nichts anderes, als die
Religion vom Leiden und Sterben Christi. Die Passion
ist der Mittelpunkt unseres Glaubens. Darum sind die
vornehmsten Früchte: Liebe und Dankbarkeit gegen Gott
und gegen unsern Heiland, Liebe zu unsern Miterlösten
und Abscheu vor jeder, auch der kleinsten Sünde.

„So sehr hat Gott die Welt geliebt, daß
Er seinen eingebornen Sohn dahingab." (Joh. 3, 16.)

§ 19. Das Kirchenjahr.

Die heilige Fastenzeit und die Leidenswoche.

Wie das Weihnachtsfest eine Vorbereitungszeit
hat, die Adventzeit, so hat auch das Osterfest

eine Zeit der Vorbereitung. Und da insbesondere dem Osterfeste die Leidenswoche vorhergeht, so kann diese Vorbereitung auch wieder keine andere sein, als eine Zeit der Buße; denn nur ein buß= fertiger Sinn macht uns der Früchte der Erlösung würdig, und nur durch Werke der Buße können wir zeigen, daß wir wirklich bereit sind, mit Jesus den Leidensweg zu betreten, um durch sein Leiden und Kreuz zur Herrlichkeit der Auferstehung zu gelangen. Darum geht dem Osterfeste die vier= zigtägige Fastenzeit voraus.

Sie beginnt mit dem

Aschermittwoch.

An diesem Tage mußten die öffentlichen Büßer in Bußkleidern und mit entbloßten Füßen in der Kirche erscheinen. Zuerst knieten sie vor der Kir= chenthüre nieder. Der Bischof erschien und verkün= dete denselben ihr Urteil. Dann traten sie in die Kirche, in der sie gesenkten Hauptes auf dem Bo= den knieten. Der Bischof streute auf das Haupt eines jeden die gesegnete Asche mit den Worten: „Gedenke, o Mensch, daß du Staub bist und zum Staub zurückkehren wirst; thue Buße, damit du das ewige Leben habest." Dann segnete und überreichte der Bischof die Buß= gürtel, hielt eine Anrede an die Büßer und wies sie zuletzt aus der Kirche, indem er sprach: „Eurer Sünden und Verbrechen wegen werdet ihr heute aus dem Gotteshause vertrieben, wie Adam seiner

Verbrechen wegen aus dem Paradiese vertrieben worden ist." Schon im elften Jahrhundert war es Gebot, daß alle, sowohl Geistliche als Laien, sowohl Männer als Weiber die Asche empfangen sollten als das Sinnbild des leiblichen Todes, der durch die Sünde über uns kam, aber auch als Sinnbild des Elendes, welches die Sünde über uns brachte.

Der fünfte Sonntag in der Fasten ist der Passionssonntag, so genannt, weil von da an die Erinnerung an die Passion des Heilandes in uns stärker gepflegt werden soll. An diesem Sonntage wird das Evangelium verlesen, in welchem berichtet wird, wie die Juden den Herrn steinigen wollten, dieser aber sich verbarg und aus dem Tempel hinwegging. (Joh. 8, 59.) Zum Gedächtnis dessen werden an diesem Sonntage die Kruzifixe in der Kirche mit einem violetten Tuche verhüllt, und bleiben verhüllt bis zum Karfreitag.

Wie im Advent, so ist auch in der Fastenzeit die Kirchenfarbe an den Tagen, auf welche kein Heiligenfest fällt, violett; das Gloria und das Ite, missa est fallen aus. Es sollen aber auch in dieser Zeit beim Gottesdienst die Orgeln schweigen. Nur am Sonntag Lätare (Freue dich) darf die Orgel sowohl im vormittägigen als im nachmittägigen Gottesdienste sich hören lassen. Ebenso sollen die Altäre in dieser Zeit alles Schmuckes entbehren, insbesondere sollen keine Blumen auf den Altar gestellt werden.

Der Palmsonntag.

Die eigentliche Leidenswoche beginnt mit dem Palmsonntage. — An diesem Sonntage werden Palmen geweiht und in Prozession herumgetragen, zum Andenken an den feierlichen Einzug des Heilandes in Jerusalem, wobei das Volk und die Kinder Palmenzweige trugen und riefen: „Hosanna dem Sohne Davids. Gebenedeit sei, der da kommt im Namen des Herrn." (Matth. 21, 9.) Die Palmen sind ein Siegeszeichen und deuten an, daß, wie Jesus den Sieg über den Tod und das Grab davontrug, wir ebenso über die bösen Versuchungen siegen sollen.

Die Gläubigen pflegen die geweihten Palmen mit nach Hause zu nehmen und sie aufzubewahren. In der Regel werden sie hinter das Kruzifix gesteckt, oder man steckt Palmbündel auf den Giebel des Hauses. Die Kirche betet nämlich bei der Palmweihe, der Herr möge die Wohnungen, in denen man diese Zweige aufbewahrt, segnen, damit wir uns befleißen, unsern Beruf durch gute Werke vollkommener zu machen, auf daß wir einst würdig mögen erfunden werden, mit Christus siegreich und herrlich in das himmlische Jerusalem einzugehen.

Am Palmsonntag wird auch in der heiligen Messe die Passion, d. i. das bittere Leiden und Sterben unseres Herrn und Heilandes, aus dem Evangelium des heiligen Matthäus gelesen. Am Dienstag, Mittwoch und Karfreitag geschieht dies nach den Berichten der drei andern Evangelisten.

Die Karwoche.

Mit dem Palmsonntag beginnt die Karwoche. Das altdeutsche Kar oder Char heißt Klage, Leiden; die Karwoche ist also die Klagewoche oder die Leidenswoche. Sie heißt auch die Marterwoche, Stille Woche, in der Kirchensprache: Große Woche, Heilige Woche. Es war diese Zeit besonders durch ein Trauerfasten ausgezeichnet. Schon die Apostolischen Konstitutionen, d. i. die ältesten Nachrichten über das kirchliche Leben der ersten Christen berichten, daß in dieser ganzen Woche nur Brot, Wasser, Gemüse und Salz und dieses nur am Abend genossen werden durfte. Ja alle, die es vermochten, sollten am Samstag nichts genießen bis zum Hahnenschrei des Ostermorgens. Alle öffentlichen Gerichtsverhandlungen, alle öffentlichen Arbeiten und Vergnügen mußten ruhen. Heute sind außer dem Palmsonntage nur noch die drei letzten Tage durch besondern Gottesdienst ausgezeichnet.

Am Mittwoch, Donnerstag und Freitag Abend sind Trauermetten, an vielen Orten auch Rumpelmetten genannt, weil am Donnerstag und Freitag Abend mit Klappern, statt mit Glocken die gottesdienstlichen Zeichen gegeben werden.

In den Metten läßt die Kirche jene Klagelieder singen, in denen der Prophet Jeremias einstens die Verwüstung Jerusalems und die Gefangenschaft der Juden beweinte.

Der Gründonnerstag.

Schon der Name weist darauf hin, daß dieser Tag ein strenger Fasttag war. Es hatte sich bei den Christen die Sitte erhalten, an dem Tage, an welchem das Osterlamm des neuen Bundes eingesetzt worden, grüne Kräuter zu essen, wie denn auch die Juden zu ihrem Osterlamm und zum ungesäuerten Brote solche Kräuter aßen. Es ist also der Gründonnerstag der Tag der grünen Kräuter, welche Benennung um so bezeichnender ist, als an diesem Tage nichts gespeist werden durfte, als was aus der Erde hervorwuchs.

An diesem Donnerstage nun wird das Andenken daran gefeiert, daß der Heiland das allerheiligste Sakrament des Altars eingesetzt hat. Es werden deshalb zur Feier dieses heiligen Geheimnisses die schwarzen Umhüllungen der Kruzifixe und Bilder durch weiße Hüllen ersetzt. Auch die Farbe des Meßgewandes ist weiß. Das Gloria in excelsis und das Ite, missa est werden gesungen. Sobald das Gloria angestimmt ist, lassen sich die Glocken noch einmal in festlichem Geläute vernehmen, um alsdann bis zur Auferstehungsfeier zu schweigen. Eine Reihe von heiligen Handlungen zeichnen diesen Tag überdies aus.

Es werden im Amte der heiligen Messe zwei Hostien konsekriert, von denen die eine vom Priester genossen, die andere für den folgenden Tag aufbewahrt wird. Diese letztere Hostie wird in feierlichem Zuge an einen eigens zur Aufbewahrung bestimmten Ort getragen, entweder auf einen Seitenaltar oder in einen eigens hiefür bestimmten Tabernakel. Dieser Ort stellt das Grab Christi vor und darf deshalb ganz besonders schön geschmückt sein, im Hinblicke auf die Worte des Propheten: „Sein Grab wird herrlich sein." (Js. 11, 10.)

Es wird am Gründonnerstag nur eine heilige Messe gelesen, welche in den Domkirchen der Bischof selbst liest. Die übrigen Priester empfangen die heilige Kommunion aus der Hand des Messelesenden, wie auch die Laien. Es soll an diesem Tage die heilige Kommunion den Gläubigen in der heiligen Messe gespendet werden. Ausgenommen hiervon sind nur die Kranken, welche in der Kirche nicht erscheinen können. Denn Christus hat an diesem Tage allein das heilige Altarssakrament vollbracht und den Aposteln die heilige Kommunion ausgeteilt.

In den Domkirchen werden auch vom Bischofe unter dem Beistand von zwölf Priestern, sieben Diakonen und sieben Unterdiakonen, wenn so viele gegenwärtig sein können, die heiligen Oele geweiht, nämlich das Oel für die Täuflinge, das Oel für die Kranken und der heilige Chrisam.

Eine gar schöne Ceremonie ist die Fußwaschung, welche von den Bischöfen und dem Papste an zwölf Priestern und zwölf Armen vorgenommen wird, zum Andenken daran, daß Christus an diesem Tage den Jüngern ein neues Gebot ge-

geben, das Gebot, einander zu lieben, wie Er selbst
seine Jünger liebte und in Ausübung dieses Ge-
botes denselben die Füße gewaschen und ihnen dies
als ein Beispiel hinterlassen hat. (Joh. 13, 14—15.)

Der Karfreitag.

Der Karfreitag ist der Tag, an dem uns das
Heil geworden. Dessenungeachtet ist er kein Feiertag.
Ein Feiertag ist ein Tag der Freude, der Karfreitag aber giebt uns hierzu keine Veranlassung;
denn an diesem Tage sehen wir den Sohn Gottes
von den undankbaren Menschen verhöhnt und ver-
spottet, mißhandelt, geschlagen und gekreuzigt. Darum ist der Karfreitag ein Tag der Trauer, und
da dies um unserer Sünden willen geschehen ist,
ein Tag der Buße.—Der Freude geben wir dafür
Ausdruck am Ostertag, an dem der Herr durch
seine Auferstehung das Werk der Erlösung vollendete und krönte. In der Kirchensprache heißt
der Karfreitag Paraskeue d. h. Vorbereitung.
So heißt der Freitag bei den Juden, weil an
diesem Tage alles zubereitet wurde, was man am
Sabbate brauchte.

Die gottesdienstliche Feier ist einzig und ab-
weichend von jeder andern des ganzen Jahres. Der
Priester wirft sich am Fuße des Altars mit dem
Angesichte zur Erde nieder, um dadurch anzuzeigen,
wie sehr er seine Unwürdigkeit fühle, und um sich
mit Dem zu verdemütigen, der bis zum Tode am
Kreuze sich erniedrigt hat. Alsdann steigt er den

Altar hinauf und liest eine Stelle aus dem Pro=
pheten Oseas in welcher ausgedrückt ist, daß der
Messias unser Heiland ist, zu dem wir in allen
Trübsalen uns flüchten müssen. (Os. 6, 1—7.) Dann
betet der Priester, der Herr möge uns das Leiden
Christi nicht zum Fluche werden lassen, wie dem
Judas, sondern es möge uns zum Heile gereichen,
wie dem bekehrten Schächer. Hierauf liest er noch
eine Stelle aus dem zweiten Buche Moses vor,
worin den Juden vorgeschrieben ist, wie sie das
Osterlamm schlachten und essen sollen. (II. Mos. 12, 1 ff.)
Nach diesen Lesungen aus dem alten Testamente
wird nun auch gelesen, wie das neutestamentliche
Osterlamm geschlachtet worden ist, nämlich die
Passion nach dem Evangelium des heiligen Jo=
hannes. Bei den Worten: „Er gab seinen Geist
auf" kniet der Priester in der Mitte des Altares
nieder und erweckt einen Akt des Glaubens, der
Anbetung und der Dankbarkeit, was auch die
Gläubigen thun sollen.

Nach der Passion folgen die Fürbitten. Der
Priester betet und fordert die Gläubigen auf zu
beten:

Für die heilige Kirche Gottes, für den
heiligen Vater, für alle Bischöfe, Priester,
Diakonen und Unterdiakonen und für alle, welche
heilige Weihen empfangen haben, für die Kate=
chumenen, d. h. für alle, welche in der christ=
lichen Wahrheit unterrichtet werden; endlich für
alle Häretiker und Schismatiker, selbst für

die Juden, daß Gott sie erleuchte und sie den
Herrn Jesum Christum erkennen lasse; und für
die Heiden, daß Gott sie von ihrem Götzendienste
zurückführen und sie zur Ehre Gottes seiner heiligen
Kirche einverleiben möge.

Bei jedem dieser Gebete beugt der Priester die
Knie und fordert die Gläubigen auf, dieses eben=
falls zu thun, indem er spricht: „Flectamus genua;
Levate", d. i. „Lasset uns die Knie beugen;
erhebet euch." Nur beim Gebete für die Juden
beugt er die Knie nicht, weil an diesem Tage die
Juden dieses Zeichen der Verehrung verhöhnten,
indem sie spottweise die Knie vor Jesus beugten,
aber nur um dessen Königswürde lächerlich zu machen.

Auf die Fürbitten folgt die Enthüllung
des Kreuzes. Der Priester nimmt von einem
mit schwarzer Hülle umgebenen Kruzifixe die Hülle
in der Art ab, daß das Kruzifix allmählich dem
Volke sichtbar wird, indem er dreimal singt:
„Sehet das Holz des Kreuzes, an dem das
Heil der Welt gehangen." Der Chor ant=
wortet: „Kommet, lasset uns anbeten." Der
Priester legt sodann das Kruzifix vor dem Altare
nieder, zieht, wie Moses dereinst vor dem bren=
nenden Dornbusch, seine Schuhe aus, kniet dreimal
in verschiedenen Entfernungen vor dem Kruzifixe
nieder und küßt dann die Füße des Gekreuzigten.
Auch die Gläubigen folgen nach dem Gottesdienste
dem Beispiele des Priesters, indem sie vor dem
Bilde des Heilandes niederknien und dasselbe küssen.

So tragen sie dazu bei, daß die Worte des Apostels erfüllt werden: „Im Namen Jesu sollen sich alle Knie beugen." (Philipp. 2, 10.)

Während dieser Verehrung, welche dem Gekreuzigten in seinem Bilde erwiesen wird, werden die Improperien gesungen.

Nach diesen rührenden Klagen bleibt nur noch übrig, daß der Priester für sich und das Volk auch noch des Opfers teilhaftig werde, das der Herr dargebracht. Aber am Karfreitag ist keine Messe. Der Heiland hat sich selbst am Kreuze als blutiges Opfer dargebracht, gleichsam vor den Augen der Gläubigen. Darum muß das unblutige Opfer der heiligen Messe dem blutigen Opfer am Kreuze weichen. Dessenungeachtet geht der Priester im schwarzen Meßgewande an den Altar. Aber er opfert und verwandelt nicht, sondern er hebt nur wie bei der heiligen Wandlung die tags vorher konsekrierte Hostie empor, damit das Volk den Heiland anbete, singt darauf das Paternoster und genießt sodann den Leib des Herrn. Hierauf wird auch der Hochaltar, an welchem diese Feierlichkeit vorgenommen wurde, wieder abgedeckt.

Die Kreuzweg-Andacht.

Zu allen Zeiten lag es eifrigen Christen an, das bittere Leiden und Sterben Jesu Christi zu betrachten. Ganz besonders mußte der Weg, den der Heiland als Mann der Schmerzen, mit der Kreuzeslast beladen, vom Hause des Pilatus auf den Kalvarienberg machen mußte, die Teilnahme der frommen Seelen im höchsten Grade

erregen. Wer ihn wandelte und sich in das Gedächtnis
rief oder sich vorstellte, was an den einzelnen Punkten
vorgefallen war, mußte von tiefer Reue und Wehmut er=
griffen werden. Daß, wie eine alte Ueberlieferung sagt,
Maria, die heilige Mutter, voller Schmerzen diesen Weg
oft gewandelt und sich in die Andacht zu ihrem göttlichen
Sohne vertieft hat, ist durchaus glaublich, und von den
apostolischen Zeiten an wanderten viele Christen nach Je=
rusalem, obgleich die Stadt in den Händen der Heiden
war. Ja, manche kehrten gar nicht mehr in ihre Heimat
zurück, sondern blieben in Jerusalem und beschlossen ihr
Leben daselbst, nur um den heiligen Stätten nahe zu sein
und das Leiden Christi anschaulicher betrachten zu können.
Die Mutter Konstantins, des ersten christlichen Kaisers,
die heilige Helena, wallte selbst dorthin und baute
nicht nur eine prachtvolle Kirche über dem heiligen Grabe,
sondern auch noch andere Kirchen und Kapellen. Selbst
als das heilige Land in die Hände der Sarazenen fiel,
hinderte dies nicht, daß die Pilgerzüge trotz allen Un=
bilden, die ihnen zugefügt wurden, fortdauerten. Die
Kreuzzüge fachten den Eifer noch mehr an, und als Je=
rusalem wieder in die Hände der Ungläubigen kam, da
dachte man im Abendlande daran, die heiligen Stätten
einigermaßen nachzubilden Die Franziskaner, denen die
Bewachung des heiligen Grabes seit 1342 anvertraut
worden, besuchten regelmäßig an bestimmten Tagen und
zu bestimmten Stunden die Leidensstationen des Kreuz=
weges. Die in Jerusalem anwesenden Pilger schlossen
sich den Prozessionen an. Die Franziskaner, welche ab=
gelöst wurden und in ihre Klöster im Abendlande zurück=
kehrten, setzten die Andacht fort, indem sie sich geeignete
Orte auswählten, diese in 14 Stationen einteilten, und
an jeder ein hölzernes Kreuz aufstellten oder eine Kapelle
bauten, wohl auch ein Bild anbrachten, welches das be=
treffende Geheimnis des Leidens Christi vorstellt.

Das älteste Beispiel der Nachnahmung des Kreuz=

wegs in Europa findet sich im Leben des seligen Alvarus aus dem Dominikanerorden, der im Jahre 1420 starb, und dessen Fest am 19. Februar gefeiert wird. In den Jahrbüchern der Franziskaner wird zum Jahre 1486 berichtet, daß ein Ordensbruder, Namens Philipp von Aquila, einen Kreuzweg bei seinem Kloster errichtet und besucht habe. Im Jahre 1487 reiste der Nürnberger Martin Stötzel nach Jerusalem und maß die heiligen Stätten genau aus. Als er aber zu Hause angekommen war, hatte er die Maße verloren. Er trat deshalb eine zweite Wallfahrt an und brachte jetzt die Maße glücklich nach Hause. Auch zwei Niederländer, Petrus Potens und Matthäus Sternberg, besuchten 1490 Jerusalem und maßen den Kreuzweg genau aus. Nach der Rückkehr in ihr Vaterland errichteten sie in Löwen, Mecheln und an andern Orten ebenfalls solche. Zuerst war die Andacht nur Privatandacht. 1686 bewilligte aber Papst Innocenz IX. allen Mitgliedern des Franziskanerordens, sowie allen Mitgliedern der in den Franziskanerkirchen errichteten Bruderschaften alle die Ablässe für den Besuch des Kreuzweges, welche die Päpste schon früher für den Besuch der heiligen Stätten in Jerusalem erteilt hatten. Benedikt XIII. dehnte die Begünstigung 1726 auf alle Christgläubigen beiderlei Geschlechts aus, welche den Kreuzweg in oder an den Franziskaner- oder Kapuzinerkirchen besuchten. Einsegnen darf einen Kreuzweg jeder Priester, der vom Ordensgeneral der Franziskaner oder einem Bevollmächtigten desselben eine schriftliche Erlaubnis hat, sofern die Errichtung eines solchen Kreuzweges vom Bischof der Diöcese und dem Pfarrer des Ortes oder dem Eigentümer des Platzes genehmigt ist.

Noch ist zu bemerken, daß bestimmte Angaben über die Ablässe, welche gewonnen werden können, nicht gemacht werden dürfen. Die Ursache ist, weil zur Zeit des Papstes Pius V. im Kloster zum heiligen Grabe ein Brand ausbrach, der die Verzeichnisse, welche hierüber sichern Auf-

schluß gaben, zerstörte. Sicher ist, daß mehrere vollkom=
mene und unvollkommene Abläſſe auf dieſe Art gewonnen
und den armen Seelen zugewendet werden können. Gottes=
fürchtige Chriſten pflegen, insbeſondere an denjenigen Tagen,
welche dem Andenken an das Leiden Chriſti beſonders
gewidmet ſind, einen Kreuzweg zu beſuchen oder eine
Kreuzweg-Andacht zu verrichten, alſo in der heiligen Faſten=
zeit, an den Freitagen überhaupt und insbeſondere am
Karfreitag.

Erforderniſſe, um den Kreuzweg=Ablaß zu gewinnen.

Vor allem iſt es notwendig:

1) daß man beim Beginn der Andacht oder vor dem
Schluſſe derſelben die Meinung macht, die Abläſſe zu
gewinnen.

Notwendig iſt 2), daß der Kreuzweg, der genau die
14 Stationen enthalten muß, gültig errichtet, d. h. von
einem dazu bevollmächtigten Prieſter unter den vorge=
ſchriebenen Bedingungen eingeweiht ſei.

Notwendig iſt 3), daß man alle Stationen beſucht,
ohne auch nur eine zu übergehen. Man muß alſo bei
jeder Station den Platz wechſeln, von einer zur andern
gehen. Hiervon iſt eine Ausnahme ohne beſonderes Pri=
vilegium nicht zuläſſig, wenn man die Kreuzweg=Andacht
für ſich allein hält. Man muß von einer Station zur
andern gehen, in ſoweit die verſammelte Menge oder die
Enge des Raumes es geſtaltet. Nur bei der ö f f e n t l i c h e n,
g e m e i n ſ a m e n Kreuzweg=Andacht genügt es, bei jeder
Station eine kleine Bewegung, z. B. Aufſtehen und
Niederknien zu machen und ſich mit dem Angeſicht gegen
eine folgende Station zu wenden.

4) Die heilige B e i c h t und K o m m u n i o n iſt nicht
vorgeſchrieben, ſondern es genügt, daß man im S t a n d e
d e r G n a d e ſei; ein vorausgeſchickter Akt wahrer Reue
iſt jedenfalls immer zu empfehlen.

5) Die Ablässe des Kreuzweges kann man sowohl in der Nacht, als am Tage gewinnen und auch mehrere Male an demselben Tage, wenigstens mehrmals für die armen Seelen.

Die Kreuzweg-Andacht vor den sogenannten Stationskreuzchen.

Schmerzlich mußten es diejenigen, welche die Kreuz= weg-Andacht durch langjährige Uebung liebgewonnen hatten, empfinden, wenn sie durch irgend ein rechtmäßiges Hin= dernis abgehalten wurden, einen gültig errichteten Kreuz= weg zu besuchen. Dem Bedürfnisse dieser Gläubigen kam der Heilige Stuhl dadurch entgegen, daß er ihnen einen Ersatz für den Kreuzweg bot. Papst Clemens XIV. ge= währte zuerst am 26. Januar 1773 den Franziskanern im Kloster des hl. Bonaventura zu Rom die Vergünstigung, Kreuze zu segnen, mittelst deren man die Kreuzweg-Ablässe gewinnen konnte. Der hochselige Papst Pius IX. be= stimmte am 8. August 1859 genau die Bedingungen, unter welchen man mit diesen Kreuzen die Kreuzweg-An= dacht üben könne. Es ist demnach erforderlich, daß man ein hierzu eigens von einem bevollmächtigten Priester ge= weihtes Kruzifix aus Messing, d. h. ein Kreuz, auf welchem sich die Figur des gekreuzigten Heilandes aus Messing befindet, in der Hand halte und dann zwanzigmal das Vater unser, Ave Maria und Ehre sei dem Vater bete, nämlich je einmal für jede Station, am Schlusse fünf= mal zur Verehrung der heiligen fünf Wunden unseres Herrn und einmal nach der Meinung des heiligen Vaters. Dieses Vorrechtes dürfen sich bedienen alle Kranken, Ge= fangenen, die Christen, welche Reisen zur See machen oder sich in den Ländern der Ungläubigen aufhalten, und über= haupt alle diejenigen, welche durch ein rechtmäßiges Hin= dernis abgehalten sind, die Stationen eines Kreuzweges zu besuchen.

So wurde durch die weisen Anordnungen der Päpste die Kreuzweg=Andacht die reichste Quelle geistlicher Gnade für alle Gläubigen ohne Unterschied, für die Kranken wie für die Gesunden, für die Gefangenen wie für die Freien, für die Reisenden zu Wasser und zu Lande, für die Leben= digen wie für die Verstorbenen.

Fünfter Glaubensartikel.

Abgestiegen zur Hölle, am dritten Tage wieder auferstanden von den Toten.

---

§ 20. Abgestiegen zur Hölle.

Das große Werk der Erlösung, das wichtigste Ereignis in der ganzen Weltgeschichte, war voll= bracht, der Heiland hatte sein Blut vergossen, seine Seele ausgehaucht, und wie bei jedem Toten hatte seine Seele, aber nicht seine Gottheit von seinem Leibe sich getrennt. Es sollte jetzt die Frucht der Erlösung dem menschlichen Geschlechte zugewandt werden, und zwar zuerst denen, die schon Jahr= hunderte und Jahrtausende mit der größten Sehn= sucht auf den Tag der Erlösung warteten, nämlich den Gerechten des Alten Bundes. Darum stieg die Seele Jesu Christi in die Vorhölle.

1) Unter dem Wort Vorhölle ist jener Ort ge= meint, wo alle seit Abels Tode in der Gnade Gottes Verstorbenen, wenn sie noch so rein und wohlge= fällig in den Augen Gottes waren, warten mußten, bis durch den Tod des Heilandes der durch die

Sünde Adams verschlossene Himmel wieder geöffnet wurde. Der Herr stieg aber auch in den Reinigungsort, um die Seelen derer, die zwar in der Gnade Gottes gestorben waren, aber noch einer Buße und Läuterung sich unterwerfen mußten, zu begnadigen und sie mit den Seelen der Gerechten in der Vorhölle zu vereinigen. Denn wie nach dem Erlösungstode Jesu Christi viele sterben, die zwar bestimmt sind, in den Himmel aufgenommen zu werden, vorher aber noch einer Läuterung sich unterziehen müssen, so war es auch vor dem Tode Jesu Christi.

2) Daß Christus der Herr dem reuigen Schächer versprochen: „Heute noch sollst du bei Mir im Paradiese sein" (Luk. 23, 43), widerspricht keineswegs dem fünften Glaubensartikel. Denn die Seele des Schächers kam allerdings am nämlichen Tage zu Christo. Wo aber Christus ist, da ist das Paradies, und dadurch, daß alle in der Vorhölle befindlichen Seelen zur Anschauung Gottes gelangten, wurde die Vorhölle in das Paradies umgewandelt.

Dagegen kann gegen die Lehre jener Väter nichts eingewendet werden, welche dafür halten, Christus der Herr sei in die wirkliche Hölle hinabgestiegen, um die Teufel und die Verdammten zur Anerkennung seines Sieges über den Tod und die Hölle zu zwingen.

Anwendung.

1) Dadurch, daß Christus auch in die Vorhölle und in den Reinigungsort hinabgestiegen ist, hat Er bewiesen,

daß Er für alle Menschen gestorben ist und um alle Men=
schenleben sich kümmert. Da Er nun hierin sich vorzüglich
als den Tröster zeigt, so lasset auch uns Ihm nachahmen,
und allen, die eines betrübten Herzens sind, Trost und
Hilfe angedeihen lassen, vor allem den Abgeschiedenen im
Reinigungsorte durch unser Gebet und unsere guten Werke.

2) Viertausend Jahre vergingen von Abels Tode bis
zur Höllenfahrt Christi! Wie mögen doch die Seelen in
der Vorhölle diesem Tage entgegengeseufzt haben. Und
dieser Tag blieb lange aus, aber er kam, und mit ihm
Erlösung und Heil. Lassen wir deshalb nie den Mut
sinken und verlieren wir ja nie das Vertrauen. Mag die
göttliche Hilfe noch so lange ausbleiben, sicher wird, wer
sein Vertrauen auf den Herrn setzt, nicht zu Schanden
werden.

§ 21. Am dritten Tage wieder auferstanden von den Toten.

Da auf den Todestag Christi ein Sabbat folgte,
so brachten die Freunde Jesu diesen Tag in Stille
und heiliger Trauer zu. Nach Sonnenuntergang
aber kauften Maria Magdalena, welche sehr wohl=
habend war, und andere fromme Frauen noch
mehr Salben und Spezereien, um den Leichnam
des Herrn noch sorgfältiger einzubalsamieren, als
dies am Freitag geschehen konnte.

Am ersten Wochentage aber, am Tage nach
dem Sabbat, in der Frühe des Morgens, vereinigte
sich die Seele Christi wieder mit dem Leibe im
Grabe, und der Heiland ging aus eigener Macht
als Sieger über den Tod aus dem verschlossenen
Grabe hervor und erfüllte so, was Er seinen Jüngern

vorhergesagt hatte, daß Er den Tempel seines
Leibes in drei Tagen wieder aufrichten werde.
(Joh. 2, 19.)

Es sollten aber auch unwiderlegliche Beweise
der Auferstehung gegeben werden. Es geschah ein
großes Erdbeben; denn ein Engel des Herrn stieg
vom Himmel herab, trat hinzu, wälzte den Stein
weg und setzte sich darauf. Sein Antlitz war wie
der Blitz und sein Gewand weiß wie der Schnee.
Die Wächter aber bebten aus Furcht vor ihm und
waren wie tot. Als sie sich von ihrem Schrecken
erholt hatten, gingen sie in die Stadt und verkün=
deten den Hohenpriestern alles, was sich zugetragen
hatte. Diese versammelten sich mit den Aeltesten,
hielten Rat und gaben den Soldaten viel Geld
und sprachen: „Saget: Seine Jünger sind in der
Nacht gekommen und haben Ihn gestohlen, da wir
schliefen. Und wenn dieses dem Landpfleger zu Ohren
kommen sollte, so wollen wir ihn bereden und euch
sicherstellen." Die Soldaten nahmen das Geld und
thaten, wie man sie unterrichtet hatte, und es ver=
breitete sich unter den Juden diese Sage. (Matth. 28.)

Nach der Auferstehung.

Unterdessen waren Maria Magdalena und andere
fromme Frauen mit ihren Spezereien zum Grabe
gekommen. Und sie sprachen zu einander: „Wer
wird uns wohl den Stein von der Thüre des Grabes
wegwälzen?" Als sie aber hinblickten, sahen sie,
daß der Stein weggewälzt war; er war nämlich

sehr groß. Und da sie in das Grab hineingingen, sahen sie einen Jüngling zur Rechten sitzen, angethan mit einem weißen Kleide, und sie erschraken. Dieser aber sprach zu ihnen: „Fürchtet euch nicht! Ihr suchet Jesum von Nazareth, den Gekreuzigten; Er ist nicht hier, denn Er ist auferstanden, wie Er gesagt hatte; kommet und sehet den Ort, wo man den Herrn hingelegt hatte! Und gehet eilends hin und saget es seinen Jüngern, daß Er auferstanden ist!"

Da gingen die Frauen mit Furcht und Freude eilends vom Grabe hinweg und liefen, um es seinen Jüngern zu verkünden. Maria Magdalena aber stand weinend außerhalb des Grabes. Da sie nun in das Grab hineinblickte, sah sie zwei Engel in weißen Kleidern sitzen, da, wo der Leichnam Jesu hingelegt war, einen am Haupte und den andern bei den Füßen. Diese sprachen zu ihr: „Weib! Was weinest du!" Sie sprach zu ihnen: „Weil sie meinen Herrn hinweggenommen haben, und ich nicht weiß, wo sie Ihn hingelegt haben." Als sie dies gesagt hatte, wandte sie sich um und sah Jesum stehen, wußte aber nicht, daß es Jesus sei, sondern hielt Ihn für den Gärtner und sprach zu Ihm: Herr! Wenn du Ihn weggetragen hast, so sage mir, wo du Ihn hingelegt hast, damit ich Ihn holen kann." Da redete der Herr sie mit einem einzigen Worte an: „Maria!" Jetzt erkannte Maria Magdalena die Stimme des Heilandes, und indem

sie sich zu seinen Füßen stürzen wollte, rief sie
aus: „Rabboni", das ist: Meister! Der Herr
aber sprach: „Rühre Mich nicht an — gehe aber
hin zu meinen Brüdern und sage ihnen: Ich fahre
hinauf zu meinem Vater und zu euerm Vater; zu
meinem Gott und zu euerm Gott!"

Unterdessen waren die andern frommen Frauen
auf dem Wege, um den Jüngern zu verkünden,
daß sie das Grab leer gefunden, aber von Engeln
vernommen hätten, daß der Herr auferstanden sei.
Da begegnete ihnen Jesus und sprach: „Seid ge=
grüßt!" Sie aber traten hinzu, umfaßten seine
Füße und beteten Ihn an. Jesus sprach weiter zu
ihnen: „Fürchtet euch nicht! Gehet hin und ver=
kündet es meinen Brüdern." (Matth. 28.)

Wie die frommen Frauen, also kamen auch
Petrus und Johannes zum Grabe. Sie blieben
auch nicht außerhalb stehen, sondern sie gingen in
das Grab hinein; und sie sahen die Leintücher, in
die der Leichnam eingewickelt war, liegen. Sie sahen
auch das Tuch, welches um sein Haupt gewesen
war; das lag aber nicht bei den Leintüchern, son=
dern abgesondert an einem Orte zusammengewickelt.
(Joh. 20.)

An demselben Tage noch erschien der Herr dem
Petrus. (Luk. 24, 34.)

Es gingen aber am Abend dieses Tages zwei
von den Jüngern nach Emmaus, einem Flecken,
der ungefähr drei Stunden von Jerusalem entfernt
war. Bekümmerten Herzens redeten sie miteinander

von allem, was sich zugetragen hatte. Da nahte sich ihnen Jesus und ging mit ihnen; ihre Augen aber waren gehalten, daß sie Ihn nicht erkannten. Und nun erzählten sie Ihm, was alles in diesen Tagen geschehen war, und wie Jesus von Nazareth Israel erlösen werde; nun sei Er aber von den Hohenpriestern zum Kreuzigen überliefert worden; und seither sei es der dritte Tag. Sie seien jedoch von den übrigen in Verwunderung gesetzt worden, welche die Nachricht brachten, daß sie das Grab leer gefunden und eine Erscheinung von Engeln gehabt hätten, die da sagten, daß Er lebe.

Nun sprach der Herr: „O ihr Unverständigen von langsamer Fassungskraft, um alles zu glauben, was die Propheten gesprochen haben! Mußte nicht Christus dies leiden und so in seine Herrlichkeit eingehen?" Und Er fing an von Moses und allen Propheten und legte ihnen aus, was in der ganzen Schrift von Ihm geschrieben steht.

Als sie unterdessen dem Flecken nahe gekommen waren, stellte sich Jesus, als wolle Er weiter gehen. Da nötigten sie Ihn und sprachen: „Bleibe bei uns, denn es wird Abend, und der Tag hat sich schon geneigt." Und Er ging mit ihnen hinein. Und es geschah, als Er mit ihnen zu Tische saß, nahm Er das Brot, segnete es, brach es und gab es ihnen. Da wurden ihre Augen aufgethan, und sie erkannten Ihn; Er aber verschwand aus ihrem Gesichte. Die Jünger machten sich noch in der nämlichen Stunde auf und gingen nach Jerusalem

zurück. Dort fanden sie die Apostel und andere
Jünger beieinander, und diese sprachen: „Der Herr
ist wahrhaft auferstanden und dem Simon erschienen."
Und nun erzählten auch die Jünger, die von Emmaus
kamen, ebenfalls, wie der Herr ihnen erschienen
sei, und wie sie Ihn am Brotbrechen erkannten.

Während sie aber dies redeten, stand Jesus
mitten unter ihnen und sprach: „Der Friede sei
mit euch! Ich bin es, fürchtet euch nicht!" Sie aber
erschraken und fürchteten sich und meinten, einen
Geist zu sehen. Und Er sprach zu ihnen: „Warum
seid ihr erschrocken, und warum steigen solche Gedanken in euren Herzen auf? Sehet meine Hände
und meine Füße; Ich bin es selbst, denn ein Geist
hat nicht Fleisch und Bein, wie ihr sehet, daß Ich
habe." Und als Er dies gesagt hatte, zeigte Er
ihnen die Hände und Füße und seine Seite. (Luk. 24.)

Dann sprach Er abermals: „Der Friede sei
mit euch! Wie Mich der Vater gesandt hat, so
sende auch Ich euch." Dann hauchte Er sie an
und sprach: „Empfanget den heiligen Geist. Welchen
ihr die Sünden nachlassen werdet, denen sind sie
nachgelassen, welchen ihr sie behalten werdet, denen
sind sie behalten." (Joh. 20, 21—23.)

Der Apostel Thomas aber, der Zwilling genannt, war nicht bei den übrigen, als der Herr
ihnen erschien. Darum sprachen die andern Jünger
zu ihm: „Wir haben den Herrn gesehen." Er aber
sagte zu ihnen: „Wenn ich nicht an seinen Händen
das Mal der Nägel sehe, und meine Finger in

den Ort der Nägel und meine Hand in seine Seite lege, so glaube ich nicht."

Nach acht Tagen waren die Jünger wieder am nämlichen Orte, und Thomas mit ihnen. Da kam Jesus bei verschlossenen Thüren, stand in ihrer Mitte und sprach: „Der Friede sei mit euch!" Dann sagte Er zu Thomas: „Lege deine Finger herein und sieh meine Hände, und reiche her deine Hand und lege sie in meine Seite, und sei nicht ungläubig, sondern gläubig." Thomas antwortete und sprach zu Ihm: „Mein Herr und mein Gott." Jesus sprach zu ihm: „Weil du Mich gesehen hast, Thomas, hast du geglaubt; selig sind, die nicht sehen, und doch glauben." (Joh. 20, 20—29.)

Während vierzig Tagen erschien nun der Herr den Jüngern an verschiedenen Orten und zu verschiedenen Malen und redete mit ihnen vom Reiche Gottes. (Apg. 1, 3.) Ganz besonders wichtig ist die Erscheinung am See Tiberias.

Auf Befehl des Herrn waren die Jünger nach Galiläa gegangen. Dort erschien ihnen Jesus am See Genesareth. Er wandte sich zu Petrus und fragte ihn: „Simon, Sohn des Jonas, liebst du mich mehr als diese?" Dieser sprach zu Ihm: „Ja, Herr, Du weißt, daß ich Dich liebe." Der Herr sprach zu ihm: „Weide meine Lämmer!" Abermals sagte Er zu ihm: „Simon, Sohn des Jonas, liebst du Mich?" Dieser sprach abermals: „Ja, Herr, Du weißt, daß ich Dich liebe." Er sagte zu ihm: „Weide meine Lämmer!" Dann sprach der Herr zum drittenmale zu ihm: „Simon, Sohn des Jonas, liebst du Mich?" Da ward Petrus traurig, daß Er zum drittenmale zu ihm sagte: „Liebst du Mich?" und sagte zu Ihm: „Herr! Du weißt alles; Du weißt, daß ich Dich liebe." Und der Herr sprach zu ihm: „Weide meine Schafe!"

So setzte der Heiland den Petrus zum Oberhaupt seiner Kirche ein; nun wollte Er aber auch den übrigen Aposteln Vollmacht geben, in das Reich Gottes aufzunehmen. Er bestellte sie deshalb auf einen Berg, wahrscheinlich auf den Berg der acht Seligkeiten. Sie kamen und mit ihnen mehr als fünfhundert Jünger. Und da sie den Herrn sahen, beteten sie Ihn an. Und Jesus trat hinzu, redete mit ihnen und sprach:

„Mir ist alle Gewalt gegeben im Himmel und auf Erden. Darum gehet hin und lehret alle Völker und taufet sie im Namen des Vaters des Sohnes und des heiligen Geistes; und lehret sie alles halten, was Ich euch befohlen habe, und siehe, Ich bin bei euch alle Tage bis ans Ende der Welt."

(Matth. 28, 16—20.)

So offenbarte der auferstandene Heiland sich seinen Jüngern, und darum konnte der Apostel Johannes schreiben:

„Was vom Anfange war, was wir gehört, was wir mit unsern Augen gesehen, was wir beschaut und unsere Hände betastet haben, — was wir gesehen und ge-

Fünfter Glaubensartikel

Abgestiegen zu der Hölle; am dritten Tage wieder auferstanden
von den Toten.

hört haben, verkündigen wir euch." (I. Joh. 1, 1—3.)

Christus ist wahrhaft auferstanden.

Die Auferstehung Christi, der Gegenstand, wie der festeste Grund unseres Glaubens, ist eine so unumstößliche Thatsache, daß jedem, der nicht absichtlich zweifeln und nicht ungläubig sein will, jede Ungewißheit schwindet.

1) Der Heiland ist nach seinem Tode erschienen. Er erschien aber nicht nur den Frauen allein; denn diese hätten sich täuschen können. Er erschien dem Simon, aber auch ihm nicht allein. Er erschien den beiden Jüngern auf dem Wege nach Emmaus, und Er erklärte ihnen, daß alles dies so kommen mußte, damit an Jesus, was vorausgesagt, erfüllt würde. Er erschien den Elfen, als sie versammelt waren. Er erschien nicht, um augenblicklich zu verschwinden, sondern Er hielt sich, wie z. B. am See Tiberias, geraume Zeit bei ihnen auf und aß mit ihnen. Fünfhundert Gläubige konnten weder sich irren, noch miteinander zu einem Betruge sich verabreden.

2) Diese Erscheinungen werden berichtet von Personen, welche zugegen waren, wie z. B. Matthäus und Johannes, und von solchen, welche nicht dabei zugegen waren, wie Markus, Lukas, Paulus. Der Apostel Paulus, der sein Apostolat erst ungefähr neun Jahre nach Christi Tode antrat, berichtet, daß die meisten derjenigen, welche

den Heiland nach seinem Tode gesehen, noch am Leben seien.

3) Die ersten öffentlichen Predigten des Apostel, die Anreden an die Juden, handeln hauptsächlich von der Auferstehung Christi. Die Auferstehung ist die Thatsache, von der sie ausgehen und von der aus sie beweisen, daß Christus der Sohn Gottes ist, dem wir glauben müssen, um durch diesen Glauben zum Leben zu gelangen.

Als Petrus und Johannes in den Tempel hinaufgingen und Petrus einen Kranken im Namen Jesu heilte und alles Volk, das es gesehen, voll Staunen und voll Entsetzen war, da sprach derselbe Petrus zum Volke:

„Der Gott Abrahams, der Gott Isaaks, der Gott Jakobs, der Gott unserer Väter hat seinen Sohn Jesum verherrlichet. Diesen habt ihr zwar überliefert und verleugnet vor dem Angesichte des Pilatus, der da urteilte, Ihn loszulassen, aber ihr habt den Heiligen und Gerechten verleugnet und habt verlangt, daß man euch den Mörder schenke. Den Urheber des Lebens habt ihr getötet, welchen Gott auferweckt hat von den Toten. Dessen sind wir Zeugen."

(Apg. 3, 13—15.)

Nachdem durch die Predigt des Petrus gleich am Pfingsttage bei dreitausend Seelen das Wort annahmen und die Gemeinde der Gläubigen zusehends wuchs, heißt es:

„Die Menge der Gläubigen aber war ein Herz und eine Seele. — Und mit großer Kraft gaben die Apostel Zeugnis von der Auferstehung Jesu Christi, unseres Herrn, und es war große Gnade bei ihnen allen." (Apg. 4, 32—33.)

4) Auch spätere jüdische Schriftsteller berichten von Jesus. Weil sie aber das Wunderbare in seinem Leben nicht als etwas Göttliches anerkennen wollen, so verzerren sie die Geschichte und schmähen den Heiland, ohne das Außerordentliche zu leugnen.

Das ganze Judenland und auch die angrenzenden Länder waren Zeugen, wie Gott die Predigt von dem auferstandenen Jesus bestätigte. Diese Wunder, welche niemand hinwegleugnen kann, beweisen die Gottheit dessen, in dessen Namen sie gewirkt wurden, und die Wahrheit dessen, was die Sendboten des Heiles predigten.

Lehrstücke.

1) Die Auferstehung Christi ist nur die Erfüllung dessen, was Er vorausgesagt. Wenn der Heiland von seinem Leiden redete, redete Er auch von seiner Auferstehung. Mit Recht haben deshalb die Väter der Kirche auf dem allgemeinen Konzil von Konstantinopel nach den Worten: „am dritten Tage ist Er auferstanden von den Toten" eingeschaltet: „nach der Schrift", weil sowohl die Schriften des alten Bundes die Auferstehung voraussagten, wie die eigene Weissagung Christi und das Zeugnis der Apostel es bestätigten.

2) Christus der Herr ist nicht in dem Sinne auferweckt worden, wie dies bei seinem Tode und vor seinem Tode geschah, z. B. dem Sohne der Witwe von Sarepta (III. Kön. 17, 19. ff.), dem Manne, der in das Grab des Elisäus geworfen wurde (IV. Kön. 13, 21.), den vom Hei-

land Auferweckten, den bei seinem Tode aus den Gräbern Hervorgegangenen. Christus ist aus eigener Macht und Kraft von den Toten auferstanden.

Dies konnte geschehen, da die Gottheit nicht nur mit der Seele, sondern auch mit dem Leibe nach dem Tode Jesu vereinigt blieb.

3) Christus wird der „Erstling der Entschlafenen", der „Erstgeborne aus den Toten" genannt und zwar in dem Sinne, daß Er der erste war, der nach seiner Auferstehung nicht mehr zu sterben brauchte, wie dies alle andern Auferweckten mußten.

4) Die Auferstehung Jesu Christi ist die Bürgschaft unserer eigenen Auferstehung. Denn wenn Er das Leben nicht in sich hätte, wie der Vater, könnte Er es den Toten auch nicht geben. Wäre Christus nicht auferstanden, so könnte Er auch uns nicht vom Tode auferwecken. Die Auferstehung ist der sicherste Beweis, daß Christus der Sohn Gottes ist. Die ganze christliche Religion stützt sich auf die Auferstehung Christi. Darum schreibt der Apostel den Korinthern:

„Ist Christus nicht auferstanden, so folgt daraus, daß unsere Predigt vergeblich ist, vergeblich auch euer Glaube. Wenn wir nur in diesem Leben auf Christus hoffen, so sind wir elender als alle Menschen. Nun aber ist Christus von den Toten auferstanden, als Erstling der Entschlafenen. Denn durch einen Menschen ist der Tod, und durch einen Menschen ist die Auferstehung von den Toten. Und gleichwie in Adam alle sterben, werden auch in Christo alle lebendig gemacht werden." (I. Kor. 15, 19—22.)

§ 22. Das Kirchenjahr.

Der Osterfestkreis.

Der Karsamstag.

Der Heiland ruht zwar noch im Grabe, und die Kirche fastet noch; aber das Fasten ist schon nicht mehr ein Trauerfasten, sondern vielmehr ein Vorbereitungsfasten auf das heilige Osterfest. Der Gottesdienst besteht nicht allein aus dem Amte der heiligen Messe, sondern er ist von verschiedenen Weihungen begleitet. Es sind dies die Feuer= weihe, die Weihe der Osterkerze und die Weihe des Taufwassers. Diese Segnungen fanden schon in der ersten Zeit der christlichen Kirche statt.

Der Gottesdienst am Karsamstag wird in fol= gender Weise gefeiert.

Es werden alle Lichter, selbst das ewige Licht, ausgelöscht und es wird ein neues Feuer ange= zündet, welches aus einem Stein herausgeschlagen ist. Dieses Feuer wird nun gesegnet. Es werden aber auch zugleich fünf Weihrauchkörner gesegnet, welche später in die Osterkerze eingefügt werden. Das Feuer ist ein Sinnbild Christi, durch welchen Licht und Wärme, Erkenntnis und Gnade uns zu teil geworden ist. Christus ist aber auch der Eck= stein, der als das Licht in die Welt gekommen ist. Daß nun mit der Osterfeier ein neues Leben be= ginne, soll durch die Feuerweihe angedeutet werden.

Das Feuer wird außerhalb der Kirche geweiht, und es werden die Reste der heiligen Oele in dasselbe geworfen, da der Bischof neue Oele, die er am Gründonnerstag weihte, gesandt hat.

Der Priester begiebt sich nun in die Kirche. Es werden ihm von einem Diakon auf einer Stange drei Kerzen vorgetragen. Beim Eintritt in die Kirche beugt er die Knie und ruft: Lumen Christi (Licht Christi). Es wird ihm geantwortet: Deo gratias (Gott sei Dank), und eine der drei Kerzen wird angezündet. Sofort tritt der Priester ein paar Schritte weiter vor und nochmals ein paar Schritte, jedesmal sich beugend und Lumen Christi rufend. Und jedesmal wird eine Kerze angezündet. Von dem Lichte dieses Triangels werden dann die Osterkerze und die Lichter auf dem Altare angezündet. Es bedeuten aber diese drei Lichter, die nur von einer Kerze ausgehen, daß es in der einen Gottheit drei göttliche Personen giebt, von denen die zweite als das Licht der Welt erschienen ist. Wir erkennen dies anbetend (die Knie beugend) an, und danken Christo, daß Er uns zu erleuchten in die Welt gekommen ist.

Es wird nun eine große Kerze geweiht. Sie versinnbildet wiederum Christus, welcher am Karfreitag hinweggenommen wurde, am Ostertage aber den Aposteln erschien und jetzt durch den Glanz seiner Herrlichkeit die Kirche erfreut. In die Osterkerze werden die bei der Feuerweihe gesegneten fünf Weihrauchkörner eingesteckt und die Oeffnungen mit fünf Wachsnägeln geschlossen. Es bedeuten diese die heiligen Wunden, die der Auferstandene auch an seinem verklärten Leibe trägt. Die Osterkerze wird auf der Evangelienseite des Altars aufgestellt und brennt bis zum Feste Christi Himmelfahrt bei jedem feierlichen Gottesdienste zum Gedächtnisse, daß der Heiland nach seiner Auferstehung vierzig Tage bei seinen Jüngern weilte.

Hierauf wird das Taufwasser geweiht. Dieser Weihe gehen zwölf Lesungen aus der heiligen Schrift des alten Testamentes voraus. Nach den Gebeten teilt der Priester das Weihwasser aus, und es ist den Gläubigen gestattet, von diesem Wasser nach Hause zu nehmen. Zuerst aber wird das Tauf= becken mit frischgeweihtem Wasser gefüllt und Oel und Chrisam in das Taufbecken gegossen. Dieses mit dem heiligen Oele vermischte Wasser ist nun das eigentliche Taufwasser, dessen der Priester bei der Taufe sich bedient.

Nach der Wasserweihe begiebt sich der Priester in die Sakristei, holt den Kelch, besteigt den Altar und stimmt, nachdem der Chor das Kyrie eleison gesungen, mit Auslassung des Stufenpsalms und des Eingangs alsbald das Gloria an. Nun ist die Trauer gebrochen, die Glocken verkünden in alle Welt die frohe Botschaft von der Auferstehung des Heilandes, und schon gleich nach der Epistel er= schallt ein dreimaliges Alleluja, wie auch beim Schlusse der heiligen Messe an das Ite, missa est ein zweimaliges Alleluja sich anschließt.

So ist die vormittägige Feier des Karsamstags eigentlich nichts anderes als der rückwärts verlegte

Gottesdienst des Ostersonntags. Es findet aus diesem Grunde auch am Ostersonntag selbst keine außergewöhnliche Feierlichkeit mehr statt.

Das Osterfest.

Das höchste Fest in der Kirche ist das heilige Osterfest, das Fest der glorreichen Auferstehung unseres Herrn Jesu Christi.

Das Osterfest ist nachweislich schon zu den Zeiten der Apostel gefeiert worden. Die Gläubigen, welche um Mitternacht aus der Kirche entlassen wurden, versammelten sich in der Frühe wieder zum Gottesdienst. Beim Eintreten in das Gotteshaus begrüßten sie einander mit den Worten: „Christus ist erstanden" und gaben sich gegenseitig den Friedenskuß. Vor dem Gottesdienst wurden verschiedene Speisen: Fleisch, Eier, Brot, Käse geweiht „zum Heile des Leibes und der Seele".

Der Gottesdienst selbst ist so feierlich als möglich; die Kirche ist mit allem geschmückt, was zur Zierde eines Gotteshauses verwendet werden kann. Insbesondere wird vielfach auf dem Hochaltar eine Statue des Heilandes mit der Siegesfahne in der Hand aufgestellt. An vielen Orten werden in der Kirche oder um die Kirche herum Prozessionen mit brennenden Kerzen gehalten.

Das Alleluja, welches, die Fastenzeit ausgenommen, nach der Epistel in allen heiligen Messen vorkommt, ertönt in der Osterwoche häufiger, und auch dem Ite, missa est werden zwei Alleluja bei-

Sechster Glaubensartikel.

Aufgefahren in den Himmel, sitzt Er zur Rechten Gottes, des
allmächtigen Vaters.

gefügt. Dieses hebräische Wort, welches den Psalmen Davids, die beim israelitischen Volke gesungen wurden, entnommen ist, heißt: „Lobet den Herrn," und ist der Ausdruck des Dankes für die empfangene Gnade der Erlösung und Heiligung.

Die Osterfreude soll sich aber nicht auf einen Tag beschränken. Darum hat das Osterfest, wie das Weihnachts=, Dreikönigs=, Christi Himmelfahrts=, Fronleichnamsfest und andere Feste, eine Oktav, d. h. die kirchliche Festfeier geht durch acht Tage hindurch. Ehedem wurde die erste Hälfte der Woche auch noch bürgerlich gefeiert, was gegenwärtig nur noch am Ostermontag stattfindet.

Nach dem Osterfeste richten sich nun der Sonn= tag Septuagesima mit den beiden nachfolgenden Sonntagen, der Aschermittwoch, sowie der Weiße Sonntag, die Bittwoche, Christi Himmelfahrt, Pfingsten, das Dreifaltigkeits= und das Fronleich= namsfest. Diese Feste nennt man bewegliche, weil sie nicht immer auf denselben Monatstag fallen, wie z. B. das Weihnachtsfest, sondern vom Oster= feste abhängen.

Der Weiße Sonntag.

Der Sonntag nach dem Osterfeste wird der Weiße Sonntag genannt. Es wurde den am Karsamstag Getauften ein weißes Kleid gegeben, welches sie daran erinnern sollte, daß sie jetzt, durch das Sakrament der Taufe von der Erbsünde ge= reinigt, ein neues Leben in Unschuld und Reinheit

führen sollten. In diesem Kleide wohnten sie die
ganze Oktav hindurch dem Gottesdienste bei. Am
Sonntag nach Ostern aber legten sie dieses weiße
Gewand ab, und darum erhielt dieser Tag den
Namen, der Sonntag in den weißen Klei-
dern oder der Weiße Sonntag, d. h. der
Sonntag, an welchem man zum letzten Male in
weißen Kleidern dem Gottesdienste beiwohnte.

Am Schlusse der österlichen Zeit fällt ein

Die Bittwoche,

welche so genannt wird, weil an den drei Tagen
vor Christi Himmelfahrt Bittgänge stattfinden.
Diesen Aeußerungen des christlichen Lebens begegnen
wir schon in der ältesten Kirche. Aber sie wurden
nicht regelmäßig und an den bestimmten Tagen
abgehalten, sondern je nachdem eine wichtige An-
gelegenheit, in der man Gottes Hilfe anrief, Veranlassung zu solchen Andachtsübungen gab. Eine bestimmte Form, wie sie abgehalten werden sollten,
und eine bestimmte Zeit setzte der heilige Mamertus, Bischof von Vienne, fest, aus Anlaß
großer Unglücksfälle, die etwa um 470 n. Chr.
sich in seiner Diöcese ereigneten. Die Bittgänge
bewirkten, daß diese Schrecknisse sofort aufhörten,
und daraufhin bestimmte Mamertus im Einver-
ständnisse mit seiner Priesterschaft die drei Tage
vor Christi Himmelfahrt zu Bittagen.

Auch am Tage des heiligen Evangelisten Markus, welcher (25. April) ebenfalls in die österliche

Zeit fällt, wird eine Prozession abgehalten, und werden, wie bei den andern Bittgängen, die Litaneien gesungen, in denen die Kirche die Heiligen um ihre Fürbitte anfleht. Die Markusprozession erwähnt der heilige Papst Gregor ebenfalls schon in einer seiner Predigten als eine jährlich wiederkehrende Andachtsübung. Eine Pest in Rom soll zur Einsetzung dieser Prozession Anlaß gegeben haben. Diese Krankheit war, wie berichtet wird, von einem heftigen Nießen begleitet, und da viele daran starben, soll der fromme Gebrauch aufgekommen sein, wenn einer nießt, „Helf' Gott!" zu sagen.

Sechster Glaubensartikel.

Aufgefahren in den Himmel sitzt Er zur Rechten Gottes, des allmächtigen Vaters.

§ 23. Die Himmelfahrt Christi.

Unterdessen war die Zeit gekommen, daß der Heiland seine Jünger mit seiner heiligen Menschheit verlassen sollte. Da, am vierzigsten Tage nach seiner Auferstehung, erschien Er in Jerusalem den Aposteln, während sie zu Tische saßen. Er verwies ihnen ihren Unglauben und ihres Herzens Härte, daß sie denen nicht geglaubt hätten, die Ihn nach seiner Auferstehung gesehen hatten. Dann sprach Er unter anderm zu ihnen: „Ihr werdet die Kraft des heiligen Geistes empfangen, der über euch kommen wird, und werdet meine Zeugen sein in Je-

·rufalem und in ganz Judäa und Samaria und
bis an die Enden der Erde. Gehet dann in die
ganze Welt und predigt das Evangelium allen
Geschöpfen! Wer glaubt und sich taufen läßt, wird
selig werden, wer aber nicht glaubt, wird ver=
dammt werden. Denen aber, die da glauben, werden
diese Zeichen folgen: In meinem Namen werden
sie Teufel austreiben, mit neuen Sprachen reden,
Schlangen aufheben, und wenn sie etwas Tödliches
trinken, wird es ihnen nichts schaden; Kranken
werden sie die Hände auflegen, und sie werden
gesund werden. Nach diesen Worten führte Er sie
hinaus gen Bethanien auf den Oelberg. Dort hob
Er seine Hände auf und segnete sie; und während
Er sie segnete, schied Er von ihnen und ward vor
ihren Augen emporgehoben und fuhr in den Him=
mel hinauf, wo Er zur Rechten Gottes sitzt. Eine
Wolke entzog Ihn ihren Blicken.

1) Christus der Herr ist in den Himmel auf=
gefahren, und zwar aus eigener göttlicher
Kraft so, wie Er auch aus eigener Kraft aus
dem Grabe hervorgegangen ist, nicht wie Elias,
der in einem feurigen Wagen gen Himmel fuhr,
auch nicht wie die liebe Mutter Maria, welche
in den Himmel aufgenommen wurde. Darum
heißt das Fest Mariä Himmelfahrt in der Kir=
chensprache bezeichnend: „Aufnahme in den Himmel"
(Assumptio), während das Fest Christi Himmel=
fahrt Ascensio d. h. „Aufsteigen in den Himmel"
heißt.

2) Christus ist in den Himmel aufgestiegen, auch insofern er Mensch war. Die Menschheit wurde, wie der Römische Katechismus sagt, „durch jene Kraft hinaufgehoben, mit welcher die begnadigte Seele begabt war, den Körper nach Belieben zu bewegen. Der Körper hingegen, welcher schon der Verherrlichung teilhaft geworden, gehorchte leicht dem Gebote der ihn bewegenden Seele."

Als allgegenwärtiger Gott ist demnach Jesus überall, mit seiner Menschheit aber nur im Himmel und in dem allerheiligsten Sakramente des Altars.

3) Christus ist nicht allein in den Himmel aufgestiegen, sondern Er hat die Seelen der aus der Vorhölle befreiten Gerechten und die aus dem Reinigungsorte erlösten Seelen mit in den Himmel geführt.

4) Christus ist in den Himmel aufgefahren, um auch seine heilige Menschheit an der Ihm gebührenden Herrlichkeit teilnehmen zu lassen.

Denn der Leib Jesu Christi war das Werkzeug, mit dem Er den Tod und die Hölle besiegt und das menschliche Geschlecht von der Sünde erlöst hatte. Der Himmel gebührte Ihm als dem ewigen Sohne des himmlischen Vaters; für die heilige Menschheit hat Christus den Himmel durch sein Leiden und Sterben erworben.

5) Christus ist in den Himmel aufgefahren, um uns den heiligen Geist zu senden. Mit der Himmelfahrt Christi ist erst das Werk der Erlösung vollendet.

6) Christus ist ferner in den Himmel aufgefahren, um uns dort an seiner Herrlichkeit teilnehmen zu lassen. Haben wir mit Ihm gestritten und mit Ihm gesiegt, so sollen wir nun auch mit Ihm herrschen und triumphieren und uns ewigen Glückes erfreuen.

7) Christus will aber auch im Himmel unser **Fürsprecher** beim Vater sein. Er ist auf die Erde herabgestiegen, um das Mittleramt zwischen dem göttlichen Richter und der sündigen Menschheit zu übernehmen. Jetzt, da seine Aufgabe auf Erden vollendet ist, setzt Er diese im Himmel fort bis ans Ende der Zeiten.

8) „**Christus sitzt zur Rechten des allmächtigen Vaters.** Wie Er als Gott dem Vater gleich ist, so ist Er als Mensch der Nächste bei Gott und hat alle Gewalt im Himmel und auf Erden." (Matth. 28, 18.) Er herrscht und regiert über alle Engel und über alle Geister.

Anwendung.

1) Durch seine Himmelfahrt wollte Christus der Herr uns thatsächlich beweisen, daß es wahr ist, was Er zu Pilatus sprach, als dieser Ihn fragte: „Bist Du der König der Juden?" „Du sagst es," sprach der Heiland, „aber mein Reich ist nicht von dieser Welt." Das Reich Christi umfaßt alle Gläubigen auf Erden und ist doch nicht von dieser Erde. Obwohl wir alle auf dieser Erde leben, so sollen wir doch nicht auf der Erde bleiben, sondern wir sollen uns durch Gebet, Kampf und Arbeit würdig machen, in das Himmelreich einzugehen.

2) Da wir nun auf Erden keine bleibende Stätte haben, ſo iſt es für uns auch gleichgültig, was wir hier auf der Erde ſind, ob wir arm oder reich, gering oder vornehm ſind, wenn wir nur das, wozu uns Gott beſtimmt hat, im Geiſte Gottes recht ſind.

3) Solange der Chriſt im Fleiſche hienieden wandelt, lebt Er in ſteter Trübſal und Not, in Kümmerniſſen und Bedrängniſſen des Leibes und der Seele. Darob würde manche Menſchenſeele kleinmütig und verzagt werden; aber es tröſtet uns der Gedanke, daß Jeſus Chriſtus, der unſere Schwachheit kennt, am Throne des himmliſchen Vaters unſer eingedenk iſt.

„Wenn jemand geſündigt hat, ſo haben wir einen Fürſprecher bei dem Vater, Jeſum Chriſtum, den Gerechten.“ (I. Joh. 2, 1.)

§ 24. Das Kirchenjahr.

Das Feſt Chriſti Himmelfahrt.

Den Schluß des Oſterfeſtkreiſes bildet das Feſt des Aufſteigens Chriſti in den Himmel oder Chriſti Himmelfahrt. Der heiligen Geſchichte entſprechend wird dasſelbe jeweils am vierzigſten Tage nach Oſtern, alſo am Donnerstag nach dem fünften Sonntage nach Oſtern gefeiert. Da es ein hoher Feſttag iſt, hat es eine Vigil; weil aber dieſe noch in die öſterliche Zeit fällt, ſo iſt ſie kein Faſttag. Am Feſte Chriſti Himmelfahrt verſchwindet von den Altären das Bild des auferſtandenen Heilandes. Die Oſterkerze wird zwar angezündet, aber nach dem Evangelium ausgelöſcht, da das Evangelium verkündet, daß der Heiland leiblich nicht mehr bei ſeinen Jüngern iſt. Das

Feſt ſelbſt iſt ſchon in den erſten Zeiten gefeiert worden, wie die älteſten chriſtlichen Schriften bezeugen.

Siebenter Glaubensartikel.
Von dannen Er kommen wird, zu richten die Lebendigen und die Toten.

---

§ 25. Das Weltgericht.

Chriſtus der Herr iſt durch ſein Leiden und Sterben unſer Erlöſer und durch ſeine Himmelfahrt unſer Fürſprecher bei Gott geworden. Er ſoll aber nicht nur unſer Mittler, ſondern Er wird dereinſt auch unſer Richter ſein.

1) Es giebt demnach eine doppelte Ankunft Chriſti. Die eine Ankunft geſchah, als Chriſtus der Herr um unſeres Heiles willen im Schoße der Jungfrau Fleiſch annahm; die andere wird geſchehen, wenn Er am Ende der Welt kommen wird, um alle Menſchen zu richten. Darum wird dieſer Tag auch der Tag des Herrn genannt.

Wann dieſer Tag kommen wird, iſt vollſtändig unbekannt, nicht einmal die Engel im Himmel wiſſen es.

2) Doch giebt es beſtimmte Ereigniſſe, welche unmittelbar vorhergehen müſſen, ehe dieſer Tag heranbricht. Dies ſind hauptſächlich folgende:

a) Es muß zuerſt auf der ganzen Erde das Evangelium gepredigt werden.

Siebenter Glaubensartikel.

Von dannen Er kommen wird, zu richten die Lebendigen
und die Toten.

b) Vorher wird ein großer Abfall vom Glauben stattfinden. Viele werden in Versuchung geraten und nur im Hinblick auf das ausdrückliche Wort des Herrn im Glauben erhalten bleiben, viele werden ganz abfallen. Die Lasterhaftigkeit wird überhand nehmen, die Menschen werden wieder „Fleisch" sein, wie zu den Tagen Noes.

c) Es werden aber jene beiden großen Propheten erscheinen, welche nach dem Ratschlusse Gottes den Tod noch nicht gekostet haben, sondern in ihrem Leibe lebend von dieser Erde hinweggenommen wurden, Henoch, um die Heiden zu bekehren, Elias, um den Juden das Gesetz zu erklären.

d) Es werden aber dem Weltende so schreckliche Zustände vorhergehen, daß alles in Angst und Not geraten wird. „Es wird Volk wider Volk und Reich wider Reich sich erheben, und es werden hier und dort Pest, Hunger und Erdbeben sein. Dies alles aber ist nur ein Anfang der Nöten."

(Matth. 24, 7. 8.)

e) Wie es nun bei der Ankunft der Herrn zugehen wird, darüber hat Jesus seine Jünger selbst belehrt. Er sprach:

„Das Zeichen des Menschensohnes wird am Himmel erscheinen und dann werden alle Geschlechter der Erde wehklagen, und sie werden den Menschensohn kommen sehen in den Wolken des Himmels mit großer Kraft und Herrlichkeit. Und Er wird seine Engel mit der Posaune aussenden mit großem Schalle, und sie werden seine Auserwählten von

Zwölf Glaubensartikel.   15

den vier Winden, von einem Ende des Himmels
bis zum andern zusammenbringen. — Wenn nun
der Menschensohn in seiner Herrlichkeit kommen
wird, und alle Engel mit Ihm, dann wird Er
auf dem Throne seiner Herrlichkeit sitzen: und es
werden alle Völker vor Ihm versammelt werden,
und Er wird sie von einander scheiden, wie ein
Hirt die Schafe von den Böcken scheidet. Die Schafe
wird Er zu seiner Rechten, die Böcke aber zu seiner
Linken stellen." (Matth. 24, 30 u. 31; 25, 31—33.)

3) Der Herr wird kommen, zu richten die Lebendigen und die Toten, d. h. die, welche zur
Zeit des Menschensohnes noch am Leben sind, und
die bereits Entschlafenen. Nach der Meinung
mancher Kirchenväter sind die Lebendigen jene,
welche das geistliche Leben der Seele, nämlich die
Gnade Gottes, sich bewahrt haben. Die Toten
aber sind diejenigen, welche durch eine schwere
Sünde die Gnade Gottes, mithin das geistige Leben
ihrer Seele verloren haben und also gestorben sind.
Es werden somit am Ende der Welt nicht bloß
die Bösen, sondern auch die Guten gerichtet.

4) Beim allgemeinen Gerichte werden alle, die
bereits gerichtet sind, noch einmal gerichtet, und
die noch Lebendigen werden, wie die Toten, ihr
Urteil angesichts aller Menschen empfangen, und
es wird, was verborgen war, allen Menschen offenbar werden.

5) Durch dieses Gericht wird nun vor allem
Jesu Christo die Ehre gegeben. Ihn, den Ver-

höhnten, Verspotteten, Mißhandelten, an das Kreuz Geschlagenen, Ihn, der den Juden ein Aergernis und den Heiden eine Thorheit war und noch ist (I. Kor. 1, 23.), verherrlicht jetzt der Vater vor aller Welt, auf daß seine Gottheit anerkannt werde.

6) Durch das allgemeine Gericht wird die göttliche Vorsehung in den Augen der Völker gerechtfertigt werden. Die Weisheit und die Gerechtigkeit Gottes wird ihren größten Triumph feiern. Es wird offenbar werden, wie die göttliche Weisheit von einem Ende zum andern fortwirkte und alles lieblich anordnete. (Weish. 8, 1.)

7) Es werden aber in Christo auch alle Gottesfürchtigen zu Ehren kommen, die Gottlosen dagegen werden vor aller Welt zu Schanden gemacht werden. Die verkannte Tugend wird belohnt, das verborgen gebliebene Laster aufgedeckt werden. Jetzt werden die Werke aller offenbar werden, und nach den Werken wird ein jeder seinen Lohn empfangen.

Wenn dann das Urteil des unparteiischen Richters, dem nichts verborgen ist, der die Herzen und Nieren der Menschen prüft, und den niemand täuschen kann, gesprochen ist, dann wird die große Scheidung erfolgen. Dann wird die Freude der Auserwählten eben so groß sein, als der Schrecken und das Entsetzen der Gottlosen.

8) Dieses Gericht nun wird, weil es sich auf alle Geschöpfe, die Menschen wie die Engel, erstreckt, das allgemeine oder Weltgericht genannt. Auch nennt man es das jüngste, d. h. das letzte Gericht,

weil kein anderes Gericht mehr sein wird. Wie der Mensch gerichtet wird, so bleibt sein Schicksal unabänderlich in alle Ewigkeit.

Anwendung.

1) Wenn wir wissen, daß einst eine so schreckliche Stunde über uns kommen wird, so werden wir billiger= weise nicht in den Tag hineinleben, sondern stets auf diese Stunde vorbereitet sein müssen. Ob sie fern oder nahe ist, einmal ist sie dem Menschen gewiß. So sehr wir nun auch auf die Barmherzigkeit Gottes vertrauen, so müssen wir doch in heilsamer Furcht leben; denn wir wissen nicht, ob wir der Liebe oder des Hasses würdig sind. (Pred. 9, 1.)

„Wirket euer Heil mit Furcht und Zittern."
(Phil. 2, 12.)

2) Da Gott uns einst richten wird, was kann uns an dem Urteile der Menschen liegen? Sorgen wir dafür, daß wir ein gutes Gewissen haben, und daß wir rein sind in den Augen Gottes. Hüten wir uns aber auch, über unsere Mitmenschen lieblos zu urteilen, und überlassen wir Gott das Gericht und die Rache.

„Richtet nicht vor der Zeit, ehe der Herr kommt, welcher auch das im Finstern Verborgene an das Licht bringen und die Absichten der Herzen offen= bar machen wird; und dann wird einem jeden sein Lob werden von Gott." (I. Kor. 4, 5.)

Achter Glaubensartikel.
Ich glaube an den heiligen Geist.

---

§ 26. Die Ankunft des heiligen Geistes.

In den letzten Augenblicken, bevor der Heiland an den Oelberg ging, sagte Er seinen Jüngern alle

die Leiden und Trübsale voraus, die sie um seines
Namens willen erdulden würden. Aber Er versprach ihnen zugleich einen übernatürlichen Beistand,
und zwar eine Person, einen Geist, den Geist der
Wahrheit, der ihr Tröster sein und in Ewigkeit
bei ihnen bleiben werde. (Joh. 14, 16.) Und bevor
Er in den Himmel auffuhr, befahl Er ihnen, sie
sollten nicht von Jerusalem weggehen, sondern warten
auf die Verheißung des Vaters, die sie aus seinem
Munde gehört hatten, indem Er ausdrücklich versicherte: „Ihr werdet die Kraft des heiligen Geistes
empfangen, der über euch kommen wird, und ihr
werdet meine Zeugen sein in Jerusalem und in
ganz Judäa und Samaria und bis an die Enden
der Erde." (Apg. 1, 4. 8.)

Am zehnten Tage, an dem die Israeliten das
Pfingstfest feierten, da alle in dem nämlichen Saale,
in dem das heilige Altarssakrament eingesetzt worden, versammelt waren, ging die Verheißung Jesu
Christi in Erfüllung. Es entstand plötzlich vom
Himmel ein Brausen, gleich dem eines daherfah-
renden gewaltigen Windes, und erfüllte das ganze
Haus, wo sie saßen. Und es erschienen ihnen zer-
teilte Zungen, wie Feuer, und es ließ sich auf
einen jeden von ihnen nieder. Und alle wurden
mit dem heiligen Geiste erfüllt und fingen an, in
verschiedenen Sprachen zu reden, so wie der heilige
Geist es ihnen gab auszusprechen.

Da stand nun Petrus auf mit den Elfen und
verkündigte der Menge das Geheimnis der Er-

lösung durch Jesus von Nazareth, den sie gekreuzigt hatten, den Gott aber wieder auferweckte. Und es ließen sich an diesem einzigen Tage bei dreitausend Seelen taufen, und so wurde der fünfzigste Tag nach der Auferstehung ein zweites Pfingstfest, das Pfingstfest des neuen Bundes, an dem sich die Erstlinge der christlichen Gemeinde dem Herrn aufopferten — es wurde der Stiftungstag der christlichen Kirche.

§ 27. Die Person des heiligen Geistes.

Der Beistand, den der Herr seinen Jüngern versprochen hat, ist ein Geist. Jesus nennt ihn den Geist der Wahrheit, der die Jünger trösten und sie alle Wahrheit lehren werde; Er werde reden und verkünden, Er werde Ihn verherrlichen, Er werde die Welt überzeugen. (Joh. 16, 8—15.) Das sind lauter Thätigkeiten, die nur Personen zukommen. Der heilige Geist ist eine Person und zwar die dritte Person in der Gottheit.

1) Wenn wir aber den heiligen Geist die dritte Person nennen, so ist damit jede Unterordnung unter die beiden andern Personen ausgeschlossen. Denn es soll mit den Ausdrücken: erste, zweite und dritte Person nur angedeutet werden, wie viele Personen in der Gottheit sind, nicht aber, daß eine Person vornehmer als die andere sei.

Wenn es aber drei sind, welche Zeugnis geben im Himmel, so sind es drei verschiedene Personen. Der heilige Geist ist also nicht der Vater und auch nicht der Sohn, sondern eine von dem Vater und dem Sohne verschiedene Person.

Diese Grundwahrheit des Christentums geht schon aus dem apostolischen Glaubensbekenntnis hervor, welches die Gläubigen beten läßt:

„Ich glaube an Gott den Vater, allmächtiger Schöpfer Himmes und der Erde;

Und an Jesum Christum, seinen eingebornen Sohn, unsern Herrn;

Ich glaube an den heiligen Geist."

2) Der heilige Geist, als die dritte Person in der Gottheit und selbst Gott, besitzt deswegen auch göttliche Vollkommenheiten.

Der heilige Geist verleiht die Gnadengaben.

„Dem einen wird durch den Geist verliehen das Wort der Weisheit, dem andern aber das Wort der Wissenschaft nach demselben Geiste, einem andern der Glaube in demselben Geiste, einem andern die Gabe zu heilen durch denselben Geist, einem andern Wunder zu wirken, einem andern Weissagung, einem andern Unterscheidung der Geister, einem andern mancherlei Sprachen, einem andern Auslegung der Reden."

(I. Kor. 12, 8—10.)

Der heilige Geist ist es, der die Bischöfe einsetzt, zu regieren die Kirche Gottes, wie der Apostel Paulus ausdrücklich lehrt. (Apg. 20, 28.) Derselbe Apostel lehrt aber auch ebenso ausdrücklich: „Gott setzte in der Kirche einige zu Aposteln und Lehrern ein." (I. Kor. 12, 28.)

3) Der heilige Geist empfängt seine göttlichen Vollkommenheiten von Ewigkeit her vom Vater und vom Sohne, das heißt: Er geht vom Vater und vom Sohne aus.

Der Herr spricht zu seinen Jüngern:

„Wenn aber der Tröster kommen wird, den Ich vom Vater euch senden werde."

(Joh. 15, 26.)

Wenn nun der heilige Geist vom Vater ausgeht, der Sohn aber Ihn sendet, so sagen wir mit Recht, daß Er vom Vater und vom Sohne ausgehe, wie dies die Väter der Kirche zu allen Zeiten ausgesprochen haben. Der hl. Cyrillus schreibt: „Er wird der Geist der Wahrheit genannt, und Christus ist die Wahrheit; daher geht Er sowohl von Ihm als vom Vater aus."

Wenn wir auch die göttlichen Personen von einander unterscheiden, so bekennen wir doch, daß keine Verschiedenheit des Wesens vorhanden ist, sondern nur eine Verschiedenheit der Beziehungen, in welchen die göttlichen Personen gegenseitig zu einander stehen.

Da nun die erste Person in der Gottheit die zweite von Ewigkeit her aus ihrem eigenen Wesen gezeugt hat, so können wir die erste Person Vater und die zweite Person Sohn nennen. Da wir aber in der sichtbaren Schöpfung keinen Vorgang kennen, mit dem das Hervorgehen der dritten Person von

Ewigkeit her verglichen werden könnte, so nennen wir diese dritte Person vorzugsweise Geist. Wir nennen sie aber auch Geist, weil ihr Werk vorzugsweise ein inneres, übernatürliches, geistiges ist.

Weil nun der heilige Geist gleicher Gott ist wie der Vater und der Sohn, und von gleicher Kraft und Wesenheit, darum gebührt Ihm auch die gleiche Ehre und Anbetung.

4) Der göttliche Geist ist unsichtbar, eben weil Er ein Geist ist. Aber Er ist in die Erscheinung getreten und hat eine Gestalt angenommen, wie bei der Taufe Jesu am Jordan und bei dem Erscheinen am Pfingstfest, um sich den Menschen auch sichtbar zu zeigen.

5) Der heilige Geist ist der Urheber alles Guten. Er begeisterte die Apostel, stärkte die Jünger, befestigte die Bekenner und ist die Ursache der Reinheit heiliger Jungfrauen. Ihm wird zugeschrieben die Buße der Reumütigen, die Heiligkeit der Heiligen, jegliche Fömmigkeit, jeder gute Antrieb, eine jede gute Eigenschaft.

6) Um seine Wirkungen in den Herzen der Menschen zu versinnbilden, stieg der heilige Geist am Pfingstfest auf die heilige Jungfrau und die Apostel herab in der Gestalt von feurigen Zungen. Das Feuer verzehrt alles Unreine, erwärmt und leuchtet. So reinigt der göttliche Geist die Herzen der Menschen, erleuchtet sie und entzündet in ihnen das Feuer der göttlichen Liebe. In Gestalt von Zungen erschien das Feuer, um anzudeuten, daß

es fortan der Beruf der Apostel sein soll, zu sprechen, d. h. die Lehre Jesu zu verkündigen und zu verbreiten, wozu ihnen auch die Sprachengabe verliehen wurde.

Anwendung.

1) Da wir nun wissen, daß Christus der Herr den heiligen Geist gesandt hat, der das Werk, das Er begonnen, in der Menschenseele fortsetzt und vollendet, so muß uns dieses Bewußtsein einerseits mit Dank gegen den dreieinigen Gott, anderseits aber mit Mut und Vertrauen erfüllen. Wir haben ja in der Sendung des göttlichen Geistes die Versicherung des göttlichen Beistandes zur Erlangung aller Gnaden, die uns Christus durch sein Leiden und Sterben erworben hat.

■ „Der uns hierzu bereitet, ist Gott, welcher uns das Unterpfand des Geistes gegeben."

(II. Kor. 5, 5.)

2) Und da wir wissen, daß der heilige Geist unsern Leib und unsre Seele zu einer besondern Wohnung auserwählt hat, so hüten wir uns, diesen Tempel durch eine Sünde zu verunreinigen, damit nicht das Gericht Gottes über uns komme; denn es steht geschrieben:

„Wenn jemand den Tempel Gottes entheiligt, so wird ihn Gott zu Grunde richten; denn der Tempel Gottes ist heilig, und der seid ihr." (1. Kor. 3, 17.)

§ 28. Das Wirken des heiligen Geistes.

Durch das gnadenreiche Werk der Erlösung hatte Jesus Christus dem menschlichen Geschlechte einen unendlichen Reichtum an Gnade und Gaben erworben. Wir nennen diesen geistigen, übernatürlichen Reichtum den Schatz der Verdienste Jesu

Christi. Alles, was wir an Gnade empfangen, empfangen wir kraft der unendlichen Verdienste Jesu Christi.

1) Es ist aber nicht genügend, daß ein geistiger Schatz von Christo für die Menschenseele verdient und erworben worden, die Seele muß auch in dessen Besitz gesetzt werden. Dies thut nun der heilige Geist, indem Er diesen Reichtum der göttlichen Gnade der Seele mitteilt. Das Werk des heiligen Geistes ist also kein anderes Werk, als das Werk Jesu Christi; es ist nur dessen Fortsetzung.

2) Wie der Vater und der Sohn in ihrer Gottheit überall zugegen sind, so ist auch der heilige Geist als gegenwärtiger Gott überall und wirkt überall, wo Er wirken will. Er kann auch in den Herzen solcher wirken, welche nicht in den äußern Verband der katholischen Kirche aufgenommen worden sind, die aber wegen ihres guten Willens, und weil sie dem Zuge der göttlichen Gnade folgen, auf geistige Weise mit dem Leibe der Kirche vereinigt sind. Aber in ordentlicher Weise wirkt der heilige Geist in der katholischen Kirche vorzüglich durch die von Christus eingesetzten Gnadenmittel und in den Herzen der Gerechten.

3) Der göttliche Geist ist vor allem der Heiligmacher. Von Ihm geht alle Heiligung aus. Darum wird das Werk der Heiligmachung und der Rechtfertigung in demselben Sinne Ihm zugeschrieben, wie dem Vater die Erschaffung und dem Sohne

die Erlösung. Ohne den göttlichen Geist giebt es
keine Heiligung.

4) Der heilige Geist ist der Lehrer.

a) Schon im alten Bunde hat der heilige Geist
durch die Propheten gesprochen; und was die Propheten lehrten und niederschrieben, das lehrten sie
und schrieben sie nieder, erleuchtet vom heiligen
Geiste. Dies wir im nicäanischen Glaubensbekenntnis
ausdrücklich hervorgehoben in den Worten: „Der
gesprochen hat durch die Propheten."

b) Der Heiland versicherte, der heilige Geist,
als Geist der Wahrheit, werde die Apostel alle
Wahrheiten lehren. Und daß Er dies gethan, das
sehen wir auch an den Aposteln. Erst als der Geist
Gottes gekommen, da war den Aposteln klar, daß
die Erscheinung am Pfingstfeste nichts anderes war,
als die Erfüllung dessen, was Joel geweissagt,
und der Apostel Petrus trat auf und sprach:
Das ist es, was durch den Propheten Joel gesagt wurde: „Ich will von meinem Geiste über
alles Fleisch ausgießen." (Apg. 2, 17.)

So ist der heilige Geist der Lehrer der Kirche,
und die Vorsteher der Kirche sprechen aus, was
Er ihnen eingiebt.

c) Der heilige Geist spricht aber auch zu den
Seelen. Er sorgt, daß sie die Liebe Gottes und
Jesu Christi zu Herzen nehmen und dem Worte
des Heils ihre Herzen im Glauben öffnen.

5) Der heilige Geist ist auch der Tröster,
der Beistand oder der Paraklet, der zu allem

Guten anregt, hilft und beisteht, ohne den wir
nichts vermögen. Er wandelt uns um, daß wir ein
neues Leben führen, wie dies bei den ersten Christen
geschah. Und wie der Geist Gottes die ersten
Christen stärkte und kräftigte, so stand Er zu allen
Zeiten den Bekennern Christi bei, also daß sie
über alle Arglist des bösen Feindes siegten, die
Versuchungen überwanden, im Guten stark blieben,
den Glauben standhaft bekannten und durch das
Band der Liebe auf das engste miteinander verbunden waren.

6) Ohne den heiligen Geist können wir weder
glauben noch beten.

„Es kann niemand sagen: Herr Jesus,
außer im heiligen Geiste." (I. Kor. 12, 3.)

§ 29. Die Gaben und die Früchte des heiligen Geistes.

Gar mannigfach sind die Wirkungen des heiligen Geistes auf die begnadigte Menschenseele. Alle
aber haben denselben Zweck: sie sollen die Seelen
heiligen, sei es die Seelen derer, die sie empfangen,
oder die Seelen anderer, auf welche diejenigen,
welche sie empfangen, einwirken sollen. Wenn die
heiligen Wirkungen nicht an sichtbare Zeichen gebunden sind, so nennen wir sie Gaben des heiligen Geistes; die an sichtbare Zeichen gebundene
Gnade wirkt aber in den heiligen Sakramenten.

1) Als Gaben des heiligen Geistes bezeichnen
wir hauptsächlich sieben Wirkungen:

a) Die Gabe der Weisheit ist die Befähigung, alles, was Gott und die ewige Seligkeit betrifft, vollkommen zu betrachten und nur am Himmlischen Freude zu haben.

Von dieser Gabe schreibt der Apostel Jakobus: „Die Weisheit, die von oben herabkommt, ist zuvörderst rein, dann friedsam, bescheiden, nachgiebig, dem Guten hold, voll Barmherzigkeit und guter Früchte; sie richtet nicht und heuchelt nicht." (Jak. 3, 17.)

b) Die Gabe des Verstandes macht uns fähig, die geoffenbarten Wahrheiten zu erkennen. Um diese Gabe bat schon David in den Worten: „Gieb mir Verstand, so will ich forschen in deinem Gesetze und es beobachten von meinem ganzen Herzen."
(Pf. 118, 34.)

c) Die Gabe des Rates ist die Befähigung, zu erkennen, was uns und andern zum Heile dient. Berühmt ob dieser Gabe war besonders der heilige Einsiedler Antonius, zu dem die Leute von nahe und von ferne strömten, um sich Rat bei ihm zu erholen.

d) Die Gabe der Stärke besaßen vor allem die heiligen Martyrer, z. B. der hl. Laurentius, der auf dem Roste in den gräßlichsten Qualen Gott ein Loblied sang. Auch besitzen sie alle frommen Seelen, welche in den Versuchungen dem Herrn treu bleiben und das Kreuz des Heilandes geduldig tragen.

e) Die Gabe der Wissenschaft ist die Fähigkeit, das Wahre vom Falschen, das Recht vom

Unrecht, das Gute vom Bösen zu unterscheiden. Man nennt diese Gabe auch ganz besonders die Wissenschaft der Heiligen. Wer sie besitzt, der giebt den Vorspiegelungen und falschen Lockungen der Welt kein Gehör, sondern erwägt bei allem, was er thut: „Was nützt mir dieses für die Ewigkeit?"

f) Die Gabe der Frömmigkeit macht uns geneigt, den Einsprechungen des heiligen Geistes zu folgen, und erfüllt unser Herz mit himmlischer Freude. Sie treibt uns an, alle unsere Religions= pflichten aus inbrünstiger Liebe zu Gott zu erfüllen.

g) Die Gabe der Furcht Gottes bewirkt, daß wir uns scheuen, Gott auch nur durch die geringste Sünde zu beleidigen. Sie ist unzertrennlich ver= bunden mit der Liebe Gottes; ja die Liebe Gottes ist die Quelle der Furcht Gottes; denn je mehr man Gott liebt, desto ängstlicher fürchtet man, von Ihm getrennt zu werden. Eine solche heilige Furcht bewundern wir an Job, von dem es heißt: „Er fürchtete Gott und enthielt sich vom Bösen."(Job. 1, 1.) Diese Furcht Gottes bezeichnet David als den An= fang der Weisheit. (Pf. 110, 10.)

2) Wir sprechen aber auch von den Früchten des heiligen Geistes, und meinen damit die sitt= liche Beschaffenheit der Menschenseele, welche dem Zuge der göttlichen Gnade sich hingegeben und mit dieser Gnade gewirkt hat. Die Tugenden und die Voll= kommenheiten der Seele sind die Früchte des hei= ligen Geistes. Der Apostel nennt vorzüglich zwölf, indem er schreibt:

„Die Frucht des Geistes aber ist: Liebe,
Freude, Friede, Milde, Geduld, Güte,
Langmut, Sanftmut, Treue, Mäßigung,
Enthaltsamkeit, Keuschheit." (Gal. 5, 22. 23.)

Denn, wie ein guter Baum nur gute Früchte
bringt, so bringt auch der heilige Geist in den
Seelen der Menschen nur Vollkommenheiten hervor.

Anwendung.

Obwohl wir, wenn wir zu Gott beten, allen drei
göttlichen Personen gemeinsam unsere Anbetung und Ver=
ehrung darbringen, so dürfen wir doch auch an jede ein=
zelne Person uns wenden, da jede einzelne Person bei
dem Werke der Erschaffung, der Erlösung und der Hei=
ligung, wenn auch in verschiedener Weise, thätig war.
Wir dürfen also auch eine besondere Andacht zum heiligen
Geist haben. Und da der heilige Geist auch vom Vater
ausgeht, so dürfen wir mit der Kirche beten: „Komm,
heiliger Geist, erfülle unsere Herzen und entzünde in uns
das Feuer deiner Liebe!" Und mit David wollen wir
flehen: „Ein reines Herz erschaff' in mir, o Gott,
und den rechten Geist erneuere in meinem Innern.
Verwirf mich nicht von deinem Angesichte und
deinen heiligen Geist nimm nicht von mir."
                                    (Pf. 50, 12. 13.)

Gebet um die Gaben des heiligen Geistes.

Komm, o Geist der Weisheit! Mache uns kund
den Willen des Vaters uns lehre und sein heiliges Ge=
setz. Amen.

Komm, o Geist des Verstandes! Bewahre uns
vor jeder Gefahr des Irrtums und führe uns ein in die
Wahrheiten des Heils. Amen.

Achter Glaubensartikel.

Ich glaube an den heiligen Geist.

Komm, o Geist des Rates! Lehre uns allezeit das Gute vom Bösen unterscheiden und zeige uns den rechten Weg in den Irrsalen dieses Lebens. Amen.

Komm, o Geist der Stärke! Richte uns auf in der Angst und Trübsal und gieb uns Kraft, den Versuchungen zu widerstehen. Amen.

Komm, o Geist der Wissenschaft! Laß uns die Eitelkeit dieser Welt erkennen und ihre Güter nur zu unserem Heile gebrauchen. Amen.

Komm, o Geist der Gottseligkeit! Bewege unser Herz zur wahren Frömmigkeit, und sei Du unser Anteil hier und in Ewigkeit. Amen.

Komm, o Geist der Gottesfurcht! Durchdringe uns mit dem Gefühle deiner heiligen Gegenwart und halte fern von uns, was Dir mißfällt. Amen.

§ 30. Das Kirchenjahr.

Das Pfingstfest.

Das christliche Pfingstfest schließt sich auf das engste an das erste jüdische Pfingstfest an. Als die Israeliten aus dem Lande Aegypten ausgezogen und in der Wüste angekommen waren, da befahl der Herr dem Moses, daß er den Berg Sinai besteige. Moses that es. Dort gab nun der Herr unter Donner und Blitz dem israelitischen Volke die zehn Gebote, die Er nachher auf zwei steinerne Tafeln schrieb, die in der Lade des Bundes aufbewahrt wurden. (II. Mos. 19, 20; V. Mos. 4, 11.) Zum Andenken an diese Gesetzgebung auf Sinai wurde das Fest der Wochen, d. h. der sieben Wochen nach dem Essen des ungesäuerten Brotes oder nach dem Osterfeste gefeiert. Dieses Fest war aber zugleich

auch das Erntefest, und es wurden die Erstlinge
der Arbeit und von allem, was auf dem Acker
gesäet wurde, dem Herrn dargebracht. (II. Mof. 23, 16.)

Nachdem aber der alte Bund aufgehoben war,
gab Gott zwar keine neue Gesetzgebung, aber Er
sandte seinen heiligen Geist, damit die Gläubigen
des neuen Bundes in das tiefere Verständnis ein-
geführt würden und die Kraft empfingen, das Gesetz des alten Bundes im Geiste der Liebe zu beobachten. Denn Christus ist nicht gekommen, das
Gesetz aufzuheben, sondern es in Erfüllung zu
bringen. (Matth. 5, 17.) Das Brausen des Windes,
welches auf die unwiderstehliche Gewalt hinweist,
mit welcher der heilige Geist wirkt, und die feurigen Zungen erschreckten deshalb weder die Apostel,
noch die Zuhörer aus dem Volke, sondern offen-
barten nur Kraft und Liebe, und machten die
Herzen für die frohe Botschaft empfänglich. Und
die so an diesem Tage dem Zuge der göttlichen
Gnade folgten, bildeten die Erstlinge der christlichen Gemeinde, und so ist das alttestamentliche
Pfingstfest Vorbild, das neutestamentliche aber
Erfüllung.

Als Hauptfest hat Pfingsten auch eine Oktav
und eine Vigil, und in der heiligen Messe wird
nach der Epistel ein Loblied (Sequenz) auf den
heiligen Geist gebetet.

Neunter Glaubensartikel.

Ich glaube an eine heilige, katholische Kirche,
Gemeinschaft der Heiligen.

§ 31. Von der Kirche.

Als der Geist Gottes am Pfingsttage herab-
kam, da waren es nicht die Apostel und die heilige
Jungfrau allein, welche denselben empfingen. Es
hatten sich schon eine Anzahl von Gläubigen zu
ihnen gesellt, und die verharrten mit ihnen im
Gebete. Das waren die 72 Jünger, Nikodemus,
Joseph von Arimathäa, Gamaliel u. a. Bei der
Himmelfahrt waren es schon 500 Brüder. Als
einige Tage nach der Himmelfahrt auf den Antrag
des Petrus, an Stelle des unglücklichen Judas,
Matthias den Aposteln beigezählt wurde, da
waren ungefähr hundertfünfundzwanzig, und als
der Tag des Pfingstfestes angekommen war, da
waren alle beisammen. (Apg. 1, 15. 2, 1.) Das war
die erste Gemeinde der Gläubigen.

Auf die Predigt des Petrus hin ließen sich
noch an demselben Tage dreitausend taufen. Auch
eine große Anzahl Priester trat hinzu. (Apg. 6, 7.)

Die Apostel aber gehorchten dem Befehl Christi,
der sie hinausgehen hieß in alle Welt, um das
Evangelium jeder Kreatur zu verkünden. (Mark. 16, 15.)
Und das Reich Gottes breitete sich aus; die Apostel
und ihre Gehilfen: Philippus, Barnabas, Silas,
Lukas, Markus, Hermes, Apollo und andere be-
reisten nicht nur Palästina und Syrien, sondern

sie besuchten auch Groß- und Kleinasien, die Inseln
des Mittelmeeres, Aegypten, Thessalonien, Grie-
chenland, Illyrien und Italien. Der Herr segnete
die ausgestreute Saat, und sie sahen sich bald von
einer Schar Gläubigen umgeben, die sich „Brüder"
nannten und als solche betrachteten. Sie lehrten
und tauften dieselben nicht bloß, sondern sie rich-
teten auch den Gottesdienst bei ihnen ein und gaben
ihnen Gesetze und Gebote. So entstanden eigentliche, von den Juden und Heiden getrennte Re-
ligionsgenossenschaften. Die Bekenner derselben nannte
man „Christen". Diesen Namen erhielten sie zuerst
in Antiochia, einer großen Stadt in Syrien,
wo Petrus eine Gemeinde gründete, bevor er
der Gemeinde in Rom vorstand.

Aber die Wirksamkeit der Apostel und ihrer
Gehilfen sollte sich nicht auf einzelne Orte beschränken. Sie waren ja die Posaunen, aus welchen
das Wort Gottes bis an die Grenzen der Erde
bringen sollte. Darum verließen sie die Gemeinden
wieder, wenn sie dieselben hinlänglich befestigt hielten,
setzten aber an ihrer Stelle gotterleuchtete Männer
ein, denen sie ihre von Christus empfangene Gewalt
übertrugen. So setzte Petrus in Antiochia den
heiligen Ignatius als Vorsteher ein; Johannes
in Smyrna den heiligen Polykarp, Paulus in
Ephesus den heiligen Timotheus und in Kreta
den heiligen Titus. Von Paulus und Barnabas lesen wir: „Sie verordneten mit Gebet
und Fasten Aelteste in allen Gemeinden und em-

pfahlen sie dem Herrn, an welchen sie gläubig geworden waren." (Apg. 14, 22.)

Aber diese verschiedenen Christengemeinden bestanden nicht als einzelne für sich, ohne sich um
die andern zu kümmern, sondern sie bildeten alle
miteinander wieder eine große, über die ganze Erde
sich erstreckende Gemeinschaft, welche man die Kirche
nennt.

Und da gleich im Anfang neben der wahren
Kirche einzelne Irrlehren und Sekten auftraten,
so wurde diese Kirche schon in der Apostelzeit die
allgemeine oder die katholische Kirche genannt.
Und wie die einzelnen Gemeinden an den Aposteln
und deren Nachfolgern, den Bischöfen, ihre von
Gott gesetzten Hirten hatten, so hatten alle Bischöfe in dem heiligen Apostel Petrus und in dessen
Nachfolger auf dem Stuhle in Rom ihren Ober-
hirten und ihren gemeinsamen Vater.

1) Christus der Herr wollte nicht nur den
Seelen die Gnade erwerben und durch den heiligen
Geist mitteilen lassen, sondern Er wollte auch eine
sichtbare Anstalt gründen, in welcher die Gläubigen
diese Gnade empfangen könnten, ohne daß sie in
Ungewißheit und Zweifel seien, ob sie ihr Heil
auch wirklich fänden. Die Kirche ist diese Heilsanstalt, in welcher Christus das dreifache Amt
als Lehrer, Hoherpriester und König zu unserer
Begnadigung und Beseligung fortsetzt. Das Werk
Christi wird in der Kirche fortgesetzt und vollendet. Durch die Kirche und in derselben werden

wir zur Gemeinschaft Christi aufgenommen und
werden wir Glieder jenes geheimnisvollen Leibes,
dessen Haupt Christus ist.

2) Vorgebildet wurde im alten Bunde die
Kirche durch die Arche Noes, in welcher allein
Rettung gegen die Sündflut zu finden war.

(I. Mof. 6, 14.)

3) Diese Heilsanstalt ist und muß sein eine
sichtbare; denn sie besteht aus der Gesamtheit
der auf Christi Namen Getauften und im wahren
Glauben Vereinigten. In dieser sichtbaren Kirche
giebt es verschiedene Aemter und Vorsteher, auf
die man horchen, und denen man gehorchen muß,
und an die man sich wenden kann.

„Christus selbst hat einige zu Aposteln,
einige zu Propheten, einige zu Evangelisten, einige aber zu Hirten und Lehrern
verordnet für die Vervollkommnung der
Heiligen, für die Ausübung des Dienstes,
für die Erbauung des Leibes Christi.“
(Eph. 4, 11—12.)

An diese Vorsteher der Kirche kann der Gläubige sich wenden, und im bestimmten Fällen muß
er sich an sie wenden. So namentlich, wenn ein
Bruder gesündigt hat und auf gute Ermahnungen,
die ihm zuerst unter vier Augen und sodann vor
einem oder zwei oder drei Zeugen gegeben wurden,
nicht achtet.

Der Kirche Christi ist die Schlüsselgewalt übergeben, und was sie auf Erden löset oder bindet,

das wird auch im Himmel gelöst oder gebunden sein. (Matth. 16, 19.) Aber nur eine sichtbare Kirche kann auf Erden lösen und binden.

Christus vergleicht die Kirche mit einer Stadt auf dem Berge (Matth. 5, 14.), mit einem Licht auf dem Leuchter (Matth. 5, 15.), mit einem Schafstall, in welchen der gute Hirt die Herde führt. (Joh. 10, 16.)

4) Die Kirche ist die Hüterin und die Bewahrerin des Glaubens, die Säule und die Grundfeste der Wahrheit. (I. Tim. 3, 15.) Die Wahrheit aber kann nur Eine sein, und alles, was mit der in der Kirche niedergelegten Wahrheit nicht übereinstimmt, ist Unwahrheit und nicht von Gott. Giebt es nur eine Wahrheit, so giebt es auch nur einen Glauben, und giebt es nur einen Glauben, so kann es auch nur eine Kirche geben, in welcher dieser Glaube zu finden ist.

„Ein Leib und ein Geist, sowie ihr auch berufen seid zu Einer Hoffnung eures Berufes. Ein Herr, Ein Glaube, Eine Taufe." (Eph. 4, 4—5.)

Darum sprach der Herr auch zu Petrus: „Auf diesen Felsen will Ich meine Kirche bauen." Hätte Er mehrere Kirchen gründen wollen, so hätte Er sagen müssen: meine Kirchen, oder: Auf diesen Felsen will Ich eine meiner Kirchen bauen.

Anwendung.

1) Betrachte die unendliche Liebe des dreieinigen Gottes, der die Seelen nicht in Zweifel und Ungewißheit über ihr Seelenheil lassen will.

„Gott will, daß alle Menschen selig werden, und zur Erkenntnis der Wahrheit gelangen." (I. Tim. 2, 4.)

2) Betrachte die unendliche Weisheit Gottes, welcher eine sichtbare Kirche gründete, damit alle sich an dieselbe wenden und ihr Seelenheil erreichen können.

3) Betrachte die große Gnade deiner Auserwählung. Der Herr hat dich vor vielen Tausenden, ja Millionen bevorzugt und schon bei der Geburt durch die heilige Taufe den Weg zur Kirche Gottes finden lassen, während noch Tausende, ja Millionen in der Finsternis schmachten und im Schatten des Todes. Dafür sei recht dankbar und halte fest und treu zu dieser unserer heiligen Mutter.

4) Bedenke aber auch, daß du, weil du in der wahren Kirche bist, auch strenger gerichtet wirst. Wem viel gegeben ist, von dem wird viel verlangt. Lebst du nicht nach den Grundsätzen der Kirche, so wird ein strengeres Gericht über dich ergehen, als über die Heiden. Darum mahnt der Apostel:

„Befleißet euch, euern Beruf und euere Auserwählung durch gute Werke gewiß zu machen." (II. Petr. 1, 10.)

§ 32. Von den Eigenschaften oder Kennzeichen der Kirche.

Die Kirche nennt sich eine, heilige, katholische und apostolische Kirche. Da diese Eigenschaften schon im Glaubensbekenntnisse (Symbolum) aufgeführt werden, so werden sie die symbolischen Eigenschaften genannt. Aus ihnen können wir das ganze Wesen und die ganze Aufgabe der Kirche erkennen, und man kann daher ganz kurz sagen: „Die wahre Kirche ist eins in ihrer Gestalt, heilig in ihrem Gehalt, apostolisch in ihrer Herkunft und katholisch in ihrem Umfang und Zweck."

1. Die Einheit der Kirche.

Das erste und notwendigste Merkmal der wahren Kirche, also der Kirche Gottes, ist deren Einheit. Dies geht aus der Betrachtung folgender Punkte hervor:

a) Die Kirche ist der Leib Christi. Zu diesem Leib müssen wir alle, die wir in Christo getauft sind, zusammengefügt sein. Es giebt aber nur einen Leib Christi, und dieser eine Leib hat nur einen Geist.

„Gleich wie der Leib Einer ist und viele Glieder hat, alle Glieder des Leibes aber, obschon ihrer viele sind, doch Ein Leib sind, also auch Christus. Denn durch Einen Geist sind wir alle zu Einem Leibe getauft." (I. Kor. 12, 12—13.)

Es kann also nur eine Kirche geben.

b) Christus der Herr ist gekommen, alle Menschen zur Seligkeit zu berufen, aber die Menschen sollten mit Christo Eins sein, wie Er mit dem Vater. Darum betete der Herr, bevor Er seinem Leiden entgegenging:

„Ich bitte nicht für sie (die Apostel) allein, sondern auch für diejenigen, welche durch ihr Wort an Mich glauben werden, damit alle Eins seien, wie Du, Vater, in Mir bist, und Ich in Dir bin, damit auch sie in Uns Eins seien." (Joh. 17, 20. 21.)

Christus ist aber zugleich der gute Hirt, welcher uns alle um sich herum versammeln will, aber nur in einem Schafstall, in einer Kirche:

„Ich habe noch andere Schafe, die nicht aus diesem Schafstalle sind; auch diese muß Ich herbeiführen, und sie werden meine Stimme hören, und es wird Ein Schafstall und Ein Hirt werden." (Joh. 10, 16.)

In dieser Kirche ist nur ein Glaube, wie es ja nur eine Wahrheit geben kann.

„Ein Leib und Ein Geist, wie ihr auch berufen seid zu Einer Hoffnung eures Berufes. Ein Herr, Ein Glaube, Eine Taufe, Ein Gott und Vater aller, der da ist über alle und durch alles und in uns allen." (Eph. 4, 4—6.)

Wie die Kirche jetzt ist, so war sie alle Zeit, und wie sie bei uns ist, so ist sie auf der ganzen Erde. Wo auch der katholische Christ hinkommen mag, so findet er sich als Kind der Kirche heimisch, selbst dann, wenn er die Sprache des Landes nicht einmal versteht; denn er findet für seine Seele dasselbe Opfer, dasselbe Heiligtum. Er findet überall unsere heilige, katholische Kirche.

2. Die Heiligkeit der Kirche.

Wie die Einheit eine durchaus unumgängliche Eigenschaft der Kirche ist, so ist es auch die Heiligkeit. Die wahre Kirche ist heilig; denn da das Haupt, Christus, heilig ist, so muß es auch der Leib sein. Deshalb ist Christus, der Herr, gestorben, um durch sein Blut die Kirche zu heiligen.

„Christus hat die Kirche geliebt und sich selbst für sie hingegeben, um sie zu heiligen und zu reinigen in der Wassertaufe durch das Wort des Lebens, um selbst herrlich die Kirche sich darzustellen, ohne Makel, ohne Runzel oder etwas dergleichen, sondern daß sie heilig und unbefleckt sei." (Eph. 5, 25—27.)

Christus, der Herr, hat für die Seinigen gebetet, nicht nur, daß sie einig, sondern auch, daß sie heilig seien:

„Heilige sie in der Wahrheit. — Ich heilige Mich selbst für sie, damit auch sie in der Wahrheit geheiligt seien."

(Joh. 17, 17. 19.)

Darum sind auch die Gläubigen zur Heiligkeit berufen.

„Gott hat uns in Christo erwählet vor Grundlegung der Welt, daß wir heilig und untadelhaft vor Ihm seien in Liebe." (Eph. 1, 4.)

Es kann also auch nur eine Kirche, welche heilig ist und wirklich Heilige in ihrer Mitte besitzt, die Kirche Jesu Christi sein. Das ist nun aber auch keine andere, als die römisch-katholische Kirche; denn sie ist die einzige, welche nicht nur innerlich heilig ist und Heiligkeit verlangt, sondern auch in ihren Gliedern Heilige erzielt hat, und fortwährend erzielt, also daß die Früchte des Geistes, der sie heiligt, auch äußerlich in die Erscheinung treten.

a) Die katholische Lehre verlangt und bezweckt Heiligkeit. Sie weist z. B. den Sünder hin auf den allbarmherzigen Gott, der auch den größten Sündern verzeiht.

b) Ebenso haben die Sakramente der katholischen Kirche zum Endzweck die Heiligung der Empfangenden, und zwar alle ohne Ausnahme. Und ebenso sollen die Kirchengebote bei den Gläubigen das Streben nach Heiligkeit unterstützen und sie im Kampfe gegen das Böse üben und stärken, wie dies namentlich durch gewissenhaftes Beobachten des Fastengebotes geschieht.

c) Die Gebote und Mittel, welche die katholische Kirche den Gläubigen an die Hand giebt, haben Tausende und abermal Tausende schon auf dieser Erde zur Stufe der Heiligkeit gelangen lassen. Nicht nur die Apostel und ersten Jünger dürfen wir als Heilige verehren. Zu allen Zeiten der Kirche hat es heilige Martyrer, Bekenner, Lehrer, Jungfrauen, Witwen, heilige Kinder gegeben.

Und nicht bloß die Zeiten der ersten christlichen Kirche und das Mittelalter haben Heilige hervorgebracht. Zu allen Zeiten hat die Kraft Gottes in der Kirche gewirkt. Seit dem Jahre 1500 bis auf unsere Tage konnten 96 Verstorbene unter die Zahl der Heiligen und 320 unter die Zahl der Seligen aufgenommen werden. Davon starben 297 als Martyrer.

Und wer zählt die Millionen frommer Seelen, welche still und unbekannt Gott dienten in Werken der Frömmigkeit und der Abtötung, oder in Werken der Barmherzigkeit, und der Nächstenliebe, deren Namen die Welt vergessen oder nie kennen gelernt hat, die aber eingeschrieben sind im Buche des Lebens?

Und Gott hat die Heiligkeit vieler Seelen in der Kirche durch Wunderkräfte bestätigt, auf daß sie Zeugnis von Christo geben und bestätigen konnten, daß die Kraft des Allerhöchsten nicht schwach geworden. So, um nur zwei Beispiele aus unzähligen hervorzuheben, heilte der heiligen Bernhard von Clairvaux an einem Tage in einem einzigen Orte bei Reinfelden, wo er durchkam, 9 Blinde, 10 Taube und Stumme, 18 Hinkende und Lahme. Und bei der Heiligsprechung des heiligen Ingnatius von Loyola konnten 260 unbestrittene Wunder aufgeführt werden. Solche Zeugnisse entbehren alle andern Religionsgemeinschaften.

5. Die Katholizität oder die Allgemeinheit der Kirche.

a) Die Kirche Gottes muß also zu allen Zeiten bestanden haben und noch bestehen. Sie

darf nie untergegangen und wieder erweckt, sie darf
nie, wenn auch nur kurze Zeit, unterbrochen worden sein. Schon dieser einzige Umstand bricht
über alle Sekten den Stab. Der Christ muß sich
an die bestehende Kirche halten, er darf nicht der
bestehenden Kirche eine neue Kirche entgegensetzen.

Alle Religionsgemeinschaften haben sich einen
Namen beigelegt, der sie von andern unterscheiden
soll. Dieser Beiname allein schon deutet an, daß
es eine Zeit gegeben hat, in welcher sie nicht exi-
stierten. Wir wissen von allen Bekenntnissen, um
welche Zeit sie aufkamen, und wer ihr Stifter
war. Vor Montanus gab es keine Montanisten,
vor Novatian keine Novatianer, vor Arius keine
Arianer, vor Luther keine Lutheraner, vor Calvin
keine Calvinisten. Nur die römische Kirche nennt
sich und hat sich von jeher genannt die katholische,
ohne daß ihr dieser Name je einmal streitig gemacht worden wäre.

b) Wie die Kirche gestiftet ist, um für alle
Zeiten zu bestehen, so ist auch bestimmt, alle Menschen an allen Orten in sich aufzunehmen, welche,
nachdem sie die beseligende Lehre des Evangeliums
kennen gelernt haben, dem Zuge der göttlichen
Gnade folgen und in sie eintreten wollen. Darum
erhielten die Apostel und die Jünger den Auftrag:
„Gehet hin und lehret alle Völker."
(Matth. 28, 19.)

Und der Heiland versicherte ausdrücklich: „Es
wird dieses Evangelium vom Reiche in

der ganzen Welt allen Völkern zum Zeugnisse gepredigt werden." (Matth. 24, 14.)

c) Diesem Auftrag hat nun die römische Kirche
von den Zeiten der Apostel bis auf unsere Zeiten
ununterbrochen sich unterzogen. Fortwährend sind
Sendboten des göttlichen Wortes von ihr ausge-
gangen und haben in allen Weltteilen das Evangelium verkündet. Und sie haben ganze Völker
bekehrt, und Hunderttausende, die im Schatten des
Todes wandelten, haben dem Lichte und dem Leben
sich zugewendet. Es ist ganz erstaunlich, wie die
Thätigkeit der Missionäre der römischen Kirche gesegnet wurde. Allein der heilige Franziskus
Xaverius († 1552) z. B. bekehrte nur in einem
Monat in Travankor in Indien 10,000 Götzen-
diener, so daß 45 Kirchen gebaut werden mußten.

d) Da die katholische Kirche über die ganze
Erde verbreitet ist, so ist sie auch vielen Angriffen
ausgesetzt. Es giebt keine Zeit, in welcher sie nicht
in dem einen oder dem andern Lande Verfolgung
leidet. Desungeachtet bezeugt schon die Zahl der
Bekenner, daß sie den Namen „allgemeine Kirche"
verdient; denn die Zahl der Katholiken auf dem
ganzen Erdkreis beträgt 218 Millionen, während
die Zahl der Protestanten 123 Millionen beträgt.
Aber die 218 Millionen Katholiken sind im Glauben
einig, während die 123 Millionen Protestanten in
ungefähr 300 Selten zerfallen, von deren Dienern ein jeder etwas anderes predigt, von deren
Gläubigen ein jeder glaubt, was er will. Diese

beklagenswerte Zerriſſenheit beweiſt unwiderleglich, daß die römiſche Kirche ſich mit Recht die katho= liſche nennt.

4. Die Apoſtolizität der Kirche.

Die wahre Kirche Jeſu Chriſti muß notwendig apoſtoliſch ſein. Die Apoſtel hauptſächlich haben den Auftrag erhalten, die Lehre Jeſu Chriſti zu predigen, die Sakramente zu ſpenden, die Kirche zu regieren und wo immer eine Kirche ſich für die Kirche Jeſu Chriſti ausgeben wollte, da mußte ſie nachweiſen, daß ſie jene ſichtbare Geſellſchaft ſei, welche die Apoſtel gegründet haben, und welche ſich bis auf unſere Zeit forterhalten hat.

„Ihr ſeid erbaut auf die Grundveſte der Apoſtel.“ (Eph. 2, 20.)

a) Die wahre Kirche darf, wie die heilige Schrift dies ausdrücklich bezeugt, niemals aufhören. Ihre Biſchöfe und Päpſte, welche von Gott beſtellt ſind, die Kirche zu regieren, dürfen alſo nie eine Unterbrechung erlitten haben, ſonſt hätte ja die Kirche aufgehört zu ſein. Nur dadurch, daß die Biſchöfe und Prieſter der Kirche ſich gewiſſermaßen die Hände reichten und eine ununterbrochene Kette bildeten, konnte man die wahre Kirche von den falſchen Sekten, die willkürlich gewählte Vorſteher hatten, unterſcheiden. Dies hob ſchon Tertullian (200 n. Chr.) hervor, indem er von den Ketzern ſchrieb:

„Sie ſollen den Urſprung ihrer Kirche auf= weiſen. Sie ſollen die Aufeinanderfolge ihrer

Neunter Glaubensartikel.

Eine heilige, allgemeine chriftliche Kirche. — Gemeinfchaft
der Heiligen.

Bischöfe vom ersten Anfange her zeigen, so daß ihr erster Bischof einen von den Aposteln oder von den apostolischen Männern, mit dem er in Gemeinschaft stand, zum Vorfahren habe."

Wenn nun die Ketzer schon zu des alten Tertullians Zeiten dies nicht konnten, um wieviel weniger werden die Sektenstifter späterer Jahrhunderte es thun können. Um nur ein Beispiel anzuführen: Wäre es nicht lächerlich, wenn man behaupten wollte, Luther, Calvin und Zwingli seien die rechtmäßigen Nachfolger der Bischöfe gewesen, die sie zu Priestern geweiht hätten, nachdem sie doch von denselben abfielen?

b) Dagegen kann die römisch-katholische Kirche nachweisen, daß ihr jetziges Oberhaupt Leo XIII., den Gott segne, der zweihundertzweiundsechzigste Nachfolger des hl. Apostels Petrus ist, so daß der Bischofssitz in Rom heute noch, und zwar er allein, der apostolische Stuhl genannt wird. Und sie kann nachweisen, daß es in der ganzen Welt keinen katholischen Bischof giebt oder je gegeben hat, der nicht mit dem römischen Stuhle in Verbindung stände und sich nicht demselben unterwürfe. Eine solche fortdauernde, allen Stürmen und Angriffen Widerstand leistende Gesellschaft steht einzig und allein da unter allen menschlichen Vereinigungen; an ihr ist erfüllt die Verheißung des Heilandes:

„Du bist Petrus, und auf diesen Felsen will Ich meine Kirche bauen, und die Pforten der Hölle werden sie nicht überwältigen." (Matth. 16, 18.)

Zwölf Glaubensartikel.   17

§ 33. Die kirchliche Rangordnung oder Hierarchie.

Der Papst.

Die Kirche ist eine Versammlung, eine Gesell=
schaft, eine Vereinigung von Personen, die in geist=
licher Hinsicht eine große Gemeinschaft bilden, wie
die Gesamtheit einer gewissen Menge Bürger den
Staat bilden. Eine jede solche sichtbare Gesellschaft
bedarf einer Gliederung, einer Verfassung und eines
Oberhauptes. Und da die Kirche nicht eine bürger=
liche, sondern eine von Gott gegründete Gemein=
schaft ist, muß ihre Verfassung auch eine von Gott
geordnete sein. Das Oberhaupt der Kirche ist der
Stellvertreter Christi, das sichtbare Oberhaupt aller
Gläubigen auf Erden, wie Christus der Herr das
unsichtbare Oberhaupt der ganzen Kirche ist, der
im Himmel, wie der auf Erden und der unter der
Erde.

Zu diesem Oberhaupte hat nun Christus vor
seiner Himmelfahrt den hl. Petrus eingesetzt, dem
Er dreimal den Auftrag gab:

„Weide meine Lämmer; weide meine
Lämmer; weide meine Schafe." (Joh. 21, 15—17.)

1) Die heilige Schrift bezeugt klar und deut=
lich, daß Christus den Petrus vor allen andern
Aposteln ausgezeichnet und ihm eine Obergewalt
gegeben habe.

Einst fragte der Herr seine Jünger: „Für wen
halten Mich die Leute?" Und sie sprachen: „Einige

für Johannes den Täufer, andere für Elias, andere für Jeremias oder einen aus den Propheten." Und Jesus sprach zu ihnen: „Ihr aber, für wen haltet ihr Mich?" Darauf gab nur Simon Petrus Antwort und sprach: „Du bist Christus, der Sohn des lebendigen Gottes." Jesus aber antwortete und sprach zu ihm: „Selig bist du, Simon, Sohn des Jonas; denn Fleisch und Blut hat dir das nicht geoffenbart, sondern mein Vater, der im Himmel ist." Und Ich sage dir: „Du bist Petrus, und auf diesen Felsen will Ich meine Kirche bauen, und die Pforten der Hölle werden sie nicht überwältigen. Und dir will Ich die Schlüssel des Himmelreiches geben. Was immer du binden wirst auf Erden, das soll auch im Himmel gebunden sein, und was immer du lösen wirst auf Erden, das soll auch im Himmel gelöset sein." (Matth. 16, 13—19.)

Diesen Vorrang erkennt auch das Verzeichnis der Apostel an (Matth. 10, 2.), welches den Petrus den Ersten nennt, nämlich nicht den, welcher zuerst ein Jünger des Herrn wurde, dies war Andreas (Joh. 1, 40.), sondern den, welcher der vornehmste ist und an der Spitze der Apostel steht.

2) Daß Petrus diesen Vorrang auch stets ausübte, ersehen wir aus der heiligen Schrift. Er war es, der die Apostel aufforderte, an Stelle des Judas einen neuen Apostel zu wählen. (Apg. 1, 15.) Er verkündigte am Pfingstfest vor allen die Lehre vom Gekreuzigten. (Apg. 2, 14.) Er hielt Gericht über Ananias und Saphira. (Apg. 5, 3.) Er verrichtete

das erste Wunder an dem Lahmgebornen. (Apg. 3, 6. 7.)
Dem **Petrus** ward die Offenbarung zu teil, daß
auch Heiden, wie der Hauptmann Cornelius, in die
Kirche aufgenommen werden dürfen (Apg. 10, 47. ff.),
und zwar ohne vorhergegangene Beschneidung.

(Apg. 15, 7.)

3) In der alten Kirche zweifelte niemand an
dem Vorrang des hl. Petrus. Der Streit hierüber
begann erst, als die Bischöfe des neu erbauten und
zur kaiserlichen Residenz erhobenen Konstantinopel
sich dieselben Befugnisse für das Morgenland an=
maßten, die der Bischof von Rom über die ganze
Kirche ausübte. Die Lehrer und Väter der Kirche
sind in diesem Punkte einig.

Der hl. Chrysostomus schreibt: „**Petrus ist
Hirt und Haupt der Apostel.**"

Rechte und Auszeichnungen des Papstes.

1) Die Rechte und Befugnisse des Papstes sind teils
solche, welcher göttlicher Einsetzung sind, teils solche, welche
im Laufe der Zeit aus der immer mehr sich erweiternden
Regierung der Kirche mit Naturnotwendigkeit sich ergaben.
Demgemäß steht es dem Papste zu:

a) zu fordern, daß alle Kirchen der Christenheit mit
ihm, als dem Mittelpunkt der Einigkeit, in steter Ver=
bindung stehen und in dieser Verbindung bleiben;

b) zur Erhaltung der Einigkeit die Oberaufsicht in
allem zu führen, was Glaube, Sitten, Kirchenverfassung
und Kirchenzucht anbelangt, Gesetze zu geben, Anordnungen
zu treffen und ausführen zu lassen;

c) das Recht, die äußern Kirchenangelegenheiten mit
den weltlichen Mächten durch Konkordate (Uebereinkommen)
zu regeln;

d) das Recht, von den Bischöfen und Kirchenvorstehern Berichte über alle auf die Einigkeit der Kirche sich beziehenden Angelegenheiten zu fordern;

e) das Recht, Gesandte und Botschafter, ständige oder zeitweilige, zu senden, um die kirchlichen Angelegenheiten an Ort und Stelle besorgen und ordnen zu lassen;

f) das Recht, allgemeine Kirchenversammlungen einzuberufen, den Vorsitz dabei zu führen, deren Beschlüsse zu bestätigen, zu verkünden, ausführen zu lassen, diese Versammlungen, wenn notwendig, zu vertagen oder ganz aufzulösen;

g) das Recht, bei entstandenen Glaubensstreitigkeiten Entscheidungen zu geben;

h) die Befugnis, das selbst auszuführen, was der Bischof ausführen sollte, wenn der Bischof oder eine andere geistliche Behörde an der Ausführung verhindert ist oder eine Nachlässigkeit in Erfüllung ihrer Pflicht sich zu schulden kommen läßt;

i) das Recht, diejenigen zu schützen, welche sich in geistlichen Angelegenheiten für gekränkt glauben, und deren Berufungen (Appellationen) anzunehmen. Dagegen hat er auch das Recht, widerspenstige Glieder von der Kirche auszuschließen;

k) das Recht, wenn es die Notwendigkeit erheischt, oder wenn ein besonderer Nutzen zu erwarten ist, von der Beobachtung allgemeiner Kirchengesetze zu entbinden.

Außerdem giebt es noch eine Reihe von Rechten, welche mit Notwendigkeit dem Papste zustehen müssen, und die er auch wirklich ausübt, damit eine geordnete Kirchenregierung möglich ist. Er ernennt die Kardinäle, bestätigt die Wahl, Versetzung und Abdankung der Bischöfe, läßt Bezirke, wo Gläubige, aber keine Bischofssitze sind, durch Apostolische Vikare verwalten 2c.

2) Die Auszeichnungen, deren der Papst sich erfreut, sind hauptsächlich:

a) der Titel: Heiliger Vater, Vikarius (Stellver-

treter, Statthalter) Christi, Patriarch des Abendlandes,
Primas Italiens, Metropolit der römischen Kirchenpro=
vinz, Bischof von Rom;

b) der gerade Hirtenstab, auf welchem oben ein
doppeltes Kreuz steht, welcher dem Papste vorgetragen wird;

c) die dreifache Krone oder die Tiara;

d) der Thron oder die cathedra Petri, der Apo=
stolische Stuhl genannt, welcher dem Papste als dem
obersten Lehrer der Christenheit vor allen andern Bischöfen
zusteht;

e) der Fußkuß.

Der Papst selbst nennt sich demütig: „Knecht der
Knechte Gottes."

Schreiben des Papstes, in welchen hauptsächlich Gna=
den und Privilegien gewährt oder minderwichtige Ent=
scheidungen getroffen werden, nennt man Breven. Ent=
halten dieselben wichtige Entscheidungen oder gesetzliche
Bestimmungen, so werden sie Bullen genannt. Rund=
schreiben des Papstes an sämtliche Bischöfe der Erde heißen
Encykliken.

§ 34. Von den Bischöfen.

Der Herr hatte gleich beim Anfange seines
öffentlichen Auftretens Männer um sich gesammelt,
die sein Evangelium in allen Ländern verkünden
sollten, und denen Er den Beistand des heiligen
Geistes zu diesem Werke verhieß und sandte. Der
Evangelist Matthäus berichtet uns:

„Die Namen der zwölf Apostel aber sind diese:
Der erste: Simon, welcher Petrus genannt wird,
und Andreas, sein Bruder; Jakobus, der Sohn
des Zebedäus; Johannes, sein Bruder; Philip=
pus und Bartholomäus; Thomas und Mat=

thäus, der Zöllner; Jakobus, der Sohn des Alphäus, und Thaddäus; Simon, der Chananäer, und Judas Iskariot, derselbe, der Ihn überliefert hat." Diese zwölf sandte der Herr aus; sie sollten predigen und sagen: „Das Himmelreich ist nahe." (Matth. 10, 1—7.)

1) Die von Christus an seiner Stelle ausgesandten Apostel sollten dasselbe dreifache Amt in der Kirche ausüben, das der Heiland ausgeübt hatte: das Lehramt, das hohepriesterliche und das königliche Amt. Zu den Aposteln sprach der Herr:

„Wie Mich der Vater gesandt hat, so sende Ich euch." (Joh. 20, 21.)

„Thuet dies (was der Heiland beim letzten Abendmahle that) zu meinem Andenken."

(Luk. 22, 19.)

„Empfanget den heiligen Geist. Welchen ihr die Sünden nachlasset, denen sind sie nachgelassen, und welchen ihr sie behaltet, denen sind sie behalten." (Joh. 20, 23.)

Die Apostel sind also die wahren Stellvertreter Christi, und es gebührt ihnen deshalb die höchste Ehrfurcht.

„Wer euch höret, der höret Mich, und wer euch verachtet, der verachtet Mich; wer aber Mich verachtet, der verachtet Den, der Mich gesandt hat." (Luk. 10, 16.)

2) Wie aber die Vollgewalt des hl. Petrus notwendig auf einen Nachfolger übergehen mußte,

so auch die Pflichten und Befugnisse der übrigen
Apostel.

3) Die, welche zum Amte eines Apostels aus-
gewählt wurden, waren dadurch von den übrigen
Gläubigen geschieden und durch ihre Würde ausgezeichnet. Sie empfingen eine besondere Weihe.

4) Die Rechte des Bischofs sind: Er ist der
oberste Hirte in seinem Sprengel, den man Diöcese
nennt. Alle Gläubige, alle Priester und Kleriker,
alle geistlichen Institute stehen unter ihm. Kein
Geistlicher darf irgend eine kirchliche Funktion ausüben, ohne seine Vollmacht oder Erlaubnis. Er
kann jede geistliche Gewalt zu jeder Zeit ganz oder
zeitweise widerufen. Er allein darf aussprechen,
wer würdig und tauglich ist, die heiligen Weihen
zu empfangen, und er allein erteilt dieselben oder
läßt sie erteilen. Er sorgt dafür, daß Gottesdienst
und Seelsorge in Uebereinstimmung mit den Kirchen-
gesetzen verwaltet werden, er beaufsichtigt den Re-
ligionsunterricht in Kirche und Schule, oder erteilt
Vollmacht hierzu. Mit dem Papst bilden alle Bischöfe
die allgemeinen Kirchenversammlungen. Der Bischof
verkündet die Schreiben der Päpste und die Beschlüsse der Kirchenversammlungen und erläßt Hirten-
briefe an die Gläubigen seiner Diöcese. Er allein
spendet oder läßt spenden die Sakramente der Fir-
mung und der Priesterweihe, weiht in der Karwoche die heiligen Oele und kann auch besonders
schwere Sünden zur Lossprechung sich vorbehalten.
Er allein konsekriert, d. h. weiht oder läßt konse-

krieren Kirchen und Altäre. Der Bischof genießt eine vorzügliche Auszeichnung. Er trägt beim feierlichen Gottesdienst unter anderm die Inful oder Mitra, eine besondere Kopfbedeckung, wie dem Hohenpriester Aaron schon ein Kopfbund zu tragen vorgeschrieben war, und den Hirtenstab, das Sinnbild der geistlichen Obhut über seine Diöcesanen. Auch sitzt oder kniet er während des Gottesdienstes auf einem Throne. Selbst im gewöhnlichen Leben trägt er ein großes Brustkreuz (Pektorale) und einen Ring, den die Gläubigen, welche mit ihm sprechen, küssen.

§ 35. Von den Priestern, den Diakonen und den niedern Klerikern.

Nachdem der Heiland die Apostel ausgesendet, verordnete Er noch andere zweiundsiebenzig und sandte sie paarweise vor sich in alle Orte und in alle Städte, wo Er selbst hinkommen wollte. (Luk. 10.)

Auch diese wirkten im Namen Jesu Wunder und Zeichen, so daß sie, als sie zum Herrn zurückkehrten, sich rühmen konnten: „Auch die Teufel sind uns unterthan in deinem Namen." (Luk. 10, 17.)

1) Wie die Bischöfe an die Stelle der Apostel treten, so treten die Priester an die Stelle der zweiundsiebenzig Jünger. Die Priester sind die Gehilfen der Bischöfe, in der Seelsorge, im Predigtamte und im Ausspenden der heiligen Sakramente.

2) Gleich nachdem in Jerusalem eine christliche Gemeinde sich gebildet hatte, fanden die Apostel, um sich ungehindert der Verkündung des Evange-

liums widmen zu können, es für notwendig, Ge-
hilfen zu erwählen, die zum Unterschiede von den
Priestern hauptsächlich die Armenpflege besorgten.
Man nannte diese Gehilfen Diakonen. (Apg. 6.)

Im Laufe der Zeit wurden die Diakonen auch
zu geistlichen Verrichtungen, namentlich zum Taufen
und Predigen, beigezogen. Sie unterstützten die
Priester beim heiligen Meßopfer, wie die Leviten
des alten Bundes die Priester unterstützten. Auch
den Diakonen mußten, um ihnen ihre Geschäfte
zu erleichtern, Gehilfen beigegeben werden, welche
man Unterdiener oder Subdiakonen hieß. Wie
die Diakonen, so empfingen auch die Subdiakonen
einen Weihe. Beide Weihen gelten mit der Priesterweihe als höhere Weihen, und die Empfänger
sind, wie die Priester, zum Breviergebet und zum
ehelosen Stande, wie zur Beobachtung eines geistlichen Wandels verpflichtet.

3) Der Gottesdienst der Kirche ist ein heiliger
Dienst, und geheiligt sind alle kirchlichen Verrichtungen. Die Kirche als Gotteshaus ist ein gehei-
ligtes Haus, weil zum Gottesdienste bestimmt. Die
zum Dienste Gottes bestimmten Gefäße sind heilige
Gefäße, und alle Dienstleistungen sollen mit Ge-
wissenhaftigkeit und Ehrerbietung verrichtet werden.
Die Kirche hat daher alle kirchlichen Verrichtungen,
die Hut des Hauses, die Obhut über die heiligen
Gefäße u. s. w. besonders zuverlässigen Männern
anvertraut, die sie aus der Zahl der Tauglichen
auswählt, und denen sie unter Gebet ebenfalls eine

Weihe erteilt. Solcher Weihen giebt es vier, welche die niedern Weihen genannt werden, und zwar sind dies von unten angefangen:

a) Die Weihe der Thürhüter oder Ostiarier.

b) Die Weihe der Leser oder Lektoren.

c) Die Weihe der Beschwörer oder Exorcisten.

d) Die Weihe der Leuchterträger oder Akolythen.

Als Vorbereitung auf den Empfang der niedern Weihen wurde denen, welche sich zum Eintritt in den geistlichen Stand meldeten, die Tonsur erteilt, d. h. es wurde ihnen ein Teil des Hauptes glatt geschoren. Diese Ceremonie sollte anzeigen, daß sie jetzt nicht mehr ihre eigenen Herren seien, sondern sich Christo zu eigen geben wollten.

§ 36. Geistliche Würdenträger.

Außer den eigentlichen Gliedern der Hierarchie (Papst, Bischöfe, Priester und Diakonen) giebt es unter den in den höheren Weihen stehenden noch geistliche Würdenträger, welche für Innehaltung bestimmter Pflichten auch bestimmte Rechte genießen und besonderer Auszeichnungen sich erfreuen, deren Würde aber erst im Laufe der Zeit aus äußern Gründen geschaffen wurde. Dahin gehören:

a) Die Kardinäle, b) die Patriarchen, c) die Primaten, d) die Erzbischöfe, e) die Weihbischöfe. Ferner sind zu nennen die Vorsteher der Mönchs= orden, welche in der Regel Aebte (Väter) heißen.

Anwendung.

Der Apostel lehrt:

„Gebet jedem, was ihr schuldig seid, Steuer,
wem Steuer, Zoll, wem Zoll, Ehrfurcht, wem
Ehrfurcht, Ehre, wem Ehre gebührt." (Röm 13, 7.)

Sicherlich werden wir vor denjenigen die größte Ehr=
furcht hegen und ihnen die größte Ehre geben müssen, die
der Herr zu Vorstehern der Kirche berufen und denen Er
die größten Schätze der Kirche: die richterliche Gewalt,
das Wort Gottes und die heiligen Sakramente, anvertraut
hat. Von diesen gilt:

„Nicht ihr habt Mich erwählt, sondern Ich
habe euch auserwählt." (Joh. 15, 16.)

Wie wir den geistlichen Obern, insbesondere den Bi=
schöfen und Priestern, Ehre schuldig sind, so schulden wir
ihnen auch Gehorsam, und zwar einen willigen und
freudigen Gehorsam, da wir wissen, daß alle ihre Gebote
und Gesetze nur unser Seelenheil bezwecken. In den Bi=
schöfen und Priestern gehorchen wir Christo, der zu den
Aposteln gesprochen:

„Wer euch hört, der hört Mich; wer euch
verachtet, der verachtet Mich; wer aber Mich
verachtet, der verachtet den, der Mich gesandt
hat." (Luk. 10, 16.)

§ 37. Die Unfehlbarkeit der Kirche.

„Gott will, daß alle Menschen selig
werden und zur Erkenntnis der Wahrheit
gelangen." (I. Tim. 2, 4.)

Damit aber dies geschieht, muß die Wahrheit
allen Menschen verkündet werden; denn nur da=
durch gelangt der Mensch zur Gnade des Glaubens.

„Der Glaube kommt vom Anhören, das

Anhören aber von der Predigt des Wortes Christi." (Röm. 10, 17.)

Das Wort Gottes muß also verkündigt werden. Es wird aber verkündigt, gleichviel ob es gepredigt oder in der heiligen Schrift gelesen wird.

Da nun aber die Hörer und Lehrer des göttlichen Wortes zu allen Zeiten schwache und fehlerhafte Menschen sind, so hat es auch zu aller Zeit solche gegeben, die das Wort Gottes falsch auffaßten und es mit ihren menschlichen Meinungen vermischten. Es entstanden gleich anfangs Streitigkeiten, weil einige, zu denen unter andern Hymenäus und Philetus gehörten, von der Wahrheit abfielen (II. Tim. 2, 17.) und deshalb vom Apostel Paulus aus der Kirche ausgeschlossen wurden.

(I. Tim. 1, 20.)

Christus hat nun seine Lehre der von Ihm gestifteten Heilsanstalt, der Kirche übergeben, also daß sie die Hüterin und Bewahrerin des Glaubens ist.

Bei dieser Kirche aber ist der Geist der Wahrheit, von dem sie nie verlassen wird, nach der Verheißung des Herrn:

"Ich will euch einen andern Tröster geben, daß Er in Ewigkeit bei euch bleibe, den Geist der Wahrheit." (Joh. 14, 16. 17.)

So lange die Kirche vom Geiste Gottes nicht verlassen wird, kann sie nicht irren. Der Geist der Wahrheit aber bleibt in Ewigkeit bei der Kirche. Was also die Kirche zu glauben vorstellt, ist geoffenbarte Wahrheit. Was sie lehrt, muß jeder Christ mit Herz und Mund bekennen, ihrer Entscheidung muß jeder sich unterwerfen.

Die sichtbare Kirche Gottes hat also keinen Augenblick aufgehört, zu sein. Das Wort Gottes ist in der Kirche nie verunreinigt und mit Menschenwort vermischt worden. Allerdings hat es zu allen Zeiten die verschiedensten Irrlehrer gegeben, aber die, welche mit dem Glauben der Kirche nicht übereinstimmten, wurden auch zu allen Zeiten von der Kirche ausgeschlossen und als Ketzer gebrandmarkt.

Die Kirche belehrt aber ihre Gläubigen durch die rechtmäßigen Nachfolger des Petrus und der Apostel, d. h. durch den Papst und die Bischöfe. Bei diesen steht das Lehramt, und sonst niemand in der Kirche hat das Recht zu lehren. Darum wird die Kirche geschieden in eine lehrende und eine hörende. Zu ersterer gehören der Papst und die Bischöfe. Zu der hörenden Kirche gehören die Gläubigen, selbst die, welche mit dem Religionsunterrichte betraut sind, wie die Priester, weil diese nur im Auftrage der Bischöfe lehren und nur lehren dürfen, was die Kirche zu glauben vorstellt.

Der Papst und die Bischöfe sind es, welche mit Paulus sprechen können:

„Wir sind Gesandte an Christi Statt, indem Gott gleichsam durch uns ermahnt."

(II. Kor. 5, 20.)

Darum konnte und durfte auch der heilige

Bischof Augustinus zu den ihm anvertrauten Gläubigen sprechen: „Wir sind eure Bücher."

Von den Kirchenversammlungen.

Obgleich den Aposteln von dem Heiland die Versicherung erteilt wurde, der Geist der Wahrheit werde in Ewigkeit bei ihnen bleiben, so ist die Unfehlbarkeit in Sachen des Glaubens und der Sitte doch nicht jedem einzelnen Bischofe geschenkt, sondern nur der Gesamtkirche, daß heißt einer vom Papste bestätigten allgemeinen Versammlung der Bischöfe und dem Oberhaupte der Kirche selbst.

So oft eine Irrlehre aufgebracht wurde, versammelten sich, wenn es möglich war, die zunächst wohnenden Bischöfe, untersuchten die vorgetragene Lehre und gaben ihre Entscheidung ab, ob diese Lehre mit dem katholischen Glauben übereinstimme oder nicht.

Was schon die Apostel auf dem ersten Konzil, welches sie selbst ungefähr 16 Jahre nach dem Tode des Heilandes in Jerusalem hielten, sagen konnten: „Es hat dem heiligen Geiste gefallen und uns," das gilt von jeder rechtmäßigen allgemeinen Kirchenversammlung. Eine solche Versammlung ist der Mund, durch welchen die unfehlbare Kirche spricht, und darum ist eine solche Versammlung selbst unfehlbar, weil der Geist der Wahrheit sie erleuchtet und vor Irrtum bewahrt.

Solche allgemeine Kirchenversammlungen wurden bis jetzt zwanzig abgehalten, nämlich zwei zu Nicäa, vier zu Konstantinopel, eine zu Ephesus, eine zu Chalcedon, fünf zu Rom im Lateran (einem päpstlichen Palaste), zwei zu Lyon, je eine zu Vienne, Konstanz, Basel (fortgesetzt in Ferrara und Florenz, zu Trient und die letzte zu Rom im Vatikan (ebenfalls einem Palaste, in welchem der Papst gegenwärtig residiert). Letztere wurde am 8. Dezember 1869 durch Papst Pius IX. eröffnet, und es wohnten derselben über 700 Bischöfe an, von denen am Schlusse noch 535 anwesend waren.

Damit aber einer Entscheidung des allgemeinen Konzils die Unfehlbarkeit zukomme, ist folgendes erforderlich:

1) Das Konzil muß rechtmäßig berufen sein, was nur durch das Oberhaupt der Kirche geschehen kann, oder es muß ein nicht vom Oberhaupte der Kirche berufenes Konzil nachträglich von demselben als ein rechtmäßiges anerkannt werden.

2) Die Beschlüsse desselben müssen vom Oberhaupte der Kirche bestätigt werden.

3) Nur solchen Entscheidungen kommt die Unfehlbarkeit zu, welche ausdrücklich als Offenbarungslehre erklärt, und nur solchen Einrichtungen, welche ausdrücklich als von Jesus angeordnet dargestellt werden.

§ 38. Die Unfehlbarkeit des Papstes.

Wie es von jeher Glaubenslehre war, daß die Kirche in der Verkündigung der geoffenbarten Wahrheit unfehlbar ist, so war es auch der beständige Glaube in der Kirche, daß das Oberhaupt der Kirche, der römische Papst, ebenso wie die Kirchenversammlungen, unfehlbar sei. Dies erfordert schon die Absicht, in welcher Christus die Kirche gestiftet hat. Der Heiland hat es ausdrücklich ausgesprochen, die ganze Christenheit hat es auch zu allen Zeiten geglaubt und den Entscheidungen des Papstes sich unterworfen.

1) Die Kirche ist von Jesus Christus gegründet, um die Seelen Ihm zuzuführen, sie zu heiligen durch Lehre, Gebet und Sakramente. Dieser Zweck war nicht bloß auf die Lebensdauer der Apostel

beschränkt, sondern die Kirche sollte bestehen zu allen Zeiten bis an das Ende der Welt.

Wer nun glaubt, daß Christus der Sohn des lebendigen Gottes ist, und daß die Kirche eine von Christus gestiftete, göttliche Anstalt ist, für den ist die Unfehlbarkeit des Papstes in Glaubenssachen eine Notwendigkeit.

2) Eine jede Obergewalt hat das Recht, von den Untergebenen Gehorsam und Unterwürfigkeit zu fordern. So auch der Papst auf dem Gebiete, das von ihm regiert wird. Behaupten, daß man überall dem Oberhaupte Gehorsam schuldig sei, nur in der Kirche nicht, das wäre unvernünftig, lächerlich.

Der Papst ist aber der Bewahrer des Glaubens; er ist nicht die Kirche, aber die Kirche handelt, spricht, lehrt, entscheidet durch ihn. Er allein kann also der oberste Richter in Glaubenssachen sein. Wäre nun sein Urteil nicht unfehlbar, so könnte die Kirche in seelenverderbliche Irrtümer geraten und wäre im Laufe der Zeit sicherlich darin zu Grunde gegangen. Das aber ist gerade die Gnade, welche der Kirche durch den Felsen Petri verliehen worden, daß sie weder weltlichen noch geistigen Angriffen unterliegt, daß sie durch offene Gewalt nicht zerstört, durch Ketzerei nicht verdorben werden kann.

3) Zu allen Zeiten hat man nicht nur geglaubt, daß man den Entscheidungen des Papstes sich unterwerfen müsse, und es auch wirklich gethan, wenn man in der Kirche bleiben wollte, sondern man hat auch schon in den ältesten Zeiten anerkannt, daß die

Entſcheidungen der römiſchen Biſchöfe die richtigen und bindend für die Gewiſſen der Gläubigen ſeien.

Der hl. Auguſtinus (430) drückt die Befugnis des Papſtes, in Glaubensſachen zu entſcheiden, am ſchärfſten aus, indem er ſchreibt: „Rom hat geſprochen, die Sache iſt nun entſchieden, möchte nun auch der Irrtum zu Ende ſein!"

Zu dieſem Glauben bekannte ſich auch die morgenländiſche Kirche, bevor ſie, durch den Hochmut der Patriarchen von Konſtantinopel verleitet, von Rom ſich losriß.

Es iſt begreiflich, daß alles, was von der „römiſchen Kirche" oder vom „römiſchen Stuhl" geſagt iſt, von niemand anderm geſagt ſein kann, als vom römiſchen Papſte; und ſo oft der römiſche Papſt als Richter in Glaubenſachen erkannt wird, wird vorausgeſetzt, daß er ein richtiges Urteil ſpricht, alſo ein fehlerloſes.

Das auf Anordnung des allgemeinen Konzils von Trient aufgeſtellte Glaubensbekenntnis, welches die ganze Kirche anerkennt, lehrt deshalb:

„Die heilige katholiſche und apoſtoliſche römiſche Kirche erkenne ich an als Mutter und Lehrmeiſterin aller Kirchen, und dem römiſchen Papſte verſpreche und gelobe ich wahren Gehorſam."

Dies alles kann doch nur verlangt und verſprochen werden, wenn man die Ueberzeugung hat, daß ein irrtumsloſer Urteilsſpruch gefällt werde.

Mit Recht hat daher die allgemeine vatikaniſche

Kirchenversammlung (1870) erklärt, daß der römische Papst, so oft er in Sachen des Glaubens und der Sitte die ganze Kirche be-
lehre, durch eine besondere göttliche Gnade
vor Irrtum bewahrt werde.

4) Die Unfehlbarkeit des Papstes wird aber
nicht bewirkt durch göttliche Eingebung (Inspiration),
wie einer solchen die Propheten des Alten Bundes
sich erfreuten, welchen Gott Neues, vorher nicht
Bekanntes, offenbarte, um es seinem Volke Israel
oder einzelnen Menschen, zu welchen die Propheten
gesandt wurden, mitzuteilen. Sie wird vielmehr
bewirkt durch göttliche Erleuchtung, welche den Papst
die Wahrheit oder den Irrtum erkennen läßt und
ihn in das Verständnis einer geoffenbarten Wahrheit einführt.

5) Es wäre aber weit gefehlt, wenn man meinen
wollte, die Unfehlbarkeit komme dem Papst in allen
seinen Handlungen zu, er könne sich nicht irren
oder er könne nicht sündigen. Die Unfehlbarkeit
des Papstes ist an die nämlichen Voraussetzungen
gebunden, unter denen ein allgemeines Konzil unfehlbar ist, nämlich:

a) Es muß ein rechtmäßig annerkannter Papst
sein.

b) Er muß ungezwungen und frei lehren können.

c) Der Papst muß nicht als Privatmann, nicht
als Prediger, nicht als Ratgeber, sondern als Oberhaupt der Kirche in Ausübung seiner Lehrgewalt
(ex cathedra) zur ganzen Christenheit sprechen.

d) Der Gegenstand, über den er lehrt, darf nur aus der Glaubens= und Sittenlehre entnommen sein. Es darf keine neue Lehre sein, über die er spricht, sondern nur die Erläuterung oder nähere Festsetzung einer bereits in der Kirche als glaub= würdig geltenden Wahrheit.

Oder aber der Papst verwirft eine Lehre als dem katholischen Glauben, wie er aus der heiligen Schrift und der Erblehre erkannt wird, zuwider.

e) Der Papst muß ausdrücklich erklären, daß alle Christen verpflichtet seien, die von ihm vor= gestellte Wahrheit zu glauben.

In allem andern kommt dem Papste keine Un= fehlbarkeit zu. Er kann fehlen, denn er leidet wie alle, auch die heiligsten Menschen, an der Armseligkeit der menschlichen Natur. Er kann sich irren in seinen Ansichten; er kann falsch berichtet werden und auf Grund eines falschen Berichtes ein falsches Urteil fällen.

Nur dem lehrenden und in Glaubenssachen richtenden Papste ist die Unfehlbarkeit verheißen und gewährt.

§ 39. Die alleinseligmachende Kirche.

Die katholische Kirche nennt sich die allein= seligmachende und das mit Recht; denn sie und nur sie ist die von Christus gestiftete Heils= anstalt, welche die Gläubigen zu ihrem ewigen Heile führen soll.

1) Christus der Herr ist gekommen, nicht nur

um für die Sünden der Menschen genugzuthun,
sondern auch, um die von Ihm erlösten Seelen zu
belehren und ihnen Gnadenmittel an die Hand zu
geben, auch sie auf dem Wege des Heils zu leiten
und zu erhalten. Alles dieses an- und in sich aufzunehmen, ist für die Seele notwendig, sonst hätte
Christus es nicht so gewollt. Es kann dies aber
nur der thun, der in der Kirche sich befindet. Wer
außer der Kirche ist, der entbehrt die von Christus
eingesetzten Mittel zur Seligkeit.

2) Nur die katholische Kirche hat alle Lehren
und alle Anstalten des Heils ganz und unver-
kümmert, alle andern Religionsgesellschaften haben
teils die Lehre Christi willkürlich gedeutet, wie
z. B. die Lutheraner lehren, daß der Mensch durch
den Glauben allein selig werde, teils haben sie
die Gnadenmittel aufgegeben, wie dieselben z. B.
nur zwei Sakramente annehmen; alle aber überlassen es den einzelnen, die heilige Schrift nach
ihrem Ermessen und Gutdünken auszulegen. Da
sie nun nicht im Besitze dessen sind, was zur Seligkeit führt, können sie auch nicht die Seligkeit
erreichen, wenn sie nicht in unverschuldetem Irr-
tume sind.

Darum lautet der katholische Glaube:

Außerhalb der Kirche kein Heil.

Der Apostel lehrt:

„Ein ketzerischer Mensch ist verkehrt und
sündigt, da er sich selbst das Urteil der
Verdammung spricht.“ (Tit. 3, 11.)

Der heilige Cyprian schrieb schon vor 1600 Jahren:

„Der kann Gott nicht zum Vater haben, der die Kirche nicht zur Mutter haben will."

Die Arche Noes ist das Vorbild der Kirche. Wer nicht in der Arche ist, wird in der Flut umkommen.

3) Daß es Gott nicht gleichgültig ist, in welcher Religion der Mensch lebt, das sehen wir am besten an dem so oft mißverstandenen Beispiele des Hauptmanns Cornelius. Cornelius war ein Heide, aber er war fromm, fürchtete Gott mit seinem ganzen Hause, gab viel Almosen und betete immerdar. Darum wies ihn der Herr an den Apostel Petrus, der ihm sagen werde, was er thun solle. (Apg. 10, 1 ff.) Der Herr ließ ihn also nicht im Heidentum, sondern führte ihn zum wahren Glauben, weil die natürliche Religion allein den Menschen nicht selig machen kann.

4) Allein zur Kirche gehören nicht nur diejenigen, welche thatsächlich im Verbande der katholischen Kirche sind; es giebt auch solche, welche in die Kirche Gottes eintreten würden, wenn sie die richtige Erkenntnis hätten. Dahin gehören namentlich solche, die durch die wirkliche Taufe ihr ursprünglich einverleibt worden, später aber durch unverschuldeten Irrtum ihr fremd geblieben sind. Diese werden der Kirche ebensogut als einverleibt betrachtet, wie diejenigen, welche durch die Begierds- oder durch die Bluttaufe der Kirche angehören,

ohne durch das eigentliche Sakrament der Taufe in dieselbe aufgenommen zu sein.

5) Aber wer sind die, welche nicht ihrer Lehrmeinung nach, sondern gemäß ihrem guten Willen und Streben nach Wahrheit keine Ketzer sind und zur Kirche gehören? Die kennt Gott! Weil nun kein Mensch in das Innere sieht, und nur der Herr die Herzen der Menschen kennt, so urteilt die Kirche auch nicht über die Andersgläubigen, sondern stellt das Gericht Gott anheim. Die Kirche verurteilt nur den Irrtum, nicht die Person. Den Irrtum aber zu verdammen, das ist ihre Pflicht, um die ihr anvertrauten Gläubigen vor Irrlehren zu behüten, da sie die Bewahrerin des Glaubens ist. Ihr gilt, was der Apostel an den Timotheus schreibt:

„Bewahre die gute Hinterlage durch den heiligen Geist, der in uns wohnt." (II. Tim. 1, 14.)

Nichtmitglieder der Kirche.

So ist denn die katholische Kirche die sichtbare Gemeinde der Christen auf Erden, die durch denselben Glauben und die Teilnahme an denselben Gnadenmitteln unter einem gemeinschaftlichen Oberhaupte, dem Papste, als dem rechtmäßigen Nachfolger des heiligen Petrus und den ihm untergeordneten Bischöfen mit einander vereinigt sind.

Daraus geht hervor:

a) Nicht in der katholischen Kirche, auch nicht der Seele der Kirche angehörig sind alle Ungetauften. Der Empfang der heiligen Taufe ist die Bedingung zur Seligkeit.

„Wenn jemand nicht wiedergeboren wird aus dem Wasser und dem heiligen Geiste, so

kann er in das Reich Gottes nicht eingehen."
(Joh. 3, 5.)

b) Die, welche sich freiwillig von der Kirche getrennt haben, die Abgefallenen. (Apostaten.)

c) Die offenkundigen, hartnäckigen Ketzer (Häretiker), d. h. jene, welche an ihrer falschen Meinung festhalten, obwohl sie wissen, daß die Kirche sie als glaubenswidrig ganz verwirft, und obwohl sie eine genügende Kenntnis von der Kirche und deren Wahrheiten besitzen oder doch besitzen könnten.

d) Die Schismatiker. Ein Schisma ist eine Trennung nicht vom Glauben der Kirche, wohl aber vom Oberhaupte derselben. Ein großes, leider bis jetzt noch bestehendes Schisma ist die Trennung der morgenländischen von der abendländischen Kirche, welche von den Patriarchen von Konstantinopel oder Neu=Rom ausging.

Von den morgenländischen Bischöfen und Gläubigen sind viele wieder zur Mutterkirche zurückgekehrt. Die Päpste erlauben ihnen, manche alte Gebräuche, die der katholischen Lehre nicht entgegen sind, zu behalten, namentlich bei der Feier des Gottesdienstes. Man nennt diese Bekenner der katholischen Kirche die Vereinigte Griechische Kirche oder die Unierten Griechen.

e) Die Exkommunizierten d. h. die aus der Gemeinschaft (Communio) der Gläubigen Ausgeschlossenen. Die Exkommunikation oder der Kirchenbann ist die Entziehung aller Gnaden und geistlichen Güter, welche die Kirche spendet, also hauptsächlich des Empfanges der heiligen Sakramente.

§ 40. Die Gemeinschaft der Heiligen.
Die Zusammengehörigkeit.

Die der Kirche Gottes Angehörigen bilden mit einander eine Gemeinschaft; denn sie haben alle zusammen ein sichtbares und ein unsichtbares

Oberhaupt; sie haben dasselbe Wort Gottes und dieselben Sakramente; sie sind verbunden durch dasselbe Band des Glaubens, der Hoffnung und der Liebe; sie bilden alle mit einander eine große Familie. Diese Gemeinschaft ist so innig, daß der Apostel Paulus dieselbe mit einem Leibe vergleicht, dessen Haupt Christus ist.

„Denn gleichwie wir an einem Leibe viele Glieder haben, alle Glieder aber nicht dieselbe Verrichtung haben, so sind wir viele ein Leib in Christo, einzeln untereinander aber Glieder." (Röm. 12, 4—5.)

1) Es gehören also zur Gemeinschaft der Heiligen einmal die lebenden Bekenner Christi. Obwohl sie noch nicht eingetreten sind in die Reihen der vollendeten Heiligen Gottes, obwohl sie noch mit manchen Mängeln und Fehlern behaftet und viele noch recht unvollkommen sind, so werden sie doch mit Recht „Heilige" genannt, weil sie zur Heiligkeit berufen sind, weil sie durch die Sakramente geheiligt sind, und weil alle lebendigen Glieder dieses Leibes auch nach Heiligkeit streben. Darum sagt Paulus auch von Männern, welche ihren Mitchristen ganz besonders zu helfen beflissen waren: „Sie haben sich dem Dienste der Heiligen gewidmet." (I. Kor. 16, 15.)

2) Zur Kirche Gottes gehören auch diejenigen Seelen, welche uns im Glauben vorausgegangen, wenn sie auch noch nicht zur Anschauung Gottes eingegangen sind. Diese werden zwar „Arme

Seelen" genannt, weil sie den Herrn noch nicht
von Angesicht zu Angesicht schauen und um ihrer
Mängel und Unvollkommenheiten willen noch gereinigt werden. Aber es sind doch reiche Seelen,
denn sie starben in der göttlichen Gnade, und das
Himmelreich ist ihnen gewiß, sie können desselben
nicht mehr verlustig werden. Sie bilden die leidende Kirche, die im Glauben und in der Liebe
auf den Herrn Jesum hoffen und durch Ihn mit
den übrigen Gliedern der Kirche vereinigt sind.

3) Was die streitende Kirche auf Erden an-
strebt, was die leidende Kirche mit Sicherheit erhofft
und erlangen wird, das haben die in der Gnade
Gottes Verstorbenen, die zur Anschauung Gottes
eingegangen sind, erreicht, weshalb sie vorzüglich
Heilige genannt werden. Zu ihnen gehören die
heiligen Engel. Denn obwohl sie außerhalb der
Kirche erschaffen sind und weder zum Leibe noch
zur Seele der Kirche gehörten, so sind sie doch
durch Christus, der auch ihr Haupt ist, mit der
Kirche Gottes verbunden und in dieselbe eingefügt.

Alle diese lebendigen Glieder des Leibes Christi
stehen nun mit einander in einer innigen geistigen
Gemeinschaft.

Wechselseitiges Gebet.

Die Hilfeleistung, welche die Heiligen und die Ge-
heiligten gegenseitig von einander und durch ihr Haupt
Jesus Christus mit einander empfangen, ist als Wachstum
zur Erbauung in Liebe, d. h. wir empfangen die Gnaden,

um in das Reich Gottes zu kommen und in demselben zu verharren.

Es haben also die Glieder der Kirche Gottes auf Erden Anteil an allem Guten, was von sämtlichen Mitgliedern der streitenden Kirche vollbracht wird, an allen Gebeten der Kirche, an allen guten Werken, an allen heiligen Meßopfern, an allen Sakramenten, an allen Fürbitten der Gläubigen. Das alles ist ein großes Gemeingut, das uns so mitgeteilt wird, wie vom Rebstocke aus Kraft in alle Rebzweige ausgeht, wie vom Stamm eines guten Baumes aus Fruchtbarkeit in alle Aeste sich ergießt. Darum bitten wir für unsere Mitmenschen und opfern für sie heilige Messen und Kommunionen auf, und empfehlen uns selbst dem Gebete der Gläubigen. Selbst Paulus hält um das Gebet der Gläubigen an: „Ich bitte euch, Brüder, daß ihr mir helfet bei Gott mit euerm Gebet für mich." (Röm. 15, 30.)

Ganz besonders wirksam ist das Gebet der Gerechten auf Erden. Der Apostel Jakobus schreibt:

„Viel vermag das beharrliche Gebet des Gerechten. Elias war ein Mensch, den Leiden unterworfen, wie wir, und betete eifrig, daß es nicht regnen möchte; und es regnete nicht drei Jahre und sechs Monate; da betete er abermal, und der Himmel gab Regen, und die Erde brachte ihre Frucht hervor." (Jak. 5, 16—18.)

Die Fürbitte der Heiligen.

Wenn das Gebet des Gerechten viel vermag, so vermag sicher am meisten das Gebet jener Seelen, welche dem Heiland zunächst sind, die ihr Ziel erreicht und um ihrer Leiden, ihrer Kämpfe, ihrer Standhaftigkeit und ihrer Werke der Nächstenliebe willen die unvergängliche Krone empfangen haben. Diese sind die Heiligen Gottes.

Die Heiligen erkennen alles in Gott, d. h. im Lichte der Allwissenheit Gottes. Sie kennen also auch unsere Leiden, unsere Kämpfe, unsere Versuchungen, unser Han-

deln, unsere guten Werke. Und da Gott weiß, was wir
bedürfen, kennen auch sie in der Allwissenheit Gottes,
was uns not thut. Und so kennen sie in und durch
Gott von allen Menschen, was sie Gott wissen läßt. Wenn
nun die Fürbitte der Gerechten auf Erden schon eine so
große Kraft besitzt, um wie viel wirksamer wird das Ge=
bet der Heiligen sein!

1) Den Glauben der ältesten Kirche an die Fürbitte
der Heiligen bezeugen die Grabdenkmäler, welche noch in
den römischen Katakomben enthalten sind.

In diesen unterirdischen Gängen und Höhlen be=
statteten die ersten Christen ihre Glaubensgenossen, und
an den Wänden und an den Grabsteinplatten finden wir
Inschriften, in denen die Fürbitte der Heiligen angerufen
wird. Da flehen z. B. Eltern, die ihre Tochter durch den
Tod verloren, zur heiligen Basilia, und die Grabschrift
lautet:

■ „Wir, Crescentius und Micia, empfehlen
dir, o hl. Basilia, unsere Tochter Crescentina.“

Derlei Inschriften, welche den Glauben der ersten
Christen an die Fürbitte der Heiligen bezeugen, könnten
noch mehrere angeführt werden.

2) Wir haben noch ungefähr 500 Predigten auf die
Feste heiliger Marthrer aus den ältesten Zeiten der christ=
lichen Kirche. Die Ausdrücke, in welchen in diesen Pre=
digten von der Fürbitte der Heiligen gesprochen, oder diese
um ihre Fürbitte angerufen werden, sind genau diejenigen,
welche das christliche Volk in unseren Predigten hört.

In der Gemeinschaft der Heiligen und einverleibt
dem Leibe der Kirche, schöpfen wir auch Gnade und Se=
gen aus dem überfließenden Schatze der Ver=
dienste Jesu Christi und der Heiligen. Die Ver=
dienste Christi sind unendlich, wie Er selbst unendlich ist.
Auch die Heiligen Gottes haben mehr gelitten und Gutes
gethan, als sie, um selig zu werden, bedurften. Alle nun,
welche Anteil an der Kirche haben, haben auch Anteil an

dem Schatze der Kirche. Wir wissen, daß uns Gott um der Verdienste der Heiligen willen Gnade erweist, welche wir selbst nicht verdient hätten. Darum betete Salomon:

„Gott, Herr, wende nicht ab das Angesicht deines Gesalbten, gedenke der Erbarmungen Davids, deines Knechtes." (II. Chron. 6, 42.)

So gleicht die Kirche Gottes dem himmlischen Jerusalem, von dem geschrieben steht:

„Jerusalem ist gebaut wie eine Stadt, die sich zur Gemeinschaft zusammengefügt." (Ps. 121, 3.)

Fürbitte für die Verstorbenen.

Wenn nun alle Rechtgläubigen in Christo Jesu zu einem Leibe vereinigt sind, so kann auch der Tod diese Gemeinschaft nicht trennen. Denn die Gemeinschaft ist eine Gemeinschaft der Seelen, die Seelen aber sind unsterblich. Was uns vereinigt, das ist die Liebe. Aber die Liebe hört nie auf. (I. Kor. 13, 8.)

Wir beten deshalb auch für die Verstorbenen, daß, wenn ihre Seelen noch der Reinigung bedürfen, der Herr sich ihrer erbarmen, ihre Leiden abkürzen, ihre Bußen ihnen nachlassen möge, und in dieser Absicht opfern wir das kostbare Blut Jesu Christi im heiligen Meßopfer und in der heiligen Kommunion für die Verstorbenen auf, geben Almosen und verrichten für sie gute Werke.

Schon die Gläubigen des alten Bundes waren überzeugt, daß man für die Verstorbenen beten und gute Werke verrichten könne.

Als Judas der Makkabäer eine Schlacht gegen den Statthalter Gorgias gewonnen hatte, ließ er die Leichname der Gefallenen sammeln, um sie in den väterlichen Gräbern beisetzen zu lassen. Da fand man, daß die Getöteten in ihren Unterkleidern etwas von den Geschenken trugen, die man den Götzen der Stadt Jamnia geopfert, was zu nehmen den Juden verboten war. Nun erkannte man, daß der Tod in der Schlacht eine Strafe war für die begangene Sünde. Darum beteten alle, der Herr möge die begangene Sünde vergessen. Dabei aber ließ es Judas nicht bewenden, sondern er veranstaltete auch eine Sammlung und sandte zwölftausend Drachmen Silbers nach Jerusalem, damit ein Sühnopfer für die Verstorbenen dargebracht werde, indem er gut und fromm in betreff der Auferstehung gesinnt war. Und die heilige Schrift fügt bei:

„Es ist also ein heiliger und heilsamer Gedanke, für die Verstorbenen zu beten, damit sie von ihren Sünden erlöst werden."

(II. Makk. 12, 46.)

Bei den Juden, welche an eine Auferstehung glaubten, gab es eine höchst bedeutsame Sitte. Sie unterwarfen sich für die Verstorbenen verschiedenen Büßungen und Reinigungen, wozu wahrscheinlich auch eine Wassertaufe gehörte, um die Verstorbenen von ihren Sünden zu reinigen. Der Apostel beruft sich hierauf als auf einen Beweis, daß er nicht allein an die Auferstehung glaube, und schreibt:

„Was thäten sonst die, welche um den Toten willen sich taufen lassen, wenn es gewiß ist, daß die Toten nicht auferstehen? Warum lassen sie sich für dieselben taufen?" (I. Kor. 15, 29.)

Das ganze christliche Altertum bezeugt die Fürbitte und die Darbringung des heiligen Meßopfers für die Verstorbenen.

Der Kirchenlehrer Clemens von Alexandrien (189 n. Chr.) rühmt es als ein Zeichen echt christlicher Gesinnung, mitleidig derer sich zu erbarmen, welche auch nach dem Tode noch Strafe zu leiden haben und in ihrem Schmerze jetzt ihre Sünden bekennen, und er nennt die Buße, der sich die Verstorbenen unterziehen müssen, eine Reinigung.

Tertullian (200 n. Chr.) bezeugt ausdrücklich, daß an den Jahresgedächtnissen der Martyrer das heilige

Meßopfer dargebracht werde, und daß die Gläubigen es für die verstorbenen Verwandten entrichten ließen.

Der heilige Chrysostomus schreibt:

„Nicht umsonst wird das Opfer für die Verstorbenen dargebracht; nicht umsonst werden Gebete für sie verrichtet; nicht umsonst werden Almosen für sie ausgeteilt. Der heilige Geist hat es angeordnet, daß wir einander gegenseitig helfen."

Gewiß, wenn gegenseitiges Gebet überhaupt etwas nützt, so muß das Gebet für die in der Gnade Gottes Verstorbenen am meisten nützen, weil niemand der Hilfe würdiger ist, als sie.

Wir dürfen aber ebenso vertrauen, daß die armen Seelen, wenn sie dereinst zu den Verklärten gehören, mit nicht geringerer Liebe sich unser erinnern und durch ihre Fürbitte bei Gott unser Gebet vergelten werden.

Anwendung.

1) Da wir durch das Gebet nicht nur uns selbst helfen, sondern auch andern Hilfe bringen können, so ist das Beten für unsere Mitmenschen zugleich durch die Nächstenliebe geboten. Die Kirche betet für die Sünder, daß sie sich bekehren, für die Schwachen, daß sie im Guten erstarken, für die Schwankenden, daß sie gefestigt werden im Glauben. Sie betet für alle Kranken, Elenden und Betrübten, um Abwendung aller leiblichen und geistigen Not, um zeitlichen und himmlischen Segen für uns und alle. So müssen wir beten gemäß dem Worte des Apostels:

„Darum ermahne ich vor allen Dingen, daß Bitten, Gebete, Fürbitten, Danksagungen geschehen für alle Menschen, für Könige und für alle Obrigkeiten, damit wir ein ruhiges und stilles Leben führen mögen in aller Gottseligkeit und Ehrbarkeit." (I. Tim. 2, 1.)

2) Indem wir die Heiligen um ihre Fürbitte anrufen, erinnern wir uns zugleich, daß wir dereinst ein-

treten sollen in ihre Reihen, daß wir berufen sind, zu
ihnen zu kommen. Es soll uns diese Gemeinschaft der
Heiligen aufmuntern, geduldig und starkmütig den Kampf
zu bestehen, den sie ausgekämpft, und so ihrer Fürbitte
auch würdig zu werden.

3) In der Fürbitte der Heiligen für uns und in
unserer Fürbitte für die Abgestorbenen liegt der unendliche
Trost, daß der Tod die Bande nicht zerreißen kann, welche
uns an unsere Eltern, Freunde und Verwandte fesseln.
Dieser Gedanke ermuntert uns einerseits alles zu ver-
meiden, was einer Vereinigung nach dem Tode im Wege
stehen könnte, und anderseits alles zu thun, was uns zu
einer solchen Vereinigung hinführen kann.

Zehnter Glaubensartikel.
Nachlaß der Sünden.

---

§ 41. Von der Nachlassung der Sünden.

Jesus Christus, unser göttliche Heiland, ist
gekommen, das sündige Menschengeschlecht zu erlösen, und selig zu machen, was verloren war.
(Matth. 18, 11.) Um die Sünder heiligen zu können,
mußte Er dieselben vorher von der Sünde reinigen.
Darum hatt Gott in der Kirche die Vollmacht
niedergelegt, Sündennachlaß zu erteilen. Er selbst
hat auf Erden reuigen Sündern vergeben, wie Er
z. B. zum Gichtbrüchigen sprach:

„Sei getrost, mein Sohn, deine Sünden
sind dir vergeben." (Matth. 9, 2.)

Und auch zu Maria von Magdala sprach Er:

„Deine Sünden sind dir vergeben."
(Luk. 7, 48.)

Remittuntur tibi peccata. (Lukas 7, 47, 48.)

Zehnter Glaubensartikel.

Nachlaß der Sünden.

Die Kirche setzt aber das Werk des Heilandes zu allen Zeiten fort, und darum findet der zu Gott bekehrte Sünder, wie der mit der Erbsünde in die Welt eintretende, durch die Gnade Gottes aber zum Reiche Gottes berufene Mensch in der Kirche Nachlassung der Sünden.

1) Die Kirche vergiebt die Sünden kraft der den Aposteln und ihren Nachfolgern erteilten Gewalt, zu lösen und zu binden. Der Herr hauchte nach seiner Auferstehung die Jünger an und sprach:

„Empfanget den heiligen Geist. Welchen ihr die Sünden nachlassen werdet, denen sind sie nachgelassen, und welchen ihr sie behalten werdet, denen sind sie behalten." (Joh. 20, 22—23.)

Die Priester handeln also nicht aus sich selbst, sondern als Stellvertreter Christi, wenn sie Sünden behalten oder vergeben.

2) Die Sündenvergebung knüpft sich aber an die Reue und an die Buße, welche vorhergehen müssen. Der Heiland predigte:

„Thuet Buße, denn das Himmelreich ist nahe." (Matth. 4, 17.)

So hatte schon der Vorläufer des Heilandes, der Täufer Johannes, gepredigt.

Und Jesus versichert ausdrücklich:

„Wenn ihr nicht Buße thuet, werdet ihr zu Grunde gehen." (Luk. 13, 3.)

Als die Lehre vom Auferstandenen das erste Mal am Pfingsttage gepredigt wurde, und die

Zuhörer erschüttert fragten: „Ihr Männer, Brüder! was sollen wir thun?" da sprach deshalb
Petrus zu allererst: „Thuet Buße!" (Apg. 2, 38.)

3) Damit der Mensch die Sündenvergebung
empfange, muß er auch mitwirken, und zwar nicht
bloß innerlich durch die Buße, sondern auch äußerlich durch den Empfang der hierzu von Christus
eingesetzten Gnadenmittel, der Sakramente der
Taufe und der Buße.

„Wenn jemand nicht wiedergeboren
wird aus dem Wasser und dem heiligen
Geiste, so kann er in das Reich Gottes
nicht eingehen." (Joh. 3, 5.)

4) Die Sündenvergebung erhält der Mensch
kraft des Erlösungstodes Jesu Christi. Christus
ist der einzige Mittler zwischen Gott und den
Menschen. Er und niemand anders hat uns mit
Gott versöhnt, und Er übt fortwährend das Amt
der Versöhnung, indem Er sich fortwährend unblutiger Weise aufopfert, wie Er sich einmal blutiger Weise geopfert hat.

Anwendung.

1) Bedenken wir vor allem, wie groß die Wohlthat
ist, welche durch die Sündenvergebung uns dargeboten
wird. Wer Gott durch eine Todsünde beleidigt, verliert
sogleich alle Verdienste, die er durch den Tod und das
Kreuz Christi erlangt hat. Er wird an dem Eintritt in
das Paradies, das vorher verschlossen war, das aber der
Heiland durch sein Leiden uns geöffnet hat, gänzlich ge-
hindert. Wenn wir dies bedenken, so werden wir erkennen,

wie groß unser Elend wäre, wenn Gott der Kirche nicht die Schlüsselgewalt erteilt hätte.

2) Bedenken wir ferner, was alles geschehen mußte, damit Gott uns die Sünden nachlassen konnte. Um die Welt zu erschaffen, brauchte Gott nur zu wollen; um das Licht zu erschaffen, brauchte Gott nur zu sprechen: „Es werde!" Um den aus Lehm geformten Leib Adams lebendig zu machen, brauchte Gott nur zu hauchen. Um aber dem Menschen Sündenvergebung zuwenden zu können, mußte Jesus Christus den Thron seiner Herrlichkeit verlassen, Mensch werden, leiden und sterben. Jetzt erst konnte eine Kirche gestiftet, konnten Sakramente eingesetzt werden. Welch eine Fülle von Gnade und Barmherzigkeit!

3) Deshalb soll uns der Gedanke an die unendliche Güte Gottes mit freudigem Dank erfüllen. Er hat durch die Hingabe seines Sohnes, die Stiftung der Kirche und die Einsetzung der heiligen Sakramente der Taufe und der Buße so väterlich Fürsorge getroffen, daß es Ihm möglich ist, ohne die Gerechtigkeit zu verletzen, am Sünder Barmherzigkeit zu üben. Dies soll uns mit freudigem Danke, aber auch mit Vertrauen erfüllen, und uns ermuntern, die dargebotenen Heilsmittel zu ergreifen.

„Lasset uns mit Zuversicht hinzutreten zum Throne der Gnade, damit wir Barmherzigkeit erlangen und Gnade finden, wenn wir Hilfe nötig haben." (Hebr. 4, 16.)

4) Fürchten wir uns aber auch vor der Strafe, welche denjenigen trifft, der den langmütigen Gott warten läßt und seine Stimme nicht hört.

Darum — „Säume nicht, dich zum Herrn zu bekehren, und verschiebe es nicht von einem Tag zum andern; denn plötzlich kommt sein Zorn und wird zur Zeit der Rache dich verderben." (Sir. 5, 8. 9.)

Elfter Glaubensartikel.
Auferstehung des Fleisches.

---

§ 42. Der Tod.

Als Gott der Herr den ersten Menschen erschaffen wollte, bildete Er aus Erde einen menschlichen Leib und hauchte ihm die Seele ein. So
verbindet Er mit jedem Leib eine Seele; der Mensch
ist daher ein Doppelwesen, eine Verbindung von
Seele und Leib. Der Leib soll der Seele dienen,
die Seele den Leib regieren. Wenn nun Krankheit
oder Gewalt den Leib für das irdische Dasein unfähig gemacht hat, trennt sich die Seele von dem
Leibe. Der Leib muß zur Erde zurückkehren, woher
der erste Mensch genommen ist, die Seele erscheint
vor Gottes Gericht, um ihr Urteil zu vernehmen.

1) Der Tod ist nicht etwas von Anfang an
von Gott Angeordnetes, sondern er ist die Strafe
für die Sünde unserer Stammeltern. Wie
durch Adam die Mühseligkeit und die Not des
Lebens über das ganze menschliche Geschlecht kamen,
also auch diese häßlichste aller Erscheinungen, die
uns einen Abscheu und einen Schrecken vor aller
Sünde einflößen soll.

Wie wäre es aber den Menschen ergangen, wenn
Adam nicht gesündigt hätte? Sie wären durch
übernatürliche Gnade, wozu auch der Genuß der
Frucht vom Baume des Lebens gehörte, vor dem
Tode bewahrt worden.

Darum ist der Leib des Heilandes und der Leib der heiligen Jungfrau und Gottesmutter Maria nicht der Verwesung anheimgefallen, weil sie niemals, auch nicht einen Augenblick, unter dem Fluche der Erbsünde lagen.

2) Obwohl nichts gewisser ist, als daß alle Menschen sterben müssen, so hat der Herr in seiner Weisheit doch dem Menschen seine Todesstunde verborgen. Es weiß der Mensch nicht, ob er noch lange lebt, oder ob er morgen schon stirbt. Dies thut der Herr, um den Menschen zu beständiger Wachsamkeit anzutreiben.

Darum mahnt schon der weise Sirach:

„In allen deinen Werken denke an deine letzten Dinge, so wirst du in Ewigkeit nicht sündigen." (Sir. 7, 40.)

Anwendung.

1) Der Tod, der alle Menschen dahinrafft und an den wir täglich gemahnt werden, ist das kräftigste Zeugnis, daß der Teufel gelogen hat, als er zur Eva sprach: „Keineswegs werdet ihr sterben." (I. Mos. 3, 4.)

„Der Teufel war ein Menschenmörder von Anbeginn und ist in der Wahrheit nicht bestanden." (Joh. 8, 44.)

2) Der Mensch stirbt nur einmal, und damit ist seine Lebensbahn abgeschlossen. Sobald die Seele vom Leibe getrennt ist, kann dieselbe nichts Gutes mehr thun und sich kein Verdienst mehr erwerben. Sie kann nichts mehr gutmachen. Sie kann das Versäumte nicht mehr einholen. Wie sie gelebt hat, ist sie gestorben. Uebel sterben, heißt ewig verloren sein.

Uebel ſtirbt derjenige, der nicht in der Gnade Gottes ſtirbt.

„Wenn der gottloſe Menſch ſtirbt, iſt keine Hoffnung mehr.“ (Sprichw. 11, 7.)

3) Dem aber, der in der Gnade Gottes ſtirbt, iſt der Tod nichts Schreckliches. Er iſt für denſelben viel= mehr der Befreier von aller Mühe und Not, der Engel, der ihn zum Frieden führt.

„Die Seelen der Gerechten ſind in der Hand Gottes, und die Qual des Todes berührt ſie nicht. In den Augen der Unweiſen ſcheinen ſie zu ſterben, und ihr Hinſcheiden wird für Be= trübnis, ihr Abſchied von uns für Untergang gehalten; ſie aber ſind im Frieden.“ (Weish. 3, 1—3.)

Darum ſehnen ſich die Seelen der Gottesfürchtigen nach dem frohen Augenblicke, der ſie mit ihrem Heilande vereinigt, und ſie ſprechen mit dem Apoſtel: „Ich verlange aufgelöſt zu werden und bei Chriſto zu ſein.“ (Phil. 1, 23.)

Die chriſtliche Beſtattung der Toten.

Als der Herr dem Adam nach dem Sündenfalle das Urteil ſprach, verkündigte Er ihm:

„Du biſt Staub und ſollſt zum Staube wiederkehren.“ (I. Moſ. 3, 19.)

Bei dem Volke Israel, auf welches die Uroffenbarung ſich vererbte, war es deshalb immer Sitte, die Toten zu begraben, und nur in höchſt ſeltenen Fällen, wo es durch die Umſtände geboten war, ſand das Verbrennen ſtatt. Bei den Chriſten gilt aber der Leichnam als der Tempel des heiligen Geiſtes und als die Wohnung der Seele, an deren Schickſal er nach dem jüngſten Tage teilnehmen wird. Und da der Chriſt am jüngſten Tage, wie der Heiland, auferſtehen wird, ſo will er auch wie der Heiland be= graben werden. Es wurden deshalb die Leichname der Gläubigen, nachdem ſie ſorgfältig gewaſchen und in ent=

sprechende Tücher eingehüllt worden, an einen Ort hinaus=
getragen, an dem alle Christenleichen beerdigt wurden;
denn die Christen bilden auch im Tode eine Gemeinschaft.
Diese Stätte nannte man den Ort des Schlafes (Dor-
mitorium), weil der Apostel die Gestorbenen „in Christo
Entschlafene" nennt. (I. Kor. 15, 18.) Man nennt ihn
auch „Friedhof", weil wir hoffen und beten, die Verstor=
benen möchten in Frieden der Ankunft des Herrn ent=
gegenschauen. Der schönste Ausdruck aber ist „Gottes=
acker", denn der Kirchhof ist wirklich der Acker Gottes, in
den das Saatkorn des menschlichen Leibes gesäet wird,
um dereinst herrlich wieder zu erstehen.

Die Weise des Begräbnisses, wie sie in der katho=
lischen Kirche stattfindet, ist dieselbe, wie sie in den ältesten
Zeiten stattfand. Der Tod ist keine Trennung auf Nim=
merwiedersehen, er ist nur eine zeitliche Trennung. Darum
darf der Christ trauern, wie dies die schwarze Farbe an=
deutet, aber er darf keinem trostlosen Schmerze sich hin=
geben, weshalb die Kirche das Klagegeschrei, das Zerreißen
der Kleider und dergleichen Ueberschwenglichkeiten miß=
billigt. Sobald der Christ den letzten Atemzug ausgehaucht
hat, beginnen die Gebete für den Verstorbenen. Durch
Glockenzeichen werden die Gläubigen benachrichtigt und
zum Gebete aufgefordert, und am Totenlager werden bis
zur Beerdigung Gebete verrichtet und der Leichnam wird
mit Weihwasser besprengt. Die Bestattung selbst geht
unter Glockengeläute, Psalmengesang der Priester und dem
Gebete der Leichenbegleitung vor sich. Das Zeichen des
heiligen Kreuzes wird dem Zuge vorangetragen, und nach=
dem das Grab eingesegnet ist, wird das Kreuz auf den
Grabhügel gesteckt; denn im Kreuze ist unser Heil, und
der Gekreuzigte wird einst die mit sich führen, die mit
Ihm durch das Grab gegangen sind. Die Lichter, welche
am Sarge und bei der Beerdigung gebraucht werden, ver=
sinnbilden das ewige Licht, das der Seele leuchten soll;
das Rauchwerk, welches emporsteigt, versinnbildet das Gebet,

das zum Throne Gottes dringen soll. Der Priester wirft eine Schaufel Erde in das Grab auf den Sarg und erinnert dadurch die Anwesenden, daß uns allen dereinst dasselbe Los bevorstehe. An manchen Orten besprengen alle, welche die Leiche begleitet haben, dieselbe mit Weihwasser und wünschen, daß die Seele durch unser Gebet gereinigt und geheiligt werden möge. Die vornehmste Hilfe verschaffen wir aber den armen Seelen durch das heilige Meßopfer, welches am Begräbnistage selbst oder an einem der nächstfolgenden Tage (dem dritten) dargebracht und am siebenten und dreißigsten Tage wiederholt wird. Ebenso wird am Jahrestage des Ablebens das heilige Meßopfer für die Verstorbenen gefeiert. Der dritte Tag wurde gewählt, weil Christus am dritten Tage nach seiner Kreuzigung von den Toten auferstanden ist, der siebente Tag, weil Gott an diesem Tage ruhte, und weil wir hoffen, daß auch der Verstorbene durch unsere Fürbitte in die Ruhe eingehen werde. Der dreißigste Tag ist wieder ein Trauertag in Nachahmung des israelitischen Volkes, das dreißig Tage um Moses trauerte. (V. Mos. 34, 8.) Der Jahrestag ist der Erinnerung, wie an freudige, so auch an traurige Ereignisse gewidmet.

Der Kirchhof ist ein geweihter Ort, und jede Verunehrung desselben ist ein Sakrilegium oder eine Gottesschändung. Ist ein Kirchhof durch eine sakrilegische Handlung entweiht worden, so darf kein christliches Begräbnis auf demselben geschehen, bis er wieder neu geweiht worden. — Leichen, welche bereits beerdigt sind, dürfen nur mit Erlaubnis der geistlichen Obrigkeit oder auf Anordnung des Richters wieder ausgegraben und an einen andern Ort gebracht werden. Damit die Kirchhöfe in Ehren gehalten werden, sollen dieselben mit Mauern oder einer andern sichern Schutzwehr eingefaßt werden. Sie müssen vor dem Zugange des Viehes behütet und dürfen nicht abgeweidet werden. Es darf kein Jahrmarkt, kein Spiel und keine ungehörige Arbeit darauf stattfinden.

Elfter Glaubensartikel.

Auferstehung des Fleisches.

§ 43. Die Auferstehung des Fleisches.

Es ist leicht einzusehen, warum die Apostel an dieser Stelle des Glaubensbekenntnisses nicht von der Auferstehung der Menschen sprechen, sondern von der Auferstehung des Fleisches. Denn da die Seele des Menschen nicht stirbt, sondern nach dem Tode fortlebt, entweder in einem seligen oder in einem unseligen Zustande, so kann auch die Seele nicht auferstehen. Das Grab birgt nur den Leib.

1) Es werden alle Menschen auferstehen, die Gottlosen wie die Gottesfürchtigen, die Ungerechten wie die Gerechten.

„Es kommt die Stunde, in der alle, die in den Gräbern sind, die Stimme des Sohnes Gottes hören werden. Und es werden hervorgehen, die Gutes gethan haben, zur Auferstehung des Lebens, die aber Böses gethan haben, zur Auferstehung des Gerichtes." (Joh. 5, 28. 29.)

Wenn es heißt, daß alle Menschen auferstehen werden, so ist damit gesagt, daß auch diejenigen, welche zur Zeit der Ankunft Christi noch leben, noch vor dem allgemeinen Gerichte sterben werden.

2) Ein jeder wird auferstehen in seinem eigenen Leibe. Dies war schon der Glaube der Gerechten des alten Bundes. Schon Job tröstete sich mit dieser Hoffnung in unsäglichen Schmerzen.

„Ich weiß, daß mein Erlöser lebt, und ich werde am jüngsten Tage von der Erde auferstehen

und werde wieder umgeben werden mit meiner
Haut, und in meinem Fleische werde ich meinen
Gott schauen." (Job. 19, 25—26.)

Wie wird es aber möglich sein, daß eine solche
Sammlung aller Teile des menschlichen Leibes, die
in Verwesung sich aufgelöst, stattfinden kann? Dies
wurde schon dem Apostel Paulus entgegengehalten;
darum schreibt er:

„Aber, wird jemand sagen: Wie stehen die
Toten auf? In welchem Leibe werden sie kommen?
Du Thor! Was du säest, lebt nicht auf, wenn es
nicht zuvor stirbt. Und was du auch säest, so säest
du nicht den Körper, der werden soll, sondern
bloßes Korn, nämlich etwa des Weizens oder eines
der übrigen Früchte. Gott aber giebt ihm einen
Körper, wie Er will, und einer jeden Samenart
ihren besondern Körper." (I. Kor. 15, 35—38.)

Die Auferstehung des Fleisches, d. h. der Leiber,
ist aber nicht nur durch die Allmacht Gottes möglich, sondern auch notwendig. Denn der Mensch
ist bestimmt, nach dem Tode nicht als Geist, sondern als Mensch fortzuleben, weshalb die Seele in
den Leib zurückkehren muß. Zur vollkommenen
Glückseligkeit gehört aber, daß der Mensch auch
leiblich glückselig sei. Es ist also notwendig, daß
der Leib sich wieder mit der Seele vereinige.

Der Leib ist das Werkzeug zum Guten, wie
das Werkzeug zum Bösen. Was der Geist will,
das führt der Leib aus. Es ist aber billig, daß
womit der Mensch sündigt, er damit auch gestraft

werde. Wie demnach die Seele, so hat auch der Leib Anteil an dem Guten, wie an dem Schlimmen, an den Freuden, wie an den Leiden. Erst dann ist die Glückseligkeit oder die Unglückseligkeit vollkommen.

3) Die Leiber der Auferstandenen werden aber nicht alle gleich sein. Die Leiber der Gerechten werden glorreich, die der Gottlosen häßlich sein. Die Leiber werden die Schönheit oder die Bosheit der Seelen zum Ausdruck bringen. Am Leibe der Gottlosen werden die Laster offenbar werden, die das Ebenbild Gottes vernichteten.

„Siehe, ich sage euch ein Geheimnis: Wir werden zwar alle auferstehen, aber wir werden nicht alle verwandelt werden."

(I. Kor. 15, 51.)

Der Leib der Seligen wird alle Eigenschaften besitzen, welche der Leib des Heilandes nach der Auferstehung besaß. Vor allem werden sie verklärt sein.

„Jesus Christus wird den Leib unserer Niedrigkeit umgestalten, daß er gleichgestaltet sei dem Leibe seiner Herrlichkeit."

(Phil. 3, 21.)

Diese Klarheit ist der Glanz, der sich aus der höchsten Glückseligkeit der Seele über den Körper ergießt, so daß sie gleichsam eine Mitteilung jener Seligkeit ist, welcher die Seele sich erfreut.

Ferner werden die Leiber gelenkig; und sie werden sich ganz leicht hinbegeben, wohin die Seele nur immer will, so daß nichts schneller sein kann, als diese Bewegung.

Auch wird der Leib dem Befehle der Seele gänzlich unterworfen sein. Er wird der Seele dienen und jedes Winkes gewärtig sein.

„Gesät wird ein tierischer Leib, auferstehen wird ein geistiger Leib." (I. Kor. 15, 44.)

Die Leiber der Seligen werden nichts mehr leiden. Für sie giebt es weder Hitze noch Frost, weder Krankheit noch Schmerz, weder Trübsal noch irgend ein Gefühl der Unlust. Sie werden auch dem größten körperlichen Elende, dem Tode, nicht mehr unterworfen sein.

„Gott wird abwischen alle Thränen von ihren Augen; der Tod wird nicht mehr sein, noch Trauer, noch Klage, noch Schmerz."
(Offenb. 21, 4.)

Anwendung.

1) Da wir nun wissen, daß auch der Leib Anteil nimmt an der Seligkeit wie an der Unseligkeit der Seele, so muß es unser eifrigstes Bestreben sein, jede Sünde zu meiden, die unsern Körper schänden und beflecken könnte. Wachen wir sorgfältig und beherrschen wir denselben und stellen wir ihn in den Dienst Christi, damit wir in einem neuen Leben wandeln.

„Lasset die Sünde nicht herrschen in euerm sterblichen Leibe, so daß ihr seinen Gelüsten gehorchet, noch gebet eure Glieder der Sünde hin als Werkzeug der Ungerechtigkeit, sondern gebet euch Gott als lebendig Gewordene von den Toten und gebet eure Glieder Gott als Werkzeuge der Gerechtigkeit." (Röm. 6, 12. 13.)

2) Der Gedanke an die Auferstehung erleichtert uns und tröstet uns, wenn wir fühlen, daß der Tod herannaht, und wir von denen, die uns lieb haben und die wir lieben, Abschied nehmen müssen.

Wir freuen uns der Botschaft, daß wir einander wiedersehen werden. Damit tröstete der Apostel Paulus die Thessalonicher, indem er ihnen schrieb:

„Wir wollen euch aber, Brüder, nicht in Unwissenheit lassen über die Entschlafenen, daß ihr nicht betrübt seid, wie die übrigen, die keine Hoffnung haben. Denn, wenn wir glauben, daß Jesus gestorben und auferstanden ist, so wird auch Gott die, welche in Jesu entschlafen sind, mit Ihm herausführen." (I. Thess. 4, 12. 13.)

3) Im Hinblick auf die Herrlichkeit des Leibes, die den Gottesfürchtigen erwartet, ertragen wir gern alle leiblichen Uebel und Gebrechen, alle Krankheiten und alle Schmerzen, und lassen wir uns nicht niederbeugen durch die Trübsale des Fleisches. Es kommt ja die Stunde, in der auch der leibliche Schmerz in leibliche Freude verwandelt wird, und geduldig sehen wir dieser Stunde entgegen.

„Gesäet wird der Leib in Unehre, auferstehen wird er in Herrlichkeit." (I. Kor. 15, 43.)

Zwölfter Glaubensartikel.

Und ein ewiges Leben. Amen.

---

§ 44. Der Himmel.

In die Brust eines jeden Menschen ist der Trieb nach Glückseligkeit eingepflanzt. Der Mensch sucht nach einem seligen Zustande, und schon dies

ift ein Beweis, daß es einen seligen Zuſtand geben
muß. Aber dieſer glückſelige Zuſtand iſt auf dieſer
Erde und ſo lange der Menſch in ſeinem Fleiſche
lebt, nicht zu erreichen. Selbſt wenn er alles irdiſche
Wohlergehen ſich verſchaffen könnte, ſo bliebe ſeine
Seele unbefriedigt und ſehnte ſich nach etwas Höherem.
Die wahre Glückſeligkeit bietet uns erſt nach dem
Tode „das ewige Leben", das heißt jener Zuſtand, in welchem die Seele nicht nur ohne Aufhören fortdauert, ſondern in welchem ſie auf das
innigſte verbunden iſt mit ihrem Gotte und mit
ihrem Heilande, und in Ihm, der ſelbſt das Leben
iſt (Joh. 14, 6.), auch das Leben findet. Die Gerechten werden eingehen in dieſes Leben; denn
ihnen iſt verheißen:

„Befreit von der Sünde, Knechte Gottes geworden, habt ihr zu eurer Frucht
die Heiligung, und als Ende das ewige
Leben." (Röm. 6, 22.)

Das iſt es, was die Kirche mit den Ausdrücken:
die ewige Ruhe, das ewige Heil, das ewige Licht,
das ewige Leben bezeichnet.

1) Es giebt einen Ort, in dem die Gerechten
ewig fortleben werden, und dieſen Ort nennen wir
den Himmel. Er iſt die unſichtbare Wohnung
Gottes, der Engel und der Auserwählten. Von
ihm ſagt David:

„Der Himmel des Himmels iſt des Herrn;
die Erde aber hat Er den Menſchenkindern
gegeben." (Pſ. 113, 24.)

Dieser Himmel übertrifft an Schönheit und Lieblichkeit alles, was des Menschen Herz sich wünschen, des Menschen Sinn sich erdenken kann.

„Kaum fassen wir das, was auf Erden ist, und was uns vor den Augen liegt, finden wir mit Mühe; wer wird denn erforschen, was im Himmel ist?" (Weish. 9, 16.)

Die heilige Schrift giebt uns aber doch in wunderbar schönen Bildern einen Begriff von der Pracht des Himmels.

In der Stadt Gottes sind viele Wohnungen (Joh. 14, 2.), und alle sind überaus lieblich. (Pf. 83, 2.) Darin wohnen die Auserwählten. Sie haben ein herrliches Reich empfangen und eine zierliche Krone aus der Hand des Herrn. (Weish. 5, 17.)

Diese Auserwählten haben Lust die Fülle von vielfältiger Herrlichkeit. (Jf. 66, 11.) Sie werden getränkt mit dem Strome göttlicher Wonne. (Pf. 35, 9.) Wie der Glanz des Firmamentes leuchten sie, wie die Sterne glänzen sie. (Dan. 12, 3.)

2) Die Glückseligkeit der Auserwählten im Himmel besteht also vor allem in der Anschauung Gottes. Wir werden das Wesen Gottes von Angesicht zu Angesicht erkennen. Dies geschieht nicht durch die natürliche Kraft unseres Geistes, sondern durch eine übernatürliche Kraft, welche unserm Geiste wird verliehen werden. Diese übernatürliche Kraft nennen wir das Licht der Herrlichkeit (Glorie) Gottes. Wir werden durch diese Erkenntnis zugleich mit Gott in innigster

Liebe verbunden und nehmen an der Vollkommen=
heit und Herrlichkeit Anteil.

„Wir alle schauen mit enthülltem An=
gesichte wie in einem Spiegel die Herrlichkeit
des Herrn und werden umgewandelt in
dasselbe Bild von Klarheit zu Klarheit
wie von des Herrn Geist." (II. Kor. 3, 18.)

Aus dieser Erkenntnis des Wesens Gottes er=
giebt sich von selbst die Einsicht in die Wege
und Ratschlüsse Gottes. Es wird uns offen=
bar sein, daß alles, was Gott beschloß, fügte und
und zuließ, ein Ausfluß seiner göttlichen Weisheit
und Barmherzigkeit ist. In der Erkenntnis des
göttlichen Wesens nun besteht die vollkommenste
Erfüllung und Befriedigung unserer Seele.

3) Diese Seligkeit des Himmels, welche aus
der Anschauung Gottes hervorgeht, ist begleitet von
dem gänzlichen Freisein von allem Leid und
dem Besitze alles Guten. Im Himmel giebt
es keines von allen Uebeln, unter denen die Men=
schen in ihrer Armseligkeit leiden. Vielmehr ist
dort ein ewiger Tag, den die Herrlichkeit Gottes
erleuchtet, ein ewiger Frühling, den der Hauch des
Geistes grünen und blühen macht.

4) Diese Fülle alles Guten, diese Seligkeit wird
noch erhöht durch die Gemeinschaft mit allen
heiligen Engeln und allen Heiligen Got=
tes, die sich darüber freuen, daß wir ebenfalls in
ihre Reihen eingetreten und Mitgenossen ihrer Selig=
keit sind. Es freut sich unser heiliger Schutzengel,

Zwölfter Glaubensartikel.

Und ein ewiges Leben. Amen.

es freuen sich die glorreichen Patrone, die für uns
am Throne Gottes Fürbitte eingelegt haben, die
Heiligen Gottes alle freuen sich, daß das Reich
Gottes zu uns gekommen ist. Und wer kann die
Freude und Wonne beschreiben, welche in der Vereinigung mit unsern Eltern, Geschwistern, Verwandten, Freunden liegt, welche ebenfalls das hohe
Ziel erreicht haben und nun mit uns Gott anschauen dürfen? Alles dieses mag David vor Augen
gehabt haben, als er ausrief:

„Sie werden trunken werden vom Ueber-
flusse deines Hauses, und mit dem Strome
deiner Wonne wirst Du sie tränken." (Pf. 35, 9.)

5) Diese Freude und Seligkeit der Auserwählten ist eine ewige. Denn da im Himmel durchaus Sündlosigkeit herrscht, so dürfen die Heiligen
Gottes nicht befürchten, noch einmal zu sündigen
und der Seligkeit verlustig zu werden oder dieselbe
auch nur vermindert zu sehen.

„Gott der Herr wird sie erleuchten,
und sie werden regieren in alle Ewigkeit."
(Offenb. 22, 5.)

6) Obwohl aber jeder Auserwählte in der Schöne
des Friedens, in sicherer Hütte, in überschweng-
licher Ruhe wohnen wird (Jf. 32, 18.), so giebt es
doch verschiedene Stufen der Seligkeit; denn auch
hier gilt: „Ein jeder wird seinen Lohn empfangen gemäß seiner Arbeit."
(I. Kor. 3, 8.)

Zwölf Glaubensartikel.   20

Anwendung.

1) Die ernsthafte Betrachtung des Himmels und seiner unvergänglichen Freuden wird unser Herz mit heiliger Sehnsucht nach dem Orte der Herrlichkeit erfüllen, und wir werden ein heftiges Verlangen in uns empfinden, von der Armseligkeit dieses Lebens befreit und mit Christo vereinigt zu werden, der den Seligen Licht, Leben und Alles ist. Wir werden mit Paulus sprechen:

„Ich habe Verlangen, aufgelöst zu werden und mit Christo zu sein." (Phil. 1, 23.)

2) Diese heilige Sehnsucht nach dem Himmel wird uns aber zugleich Kraft und Stärke geben, allen Versuchungen zur Sünde Widerstand zu leisten; denn die Sünde ist es ja, die uns den Eingang in das Himmelreich verschließt und uns der Hoffnung der ewigen Seligkeit beraubt. Und es wird dem Menschen nichts nützen, lange in der Gnade Gottes gelebt zu haben, wenn er nicht in derselben verharrt.

„Wer aber ausharrt bis an das Ende, der wird selig werden." (Matth. 24, 13.)

3) In den Nöten und Trübsalen des Lebens wird der Mensch gar manchmal kleinmütig, und er kommt oft in die Gefahr, mißmutig und gegen Gott ungerecht zu werden. Er vergißt leicht, daß die Leiden zu seiner Reinigung und Läuterung dienen sollen; und indem er sie widerwillig erträgt, verbittert er sich nicht nur das Leben, sondern beraubt sich selbst großer Verdienste. Der Hinblick auf die Herrlichkeit des Himmels, die unser Erbteil ist, ermuntert uns aber wieder und giebt uns Mut und Kraft, alles zu ertragen. Wir nehmen das Kreuz Christi auf unsere Schultern, folgen dem Heiland nach und sprechen: „Ich halte dafür, daß die Leiden dieser Zeit nicht zu vergleichen sind mit der zukünftigen Herrlichkeit, die an uns offenbar werden wird." (Röm. 8, 18.)

Unsere gegenwärtige Trübsal, die Augen-

blicklich und leicht ist, bewirkt eine überschweng=
liche, ewige, alles überwiegende Herrlichkeit in
uns." (II. Kor. 4, 17.)

§ 45. Die Hölle.

Wie es einen Himmel für die in der Gnade
Gottes Gestorbenen giebt, so verlangt die göttliche
Gerechtigkeit auch einen Ort, in dem die Gottlosen
die Strafen ihrer Bosheit empfangen. Wo dieser
Ort ist, wissen wir zwar nicht. Wie aber die hei=
lige Schrift den Wohnplatz der Seligen in die
überirdischen Räume des Himmels verlegt, so ver=
legt sie den Strafort in die unterirdischen Räume.

"Ein brennend Feuer ist mein Zorn
und wird brennen bis in die unterste Hölle."

(V. Mos. 32, 22.)

1) Wie die heilige Schrift die unaussprechlichen
Freuden des Himmels in den prachtvollsten Aus=
drücken schildert, so stellt sie die Schrecken der Hölle
und die Peinen der Verdammten in schauriger und
erschütternder Weise dar. Der Heiland wird am
jüngsten Tage zu denen auf der linken Seite sprechen:
"Weichet von Mir, ihr Verfluchten, in das ewige
Feuer, welches dem Teufel und seinen Engeln be=
reitet worden ist." (Matth. 25, 41.)

Alle, die da Unrecht thun, werden in den
Feuerofen geworfen werden. Da wird Heulen und
Zähneknirschen sein. (Matth. 25, 30.)

Darauf weist Paulus hin, indem er spricht:
"Es wartet unser ein schreckliches Ge=

richt und eiferndes Feuer, das die Wider-
spenstigen verzehren wird." (Hebr. 10, 27.)

Diese entsetzliche Qualen sind zugleich geistige
und leibliche. Vor der Vereinigung der Seele mit
dem Leibe quält das Feuer als Werkzeug Gottes
die Seelen gerade so, wie das Feuer den Teufel
und seine Engel quält, für welche die Hölle zuerst
zubereitet wurde. (Matth. 25, 41.)

Der Satan und seine Engel sind aber unkörperlich
und doch der peinigenden Wirkung des Feuers
unterworfen. Der hl. Gregorius sagt in Uebereinstimmung mit allen Kirchenvätern: „Der Geist
leidet nicht nur durch das Schauen, sondern auch
durch das Empfinden." Nach der Vereinigung der
der Seele mit dem Leibe nimmt aber der Leib
ebenfalls durch die sinnliche Empfindung an der
Strafe teil, wie wir dies ausdrücklich an den Worten
des Heilandes, der von einem brennenden Feuer
und einem nagenden Wurme spricht, erkennen.

2) Der Zustand in der Hölle ist aber auch
darum der allerschrecklichste, weil die Verdammten
der Anschauung Gottes beraubt und von Gott ver-
stoßen sind. Sie sind vollständig von der Liebe
Gottes getrennt. Sie sind hinausgestoßen in die
ewige Finsternis. Sie sind hinausgeworfen „in das
finstere Land, das mit Todesschatten überdeckt ist,
ins Land des Jammers und der Finsternis, wo
Schatten des Todes und keine Ordnung ist, sondern ewiger Schrecken wohnt." (Job 10, 21—22.)
Wie die Verdammten aber von Gott weggestoßen

sind, so sind sie zu dem Teufel und seinen Engeln und in die Gesellschaft aller Gottlosen hineinge= stoßen.

Den Verdammten macht ihr eigenes Gewissen fortwährend Vorwürfe; denn sie sehen jetzt ein, wie schnöde alle Freuden und Genüsse gewesen, um derentwillen sie den Himmel verscherzt, und wie leicht es für sie gewesen wäre, selig zu werden. Wie das böse Gewissen den Kain unstät umher= irren ließ und den Judas dazu trieb, sich zu ent= leiben, so steigert das Bewußtsein der eigenen Schuld die Verzweiflung der Verdammten.

„In denselben Tagen werden die Men= schen den Tod suchen, aber nicht finden, und der Tod wird von ihnen fliehen.“

(Offenb. 9, 6.)

3) Und wie die Freuden des Himmels ewig sind, also sind auch die Leiden der Verdammten ewig. Den Unglücklichen hilft keine Fürbitte und kein Gebet, und ein gutes Werk kann für sie verrichtet werden. So werden sie in ihren häßlichen Leibern fortleben in beständiger Pein, und ihrer Leiden wird kein Ende sein.

Beständig wird der Richterspruch in ihren Ohren gellen:

„Weichet von Mir, ihr Verfluchten in das ewige Feuer.“ (Matth. 25, 41.)

Der Heiland spricht ausdrücklich von einem Wurm, der nicht stirbt, von einem Feuer, das nicht erlischt (Mark. 9, 43.); der Apostel Judas

spricht von Gottlosen, denen die Schrecken der Finsternis für ewig aufbehalten sind (Jud. 13.), und
der Apostel Johannes erkannte im Geiste:

„Der Rauch ihrer Qual wird aufsteigen
in alle Ewigkeit, und sie werden keine
Ruhe haben Tag und Nacht." (Offenb. 14, 11.)

4) Auch die Höllenstrafen sind für die einen
größer, für die anderen geringer, je nach der Bosheit und nach den boshaften Werken. Wie der
Herr nach Verdienst belohnt, so bestraft Er auch
nach Verdienst. Vom Gottlosen gilt, was von Ba-
bylon, das eine Wohnung der Teufel geworden:

„Wie sehr sie sich herrlich gemacht und
in Lüsten gelebt hat, so viel gebet ihr
Qual und Leid." (Offenb. 18, 7.)

5) Es wäre aber ein gefährlicher Irrtum,
zu glauben, daß nur die gröbsten und boshaftesten
Verbrecher, nur die verruchtesten Seelen in die
Hölle kämen.

Wenn der Mensch in einer einzigen schweren
Sünde stirbt, so fällt er der ewigen Verdammnis
anheim. Jede schwere Sünde verdient die ewige
Verdammung, weil jeder Sünder sich von Gott
trennt und dadurch ein Kind des Teufels wird.

Einwendung gegen die Ewigkeit der Höllenstrafen.

Daß eine so schreckliche Wahrheit, wie die Lehre von
der Ewigkeit der Höllenstrafen, bei vielen Anstoß findet
ist begreiflich. Es ist begreiflich, daß es viele Menschen
giebt, welche wünschten, es gäbe keine Hölle, damit sie in
ihrem lasterhaften Leben nicht durch den Gedanken an

dieselbe gestört würden. Was das Herz aber wünscht, das glaubt man gerne, und für das sucht man auch Gründe, um sich beruhigen und rechtfertigen zu können. Solche Leugner der ewigen Strafe wenden ein:

1) **Gott ist die Liebe.** Und Er verlangt von uns, daß wir Ihn ebenfalls lieben. „Wer in der Liebe bleibt, der bleibt in Gott, und Gott in ihm." (I. Joh. 4, 16.) „Die Liebe aber bedeckt die Menge der Sünden." (I. Petr. 4, 8.) — Das ist wahr. Aber es steht auch geschrieben: „Das ist die Liebe zu Gott, daß wir seine Gebote halten." (I. Joh. 5, 3.) Und: „Wer meine Gebote hat und sie hält, der ist's, der Mich liebt." (Joh. 14, 21.) Der Sünder täuscht sich also arg, wenn er meint, er liebe Gott, so lange er sündigt.

2) So grausame Strafen, wie die Strafen der Hölle sind, sagt man, widersprechen der Güte und Barmherzigkeit des Heilandes, der gekommen ist, zu suchen, was verloren war. „Alle, die an Ihn glauben, sollen nicht verloren gehen, sondern das ewige Leben haben." (Joh. 3, 15.)

Gott ist gütig und barmherzig. Er hat sogar der Magdalena und dem Schächer am Kreuze verziehen. Aber gerade deswegen dürfen wir auch nicht zweifeln, wenn Er offenbart, daß die Gottlosen ewiger Strafe anheimfallen. Aus dem Munde des gütigsten und liebevollsten aller Menschen, der sein eigenes Leben für uns dahingab, ist das schreckliche Wort geflossen: „**Hinweg, ihr Verfluchten, in das ewige Feuer!**" Gott ist barmherzig, aber nicht weichherzig. Furchtbar sind die Gerichte, die Er den Sündern angedroht, und furchtbare Gerichte ließ Er über die Sünder kommen, z. B. über das Menschengeschlecht zur Zeit Noes, über die gottlosen Städte Sodoma und Gomorrha, über das treulose Jerusalem 2c.

3) Eine ewige Strafe, sagen andere, stände gar nicht im Verhältnisse zu der begangenen Sünde. Denn auch die schwerste Sünde sei immer nur etwas Endliches, eine ewige Strafe aber etwas Unendliches. —

Allein die Thaten des Menschen sind es nicht, welche die Ewigkeit der Strafe bedingen, sondern die fortdauernde Bosheit des Herzens. Der Herr verzeiht ja alle Sünden; und wären die Sünden so zahlreich wie der Sand am Meere, und wären sie so rot wie Scharlach, so würde der Herr sie weißer machen als Schnee und würde sie in die Tiefe des Meeres versenken. Wer aber in der Un= bußfertigkeit stirbt, wer im Hasse und im Trotze, im Ungehorsam und in der Widerspenstigkeit stirbt, für den ist eine Umkehr nicht mehr möglich, weil die Zeit der Gnade vorüber ist. Der endlosen Bosheit entspricht eine endlose Strafe.

Der Mensch kann sich überdies nicht beklagen, daß ihm Unrecht geschehe, wenn er auch ewig von Gott gestraft wird, weil er Gottes Gebot gekannt hat.

„Er hat dir Feuer und Wasser vorgelegt; strecke deine Hand aus nach dem, was du willst. Der Mensch hat vor sich Leben und Tod, Gutes und Böses; was er will, wird ihm gegeben werden." (Sir. 15, 17. 18.)

Anwendung.

1) Der Gedanke: Es giebt eine Hölle, in welcher der Gottlose ewig gepeinigt wird, sollte billig alle Menschen= seelen mit Schrecken erfüllen und von der Sünde zurück= halten. Diesem Gedanken gegenüber erscheint das Leben der meisten Menschen als ein erschrecklicher Leichtsinn. Eine einzige schwere Sünde beraubt uns aller Gnaden und macht uns der Verdammnis schuldig, und wir tau= meln in unserer Gleichgültigkeit fort und trinken die Sün= den wie Wasser hinein. Oder giebt es etwas Schrecklicheres, als am Tage des Gerichtes vom Heilande die Worte hören zu müssen: „Ich kenne euch nicht!"

(Matth. 25, 11.)

2) Es giebt viele, welche aus Furcht, sich Unan= nehmlichkeiten zuzuziehen, die Gunst eines angesehenen

Mannes zu verlieren, um Amt und Stelle zu kommen oder Verfolgungen preisgegeben zu werden, Dinge thun, von denen sie wissen, daß es eine Sünde ist, oder Dinge unterlassen, von denen sie wissen, daß sie unter einer Sünde verpflichtet sind, sie zu thun, z. B. Ostern die hl. Sakramente zu empfangen, jeden Sonntag und Feiertag die hl. Messe zu besuchen, die gebotenen Fasttage zu halten ꝛc. Möchten diese alle bedenken, wie winzig klein der Vorteil, wie unendlich groß der Nachteil ist, den sie dadurch gewinnen.

„Fürchtet euch nicht vor denen, welche den Leib töten und darnach nichts mehr machen können: fürchtet den, welcher, nachdem Er getötet hat, auch Macht hat, in die Hölle zu werfen." (Luk. 12, 4—5.)

3) Es giebt in allen Ständen, bei hoch und nieder, reich und arm, auch in den besten Lebensverhältnissen, eine Reihe von Lasten, Mühen, Entbehrungen, Unbequemlichkeiten, nicht zu rechnen die vielen Trübsale, die über die Menschen kommen, und gar manchen geht es recht hart im Leben. Da sollen wir denn an die Hölle denken und erwägen: wenn uns unsere gegenwärtigen Trübsale schon so sehr drücken, wie schrecklich, wenn nach diesem armseligen Leben das Elend erst recht anginge! Und wir sollen alles geduldig ertragen und es dem lieben Gott als eine kleine Buße aufopfern und Ihn bitten, es anzunehmen zur Sühnung unserer Sünden. So werden wir hier schon büßen und den Strafen der Hölle entgehen. Beten wir mit dem hl. Augustinus: „Herr, hier schneide und hier brenne, nur verschone uns in der Ewigkeit!"

4) Wollen wir der Hölle entgehen, so ist es das beste Mittel hierzu, recht oft an die Hölle zu denken. Tertullian sagt: „Das Aufhören der Sünde ist die Wurzel der Vergebung, die Betrachtung der Hölle ist der Anfang des Heils."

5) In allen Versuchungen ist der Gedanke an die Hölle die kräftigste und wirksamste Waffe. Die Betrach=

tung des höllischen Feuers wird die Glut der sinnlichen Begierden auslöschen und die unordentlichen Neigungen in Schranken halten. Wo der Gedanke an die Freuden des Himmels nicht mehr hinreicht, uns vom Sündigen zurückzuhalten, da wird der Gedanke an die schrecklichen Qualen der Hölle noch wirksam sein.

§ 46. Der Reinigungsort.

Es entspricht aufs vollkommenste der göttlichen Gerechtigkeit, daß, wie alles, auch das geringste Gute, belohnt wird, so auch alles, auch das geringste Böse, bestraft wird. Es müssen also auch diejenigen Seelen noch bestraft werden, welche zwar im Stande der göttlichen Gnade gestorben sind, aber im Augenblicke des Todes noch manche Mängel an sich hatten, oder, nachdem die ewigen Strafen der Sünden im Sakrament der Buße ihnen nachgelassen wurden, noch zeitlichen Strafen zu leiden haben. Den Ort, wo die gerechten, aber noch nicht ganz vollkommenen Seelen diese Buße zu erleiden haben, wird der Reinigungsort oder das Fegfeuer genannt.

Der Reinigungsort ist kein Mittelzustand zwischen Himmel und Hölle, sondern er ist ein Vorbereitungsort für den Himmel, wenn auch die Strafen Aehnlichkeit mit den Strafen der Hölle haben. Der Reinigungsort wird aufhören. Nach dem allgemeinen Gerichte giebt es nur Himmel und Hölle.

1) Daß es einen Reinigungsort giebt, dafür spricht schon unsere Vernunft. Sie sagt uns: In den Himmel kann nichts unvollendet Gutes eingehen

in die Hölle dagegen nur das vollendet Böse kom=
men. Wenn wir nun auch die besten Menschen,
die unter uns wohnen, betrachten, so finden wir
doch neben allen Tugenden auch noch Unvollkom=
menheiten und Mängel, und wir müssen uns ge=
stehen, daß es wenig ganz reine Seelen giebt. Es
giebt viele Seelen, die frei sind von groben Sün=
den und Verirrungen, aber doch noch eine allzu
große Anhänglichkeit an die Welt haben. Sie lieben
Gott und bereuen ihre Sünden aufrichtig, aber sie
sind doch vielfach launisch, ungeduldig, in der Not
kleinmütig, schwach im Glauben, wie ja selbst die
Apostel vom Heiland deshalb getadelt wurden.
(Luk. 8, 25.) Auch hat uns der Heiland gelehrt, daß
wir von jedem unnützen Worte Rechenschaft geben
müssen. (Matth. 12, 26.) Ein unnützes Wort ist aber
doch keine Sünde, welche die ewige Verdammung
verdient. Es giebt gewiß auch viele Seelen, welche
sich aufrichtig bekehrt haben, aber sterben, bevor
sie noch die Strafen abgebüßt haben. Diese alle
sterben in der Gnade Gottes. Daß nun Gott diese
Seelen nicht von seinem Angesichte verwerfen, son=
dern das Werk der Barmherzigkeit an ihnen voll=
enden wird, dies zu glauben ist eben so vernünftig,
als das Gegenteil hart und grausam wäre.

2) Es steht nun einmal geschrieben:

„Es wird nichts Unreines in die heilige
Stadt, in das himmlische Jerusalem ein=
gehen." (Offenb. 21, 27.)

Es muß also einen Uebergangszustand geben,

in welchem an den in der Gnade Gottes gestor=
benen Seelen das Werk der Reinigung und Läu=
terung vollbracht wird. Dies deuten die Propheten
Michäas und Malachias an:

"Wenn ich gefallen, werde ich wieder
aufstehen; wenn ich im Dunkel sitze, wird
der Herr mein Licht sein. Den Grimm des
Herrn will ich tragen, denn ich sündigte
wider Ihn! Er wird mich ans Licht brin=
gen, und ich werde seine Gerechtigkeit
schauen." (Mich. 7, 8—9.)

Ganz deutlich aber spricht für den Reinigungs=
ort, jene Stelle aus dem Buche der Makkabäer,
die wir bei der Fürbitte für die Toten betrachtet
haben. Denn es ist klar, daß, wenn wir für die
Verstorbenen beten sollen, daß sie von ihren Sün=
den erlöst werden, es eine Möglichkeit dieser Er=
lösung geben muß. Die Anschauung und Uebung
der Kirche, für die Verstorbenen Fürbitten und
Opfer darzubringen, ist allein schon ein hinreichender
Beweis für die Wahrheit der Lehre vom Rei=
nigungsort.

3) Im Neuen Testamente ist die Lehre vom
Reinigungsorte unwiderleglich ausgesprochen. Der
Heiland spricht von einem Kerker, aus dem nie=
mand herauskommt, bis er den letzten Heller be=
zahlt hat. Wird man nicht entlassen, bis man
den letzten Heller bezahlt hat, so kommt man dann
doch heraus, wenn man ihn bezahlt hat. (Matth.
5, 25—26.)

Es ist nach diesen Worten der heiligen Schrift also doch noch in gewissen Fällen eine Abtragung der Schuld durch eine zeitlich begrenzte Sühne möglich.

Und der Apostel Paulus lehrt:

„Es wird eines jeden Werk offenbar werden; denn der Tag des Herrn wird es an das Licht bringen, weil es im Feuer wird offenbar werden; und wie das Werk eines jeden sei, wird das Feuer erproben. Wenn jemandens Werk, welches er darauf gebaut hat, besteht, so wird er Lohn empfangen. Brennt aber jemandens Werk, so wird er Schaden leiden: er selbst aber wird selig werden, jedoch so, wie durch Feuer." (I. Kor. 3, 13—15.)

Aus diesen Worten des Apostels folgt unumstößlich:

Es giebt einen Zustand, in dem der Mensch Schaden leidet, wenn sein Werk bei dem Gerichte nicht vollkommen erfunden wird. Das, was vollkommen erfunden wird (Gold, Silber, Edelstein) bleibt bestehen; was aber nicht vollkommen erfunden wird (Holz, Heu, Stoppeln), kann nicht bestehen, und wer es gewagt hat, solches auf den Grund des Herrn zu bauen, der wird Schaden leiden. Um des Unvollkommenen willen, wird ein solcher selig, jedoch muß er schmerzlich büßen durch das Feuer.

Diese Worte des Apostels sind die Veran=

laſſung, daß der Reinigungsort auch Fegfeuer genannt wird.

4) Eine ganz beſondere Beweiskraft für einen Uebergangszuſtand vom irdiſchen Leben in die ewige Seligkeit liegt in den Totenerweckungen, die nicht nur in den Schriften des Alten und Neuen Bundes, ſondern auch in den nachapoſtoliſchen Zeiten vorkommen. Elias erweckte den Sohn der Witwe von Sarepta (III. Kön. 17, 20 ff.), der Heiland die Tochter des Jairus (Luk. 8, 54.), den Jüngling von Naim (Luk. 7, 15.), den Lazarus. (Joh. 11, 43.) Als der Heiland am Kreuze verſchied, öffneten ſich die Gräber, und viele Leiber der Heiligen, die entſchlafen waren, kamen in die heilige Stadt und erſchienen vielen. (Matth. 27, 52.) Petrus erweckte die Tabitha (Apg. 9, 40.), Paulus den Jüngling Eutychus. (Apg. 20, 9.) Dieſe Toten konnten ſich nicht im Himmel befunden haben; denn die Rückkehr aus demſelben wäre keine Wohlthat geweſen; ſie waren aber auch nicht in der Hölle; denn es waren Heilige, das iſt: in der Gnade Gottes Verſtorbene. Alſo kehrten ſie aus einem Vorbereitungsort in das zeitliche Leben zurück.

5) Die Väter und Lehrer der Kirche ſprechen ſich über den Reinigungsort übereinſtimmend aus:

Origenes lehrt:

„Kommt der Menſch hinüber und bringt er viele gute Werke mit und etwas wenig von Sünde, ſo wird das Wenige als Blei durch das Feuer aufgelöſt und gereinigt, und was übrig bleibt, iſt

Gold. Und je mehr Blei er dort hinüberbringt, desto mehr wird er gebrannt."

Der heilige Augustinus:

„In diesem vorübergehenden Reinigungsfeuer wird man nicht von schweren, sondern von geringen Sünden gereinigt."

6) Wo ist aber das Fegfeuer? Und wie sind die Strafen des Fegfeuers beschaffen? Hierüber hat es Gott nicht gefallen, uns Belehrung zu ge= ben, auch ist es für uns nur notwendig zu wissen, daß es einen Reinigungsort giebt. Es ist aber eine allgemeine christliche Anschauung, daß dieser Ort ebenfalls unter der Erde sei, entfernt von den Regionen des irdischen und des ewigen Lichtes. Und während es ein Glaubenssatz ist, daß zu den Strafen der Hölle die Qual durch das Feuer ge= hört, ist es dagegen kein Glaubenssatz, daß die armen Seelen durch Feuer gequält werden. Allein da in der Hölle ewiges Feuer in der äußersten Finsternis ist, und der Reinigungsort als ein Ker= ker geschildert wird, und der Apostel sagt, daß der Sünder gereinigt werde, wie durch das Feuer, so ist eine nicht unwahrscheinliche Meinung, daß die Qualen des Fegfeuers von denen der Hölle sich nur dadurch unterscheiden, daß diese ewig, jene aber nur zeitlich sind. Der Zustand der armen Seelen ist jedenfalls ein sehr schmerzlicher; denn Qualen leidend entbehren sie der Anschauung Gottes, nach der sie in heißer Liebe sich sehnen.

Es ist aber doch ein großer Unterschied zwischen

den Qualen der Verdammten und den Qualen der armen Seelen. Denn die Verdammten erfüllt die Verzweiflung, das Bewußtsein, daß ihre Qual kein Ende nimmt. Die armen Seelen aber leiden in der Liebe zu Gott, dessen Licht ihnen doch einst leuchten wird. So leiden sie ergeben in den Willen Gottes, der sie zur rechten Zeit in das Haus des himmlischen Vaters aufnehmen wird.

Anwendung.

1) Die Gewißheit, daß auch Seelen, die in der Gnade Gottes sterben, doch oft noch zu leiden haben, nötigt uns, die Frage an uns zu richten: Bist du so rein, daß, wenn der Herr in diesem Augenblicke dich abrufen würde, du in den Himmel eingehen dürftest, ohne die Qualen des Reinigungsortes durchmachen zu müssen? Und wenn du sagen mußt: Leider nein! o so eile, dich mit dem Herrn, der, solange du in der Sünde bist, dein Widersacher ist, zu versöhnen.

„Bringet würdige Früchte der Buße." (Luk. 3, 8.)

2) Der Gedanke an das Fegfeuer soll uns lehren, gegen die kleinen Sünden nicht gleichgültig zu sein, sondern uns sorgfältig in acht zu nehmen, damit wir nicht, mit ihnen belastet, vom Tode überrascht werden.

„Hüte dich und nimm deine Seele wohl in acht." (V. Mos. 4, 9.)

3) Wer kann aber ohne tiefstes Mitleid an die armen Seelen denken, an ihre Peinen, an ihre Sehnsucht und an die Hoffnung, die sie tragen, daß ihre Verwandten und Freunde, die sie zurückgelassen haben, ihnen helfen werden! Sie rufen uns zu: „Erbarmet euch mein, erbarmet euch mein, wenigstens ihr meine Freunde; denn die Hand des Herrn hat mich getroffen." (Job. 19, 21.) Beeifern wir uns, denselben durch die Mittel zu helfen,

mit denen wir den armen Seelen beispringen können, mit Gebet, guten Werken und vorzüglich mit Darbringung des heiligen Meßopfers und würdigem Empfang der heiligen Kommunion.

Amen.

Das Wort Amen ist ein hebräisches Wort und heißt eigentlich: Wahrheit, Treue. Es kommt in der heiligen Schrift in einer doppelten Bedeutung vor. Einmal in der Bedeutung: So soll es sein, so soll es geschehen, möge es so in Erfüllung gehen. Als Moses von den Israeliten Abschied nahm, da gebot er den Leviten, daß sie Segen über die aussprechen sollten, welche die Gebote des Herrn halten würden, Fluch aber über die, welche das Gesetz übertreten. Und so oft ein Fluch ausgesprochen wurde, mußte das Volk Amen sagen. Z. B. „Verflucht sei der, welcher seinen Vater und seine Mutter nicht ehrt." „Amen," antwortete das Volk, „so soll es geschehen." (V. Mos. 27, 15.) Beim jüdischen Gottesdienst antwortete nach dem Gebete des Priesters das Volk „Amen", wie beim christlichen am Schlusse aller Gebete „Amen" gesagt wird. Hier drückt es die Hoffnung und das Vertrauen aus, daß das Gebet in Erfüllung gehen werde. Als Esdras zweiundvierzigtausend Israeliten aus der Gefangenschaft wieder nach Jerusalem geführt hatte, las er ihnen auf öffentlichem Platze das Gesetz vor. Und Esdras lobte den Herrn, den großen Gott, und alles Volk antwortete: „Amen, Amen." (II. Esd. 8, 6.)

Das Wort kommt aber auch in der Bedeutung von: wahrlich, wahrhaftig vor. So spricht der Heiland: „Amen, Amen (wahrlich, wahrlich) sage Ich dir, wenn jemand nicht neu geboren wird, so kann er das Reich Gottes nicht sehen." (Joh. 3, 3.) In dieser Bedeutung kommt es in den Reden des Heilandes dreiundsiebenzig Mal vor.

Auch in dieser Bedeutung ist es in den christlichen

Zwölf Glaubensartikel. 21

Gottesdienst übergegangen. Als z. B. die Doketen, eine im ersten Jahrhundert n. Chr. entstandene ketzerische Sekte, behaupteten, Christus habe nur einen Scheinleib gehabt und habe nur zum Schein gelitten, da befahlen die Vorsteher der Kirche, daß die heilige Kommunion denen, die sie empfangen, mit den Worten gereicht werde: „Das ist der Leib Christi.“ Die Kommunizierenden aber sagten: Amen, d. h. es ist wahrhaftig so, und drückten dadurch den Glauben an die wirkliche Gegenwart Christi im allerheiligsten Altarssakramente aus.

Wenn nun der katholische Christ des Glaubensbekenntnis mit dem Worte: Amen schließt, so spricht er damit aus: ich glaube fest, daß alles wahr ist, was in dem Apostolischen Symbolum gelehrt wird und in diesem Glauben will ich fest und treu verharren bis zum Tode.

Der Glaube.

Im Glauben liegt das ew'ge Heil!
Er sei und bleibe stets dein Teil!
Wenn dich die ganze Welt verläßt,
Halt' treu an deinem Glauben fest!

Im Glauben liegt das Himmelreich!
Er macht die Menschen Engeln gleich!
Er giebt dir ihre Seligkeit
Und ihre ganze Ewigkeit!

Im Glauben liegt die Schöpferkraft,
Der Glaube neue Himmel schafft,
Wenn Erd' und Himmel auch nicht mehr,
Und macht die Gräber menschenleer!

Der Glaube sei dein Helm, dein Schild,
Der Speer, der deine Rechte füllt,
Dein Panzer, dein zweischneidig' Schwert
In jedem Kampfe siegbewährt!

Morgenandacht.

Im Namen des Vaters und des Sohnes und des heiligen Geistes. Amen.

1) 50 Tage Ablaß jedesmal, wenn man unter dieser Anrufung das Kreuzzeichen macht. — Pius IX., 28. Juli 1863. 2) 100 Tage Ablaß, so oft man, wie oben, das Kreuzzeichen mit Weihwasser macht. — Pius IX., 23. März 1866.

In Demut werfe ich mich vor Dir nieder, o Herr, und bete Dich in tiefster Ehrfurcht an. Ich danke Dir, daß Du mich in der vergangenen Nacht vor allen Übeln des Leibes und der Seele bewahrt und mir wieder einen neuen Tag geschenkt hast. Ich opfere Dir dafür in Vereinigung mit den unendlichen Verdiensten Jesu Christi alles auf, was immer ich heute denken, reden, thun oder leiden werde.

O Gott, es reut mich von ganzem Herzen, daß ich Dich bisher so oft beleidigt habe. Ich nehme mir fest vor, fortan mein Leben zu bessern, die Sünde und jede Gelegenheit zur Sünde zu meiden, alle meine Pflichten treu und eifrig zu erfüllen, die Leiden und Widerwärtigkeiten, die noch über mich kommen mögen, geduldig zu ertragen und den heutigen Tag und alle kommenden Tage meines Lebens allein in deinem Dienste zuzubringen.

Aber ohne deinen Beistand vermag ich nichts. Darum flehe ich Dich inständig an, verleihe mir alle jene Gnaden, deren ich heute besonders bedürftig bin. Stehe mir bei in allen Versuchungen und beschütze mich wider alle Nachstellungen des bösen Feindes, böser Menschen und meiner eigenen bösen Begierlichkeit. Segne und regiere alle meine Gedanken, Worte und Werke, Schritte und Tritte, mein ganzes Thun und Lassen.

Helfet auch ihr mir, ihr Auserwählten Gottes! O heilige Jungfrau und Gottesgebärerin Maria, mit deinem heiligen und keuschesten Bräutigam Joseph, du, o heiliger Engel, mein treuer Schutzgeist, ihr, meine besonderen Schutzpatrone, heilige N. N., und ihr Heiligen, deren Andenken heute begangen wird: reichet mir eure Hand, warnet mich, wenn ich unbehutsam bin, und führet mich, wenn ich mich verirre, auf den rechten Weg zurück, damit ich meine Vorsätze heute getreu möge ausführen. Amen.

Vater unser 2c. Gegrüßest seist du, Maria 2c. Ich glaube 2c.

Gute Meinung.

O mein Gott, ich ergebe mich Dir mit Leib und Seele, mit allen meinen Sinnen und Kräften. Alle meine Gedanken, Worte und Werke opfere ich Dir auf in Vereinigung mit der reinsten Meinung und den unendlichen Verdiensten Jesu Christi, zu deiner Ehre und zur Erlangung meiner ewigen

Seligkeit, für alle Anliegen deiner heiligen katholischen Kirche, insbesondere für unsere Diöcese, unsere Gemeinde, für die Bekehrung der Sünder und zum Troste der Abgestorbenen. Was ich heute etwa werde zu leiden haben, will ich aus Liebe zu Dir, o mein gekreuzigter Heiland, dulden und tragen.

Oder auch:

Alles meinem Gott zu Ehren,
In der Arbeit, in der Ruh';
Gottes Lob und Ehr' zu mehren
Ich verlang' und alles thu';
Gott dem Herrn allein will geben
Leib und Seel', mein ganzes Leben:
Gieb, o Jesu, Gnad' dazu!

Gottes Namen will ich preisen,
Seinen Willen treu vollzieh'n,
Meine Lieb' Ihm zu beweisen,
Jede Sünde standhaft flieh'n;
Ihm zuliebe alles leiden,
Nie von Dir, mein Heiland, scheiden:
Gieb, o Jesu, Gnad' dazu!

Dich, Maria, will ich ehren,
Die Du uns das Heil gebracht;
O ihr Heil'gen, wollt mich lehren,
Was mich heilig, selig macht;
Du, Schutzengel, bei mir bleibe,
All mein Übel von mir treibe:
Gieb, o Jesu, Gnad' dazu!

Kürzere gute Meinung.

O Herr, ich opfere Dir alles auf, was ich heute thun und leiden werde, und vereinige es mit allen

Handlungen, Arbeiten und Leiden Jesu und seiner jungfräulichen Mutter Maria! Ich habe auch das sehnlichste Verlangen, an allen guten Werken, die auf der ganzen Welt verrichtet werden, teilzunehmen und aller Ablässe teilhaftig zu werden, deren ich fähig bin.

Gebet zum heiligen Schutzengel.

Engel Gottes, der Du mein Beschützer bist, erleuchte, bewahre, leite und regiere mich, der ich Dir von des Höchsten Vaterliebe anvertraut bin. Amen.

1) 100 Tage Ablaß jedesmal. — Pius VI., 2. Okt. 1795. 2) Vollkommener Ablaß in der Todesstunde bei würdiger Vorbereitung, wenn man es im Leben oft gebetet hat. — Pius VI., 11. Juni 1796. 3) Vollkommener Ablaß einmal im Monat an einem beliebigen Tage, wenn den Monat hindurch täglich gebetet. Bedingungen: Beicht, Kommunion, Kirchenbesuch, Gebet nach der Meinung des Papstes. — Pius VII., 15. Mai 1821.

Morgensegen.

Es segne und bewahre und beschütze mich und die Meinigen und die ganze liebe Christenheit der allmächtige und barmherzige Gott, Vater, Sohn und heiliger Geist. Amen.

Nach dem Morgengebete verwende, wenn immer du kannst, einige Augenblicke, um über dein Seelenheil oder über eine Religionswahrheit, etwa über eine Antwort des Katechismus oder über eine biblische Geschichte, namentlich über das bittere Leiden und Sterben Jesu Christi nachzudenken und dieselbe zu betrachten. Es ist nicht möglich, sich lange in der Tugend zu erhalten, und noch weniger, darin zuzunehmen, wenn man diese Übung unterläßt.

Haſt du keine gelegene Zeit, dieſe Betrachtung gleich nach deinem Morgengebete zu halten, ſo verrichte dieſelbe gleich bei dem erſten freien Augenblicke oder bei der Arbeit. Gedenke auch während des Tages an diejenigen Punkte der Betrachtung, welche dich am meiſten angeſprochen haben. Sei auch eifrig in der Übung des engliſchen Grußes am Morgen, Mittag und Abend, und verſäume nicht, am Donnerstag und Freitag die entſprechenden Gebete zu verrichten.

Tiſchgebete.

(1. Kor. 10, 31.) „Ihr möget eſſen oder trinken oder etwas anderes thun, ſo thut alles zur Ehre Gottes.“ Vor dem Eſſen ſprich zu dir ſelbſt: „Ich will jetzt meine Speiſe genießen, weil es Gott ſo geordnet hat, um mein leibliches Leben und meine Geſundheit zu erhalten und zu ſeinem Dienſte zu ſtärken“; ſodann bete (nie halte dich Menſchenfurcht von dieſer frommen Übung ab!) mit gefalteten Händen:

Gebet vor dem Eſſen.

Himmliſcher Vater, benedeie und ſegne Speiſe und Trank, die wir jetzt von deiner Güte empfangen werden. Gieb uns Gnade und Gedeihen dazu, daß wir alles zu deiner Ehre und zu unſerer Wohlfahrt gebrauchen mögen, von deiner Liebe auch nimmermehr geſchieden werden, durch Jeſum Chriſtum, unſern Herrn. Amen.

Oder:

O Gott, von dem wir alles haben,
Wir preiſen Dich für deine Gaben.
Du ſpeiſeſt uns, weil Du uns liebſt;
O ſegne auch, was Du uns giebſt.

Oder:

Herr, Gott, himmlischer Vater! segne uns und diese deine Gaben, die wir von deiner milden Güte empfangen werden, durch Jesum Christum, unsern Herrn. Amen.

Vater unser. Gegrüßet seist Du, Maria ꝛc. Ehre sei dem Vater ꝛc.

Gebet nach dem Essen.

Himmlischer Vater, wir danken Dir, daß Du uns unwürdige Menschen gespeiset hast, auch nimmer aufhörst, uns deiner Gnade väterlich teilhaftig zu machen. Ehre und Lob sei Dir, o Gott im Himmel, Friede den Menschen auf Erden, Gnade unsern Wohlthätern, ewige Ruhe allen abgestorbenen Christgläubigen; und nach diesem Elende gieb uns die ewige Freude und Seligkeit! Amen.

Oder:

Dir sei, o Gott, für Speis' und Trank,
Für alles Gute Lob und Dank!
Du gabst, Du willst auch künftig geben;
Dich preise unser ganzes Leben.

Oder:

Wir danken Dir, himmlischer Vater, durch Jesum Christum, deinen geliebten Sohn, unsern Herrn, für alle deine Gaben und Wohlthaten, der Du lebest und regierest von Ewigkeit zu Ewigkeit. Amen.

Vater unser. Gegrüßet seist Du, Maria ꝛc. Ehre sei dem Vater ꝛc.

Bei Tisch hüte dich: a) vor lieblosen und sündhaften Unterhaltungen, b) vor Unmäßigkeit, c) vor Murren über die Speisen. Fromme Christen pflegen sich einen kleinen Abbruch zu thun.

Über das Verhalten während des Tages.

In den Versuchungen nimm schnell deine Zuflucht zu Gott und zum unbefleckten Herzen Mariä und bete; so lange du betest, wirst du nicht sündigen. Darum bete auch, so lange die Versuchung dauert. Hast du das Unglück gehabt, eine Sünde zu begehen, so werde nie mutlos, sondern verdemütige dich vor dem Herrn, deine Schwäche bekennend, und erhebe dich schnell durch einen Akt der Reue und des Vorsatzes.

Halte am Nachmittag oder am Abend, besonders an Sonn- und Feiertagen, eine geistliche Lesung, zum wenigsten eines Stückes aus der Nachfolge Christi. Es wäre zu wünschen, daß in jedem Hause das Leben der Heiligen, die Hauspostille von Goffine, die Philothea oder ein ähnliches geistliches Buch sich vorfände.

Erlauben es deine Geschäfte, so besuche gegen Abend in der Kirche das allerheiligste Sakrament, um deine pflichtschuldige Ehrfurcht gegen den Herrn zu beweisen und Ihn um Gnade anzuflehen. Auch kannst du nachher die allerseligste Jungfrau begrüßen, deinen Rosenkranz beten oder eine auferlegte Buße verrichten.

Pflege dein Leben lang eine zärtliche und kindliche Andacht zur allerseligsten Jungfrau. Lasse nie einen Tag vorübergehen, ohne zu dieser so gütigen Mutter einige besondere Gebete zu verrichten. Gieb dir auch Mühe, daß Maria auch von andern geliebt und verehrt werde.

Vor der Arbeit.

Ich will diese Arbeit, o Gott, verrichten nach deinem heiligsten Willen, zu deiner Ehre, in Vereinigung mit den Arbeiten meines göttlichen Erlösers. Amen.

Größeres Gebet vor der Arbeit.

(I. Mos. 3, 19.) „Im Schweiße deines Angesichtes sollst du dein Brot essen." — So hast Du, o Gott, die Arbeit als eine Strafe für die Sünde und zugleich als ein Heil- und Bewahrungsmittel angeordnet. Laß mich denn meine Arbeit im Geiste der Buße und mit Freuden verrichten und sie mir dadurch leicht und verdienstlich machen für den Himmel. Bewahre mich dabei vor Trägheit und Unzufriedenheit, vor Mißmut und Ungeduld, vor Fluchen und Lästern und jeglicher Ungerechtigkeit. Verleihe mir gnädig Licht, Mut, Kraft und Ausdauer und vor allem deinen Segen. Bei meinen Arbeiten und Beschwerden will ich stets vor Augen haben und nachahmen das Beispiel meines göttlichen Heilandes Jesus und seines hl. Pflegevaters Joseph in der Werkstätte zu Nazareth. Durch meine gute Meinung auch Dir, o Gott, dadurch zu dienen, sei meine Arbeit um das tägliche Brot zugleich eine Arbeit für den Himmel, wo Du, je mehr ich Dir zuliebe gearbeitet, desto mehr mich belohnen wirst am ewigen Feierabende in der Seligkeit. Amen.

Nach der Arbeit.

Nimm, o Gott, diese Arbeit an als ein Dir wohlgefälliges Opfer zu deiner Ehre, zur Nachlassung meiner Sünden, zur Erlangung neuer Gnaden. Amen.

Abendandacht.

Im Namen des Vaters und des Sohnes und des heiligen Geistes. Amen.

Anbetung und Danksagung.

O mein gütigster Gott und Herr, ich benedeie, lobe und verherrliche Dich mit allen Engeln und Heiligen des Himmels. Ich danke Dir für alle Gnaden und Wohlthaten, welche Du mir heute und alle Tage meines Lebens an Leib und Seele so vielfältig erwiesen hast, und opfere Dir dafür in Vereinigung mit den Verdiensten Jesu Christi Leib und Seele, sowie alle die Lob= und Liebeserweisungen deiner Auserwählten auf.

Gewissenserforschung.

Komme, o heiliger Geist, Du Quelle des Lichtes, Du Ausspender der Gnaden, erleuchte meinen Verstand und rühre durch deine Gnade mein laues Herz, damit ich alle Sünden und Fehler des heutigen Tages recht erkennen, sie wahrhaft bereuen und mich ernstlich bessern möge.

Frage dich dann:

Wie habe ich mich heute verhalten: beim Aufstehen? — beim Morgengebete? — bei der heiligen Messe? — bei der Arbeit? — bei Tische? — im Umgange mit dem Nächsten? — mit dieser oder jener Person? in dieser oder jener Gelegenheit? in jener Gefahr, Betrübnis oder Anfechtung?

Habe ich gesündigt: Mit Gedanken? — Habe ich mich in ungläubigen, unehrbaren, habsüchtigen, eiteln, hoffärtigen, zornigen, neidischen, rachgierigen, argwöhnischen, kleinmütigen, ungeduldigen Gedanken freiwillig aufgehalten, und daran Wohlgefallen gehabt? — wie oft? —

Mit Worten? — Habe ich unreine, lieblose, fremde Ehre verletzende Gespräche geführt, Verwünschungen, Lügen, Fluch- und Scheltworte ausgestoßen? — Ist dies unüberlegt oder mit Bedacht geschehen? —

Mit Werken? — War ich träge, ungeduldig bei der Arbeit? — Habe ich meine Berufs- und Standespflichten treu erfüllt? — Habe ich etwas Unehrbares gethan oder zugelassen? — War ich ausgelassen in der Gesellschaft? Wie verhielt ich mich gegen meine Eltern und Vorgesetzten? war ich mürrisch, grob, ungehorsam? — War ich gegen meinen Nächsten liebreich, gefällig, nachsichtig, wohlwollend, oder vielmehr trotzig, feindselig, hart, unbarmherzig, ungerecht? Habe ich ihm Ärgernis gegeben? etwas entwendet oder sonst irgend einen Schaden zugefügt? — Habe ich mich vermessentlich in die Versuchung zur Sünde eingelassen?

Mit Unterlassung? — Habe ich unterlassen, meinen Nächsten zu ermahnen, zu belehren, von der Sünde abzuhalten? — Habe ich besonders für das Seelenheil meiner Kinder und Untergebenen recht gesorgt? — Habe ich versäumt, gute Werke zu thun, und bei allem eine gute Meinung zu erwecken? — Habe ich die jedem Christen üblichen Gebete verrichtet? und wie? — Dachte ich oft an

Gottes Allgegenwart? Was habe ich heute Ihm zuliebe gethan? Folgte ich immer dem Rufe meines Gewissens?

Mit fremden Sünden? — Habe ich Wohlgefallen gehabt an der Sünde des Nächsten? — Habe ich jemand Gelegenheit zur Sünde gegeben; besonders meinen Kindern und Dienstboten? — Habe ich die Sünde eines andern verhindert, wo ich konnte, — und sollte?

Endlich erforsche dich ganz besonders, wie du den des Morgens gemachten Vorsatz gehalten hast, wie oft du ihn gebrochen, und wie oft du dich überwunden hast. Denke reiflich nach, was die Ursache deines Falles war, und suche die Mittel auf, dich künftighin vor dem Falle zu bewahren. Wisse, daß von dieser fleißigen Selbstprüfung größtenteils deine Vollkommenheit und dein ewiges Seelenheil abhängen.

Reue und Vorsatz.

O mein Gott, alles dieses, was ich Böses gethan und Gutes unterlassen, bereue ich nun von Herzen, weil ich dadurch Dich, das liebenswürdigste Gut, den besten Vater, beleidigt habe: verzeihe mir gnädig um Jesu, deines Sohnes, willen!

Ich nehme mir ernstlich vor, alle Sünden, besonders.... zu meiden, jede gefährliche Gelegenheit, besonders.... zu fliehen, alle Mittel zu meiner Besserung, besonders.... zu gebrauchen, alles durch meine Sünden angerichtete Uebel und Unrecht wieder gutzumachen und mich immer mehr zu bessern.

Gebet um Schutz während der Nacht.

Ich begebe mich nun zur Ruhe. O Gott, wache über mich, während ich schlafe; schütze mich wider alle Nachstellungen des bösen Feindes und böser Menschen; wende gnädig ab von mir alle bösen Träume und Anfechtungen, alle Gefahren der Seele und des Leibes und bewahre mich vor einem plötzlichen und unvorhergesehenen Tode.

Schütze und beschirme diese Nacht auch meine Eltern, Geschwister, Verwandten, Freunde und Feinde, unsere geistlichen und weltlichen Vorsteher; stehe bei allen Armen, Leidenden, Kranken und Sterbenden; erbarme Dich der Seelen der Gläubigen im Fegfeuer und nimm sie bald auf in die Wohnungen der ewigen Freude und Seligkeit. Amen.

Herr gieb ihnen die ewige Ruhe u. s. w.

Gebenedeite Mutter meines Erlösers, seligste Jungfrau Maria! mein heiliger Schutzengel! und ihr, meine heiligen Patrone! wachet über mich diese Nacht hindurch und behütet mich vor allem Übel! Amen.

Abendsegen.

Es segne und bewahre mich und die Meinigen und die ganze liebe Christenheit der allmächtige und barmherzige Gott: Vater, Sohn und heiliger Geist. Aller verstorbenen Gläubigen Seelen mögen ruhen durch die Barmherzigkeit Gottes in Frieden! Amen.

Beim Auskleiden.

Ich leg', mein Gott, die Kleider ab,
Gedenk' dabei, daß ich im Grab
Dereinst werd' liegen tot und kalt,
Der Würmer Speis', ganz ungestalt.

Dein Kreuz, o Jesu, schütze mich
Vor allem Bösen gnädiglich;
In deine Wunden schließ' mich ein,
Dann schlaf' ich sicher, keusch und rein. Amen.

Beim Schlafengehen.

Im Namen meines gekreuzigten Erlösers Jesus Christus lege ich mich schlafen.

Vor dem Einschlafen.

Jesus, Maria, Joseph! Euch schenke ich mein Herz und meine Seele!

Jesus, Maria, Joseph! stehet mir bei im letzten Todeskampfe!

Jesus, Maria, Joseph! möge meine Seele mit Euch im Frieden scheiden!

100 Tage Ablaß für jedes dieser drei Gebete. — Pius VII. 28. April 1807.

In schlaflosen Nächten.

Es ist Nacht, es ist finster; doch Gottes Auge sieht auch im Finstern; Er sieht mich überall: — ich will nichts Böses thun. Wenn ich einmal so daliege und mit dem Tode ringen werde: — wie wird mir dann zu Mute sein? — Dann, o mein Gott, erbarme Dich meiner!

Meßandacht,

bei welcher die Haupt-Geheimnisse des heiligsten Opfers betrachtet werden.

Kürzere Erweckung der guten Meinung.

O mein Gott, ich will dieser heiligen Messe anwohnen, 1. um mit allen hier gegenwärtigen Engeln Dich anzubeten, zu loben und zu lieben; 2. um für alle mir erwiesenen Wohlthaten Dir zu danken; 3. zur Genugthuung für meine Sünden; 4. zur Erlangung der Gnadenhilfe, deren ich für Leib und Seele bedarf.

Ausführlichere Erweckung der guten Meinung,
etwa vor einem Hochamte zu gebrauchen.

Allmächtiger, ewiger Gott, Herr himmlischer Vater, ich, dein unwürdiges Geschöpf, opfere Dir in tiefster Demut und mit inbrünstiger Liebe das heiligste Opfer auf, welches dein göttlicher Sohn selbst durch die Vermittelung des Priesters Dir jetzt darbringen wird. Ich opfere es Dir auf in Vereinigung mit jenem heiligsten Opfer, welches Jesus Christus beim letzten Abendmahle und dann auf dem Altare des heiligen Kreuzes unter blutigen Thränen und mit starkem Rufen Dir dargebracht hat. Ich opfere es Dir auf zu deiner größeren Ehre, zum Lobe deiner unendlichen Vollkommenheit und zur Anerkennung deiner Oberherrschaft über Himmel und Erde. Ich opfere es Dir auf zur Bezeugung meines Gehorsams, als ein öffentliches Bekenntnis des alleinseligmachenden katholischen Glaubens und zum Andenken an das bittere Leiden und Sterben Jesu Christi. Ich opfere es Dir auf zur Danksagung für die Einsetzung des heiligsten Altars-Sakramentes und alle andern sowohl mir als meinen Mitmenschen erwiesenen Wohlthaten. Ich opfere es Dir auf zur Genugthuung für meine Sünden und die Sünden aller Menschen, sowohl der Lebenden als der Verstorbenen. Ich opfere es Dir auf zur Erhöhung der heiligen katholischen Kirche, zur Erhaltung des Friedens zwischen den Fürsten und zur Bekehrung aller Irr- und Ungläubigen. Ich opfere es Dir auf für alle kirchlichen Obern, für alle katholischen Christen, für meine Verwandten, Freunde und Wohlthäter, für alle, welche sich mir empfohlen haben, oder für die zu beten ich schuldig bin, und für meine Feinde und Verfolger. Ich opfere es Dir endlich auf für alle unbußfertigen Sünder, für die Sterbenden und die armen Seelen, die im Fegfeuer leiden.

Zwölf Glaubensartifel. 22

O gütigster Gott, um der Kraft dieser heiligen
Messe, sowie aller heiligen Messen, welche heute
dargebracht werden, um des unschätzbaren Wertes
deines kostbaren Blutes willen gewähre mir 1. jene
Gnade, zu deren Erlangung ich diese heilige Messe
anzuhören mir vorgenommen habe; 2. Trost und
Hilfe, Segen und Gnade für Zeit und Ewigkeit;
3. alles, was meinem Seelenheile am zuträglichsten
ist; 4. ein frommes Leben und einen glückseligen
Tod. Schenke uns endlich Dich selbst im Himmel
zu unserer ewigen Freude und Seligkeit. Amen.

Zum Staffelgebet.

Gerechter und doch barmherziger Gott, ich armer,
sündhafter Mensch fürchte mich meiner vielen und
großen Sünden wegen, vor dem Angesichte deiner
göttlichen Majestät zu erscheinen und meinen durch
Sünden befleckten Mund zu deinem Lobe zu öffnen,
da ja der Sünder und seine Sünde in deinen
Augen ein Greuel sind.

Deshalb bekenne ich vor Dir, dem allwissenden
und allmächtigen Gott, vor der seligsten Jungfrau
Maria, meinem heiligen Schutzengel und dem ganzen
himmlischen Hofe, daß ich leider bis auf diese
Stunde oft und schwer gesündigt habe. Alle diese
Sünden, mögen sie mir bekannt oder unbekannt
sein, schmerzen mich, und ich bereue sie von ganzen
Herzen, und zwar nicht so sehr aus Furcht vor
den zeitlichen und ewigen Strafen, welche ich mir
dadurch verdient, als deshalb, weil ich Dich, meinen

Gott, mein beſtes und höchſtes Gut, den ich über alles liebe, dadurch beleidigt habe. Ich faſſe den ernſten Vorſatz, Dich nie mehr durch eine Sünde zu erzürnen und Dich zu lieben in alle Ewigkeit.

Nach dieſem Bekenntniſſe trete ich im Geiſte vertrauensvoll an deinen Altar und flehe mit dem Prieſter:

℣. O Gott, wende Dich uns zu und belebe uns!

℟. Und dein Volk wird ſich freuen in Dir.

℣. Erzeige uns, o Herr, deine Barmherzigkeit!

℟. Und ſchenke uns dein Heil!

℣. O Herr, erhöre mein Gebet!

℟. Und mein Rufen komme zu Dir; denn ein reuiges Herz wirſt Du nicht verſchmähen und das Gebet eines Demütigen nicht verwerfen.

Zum Gloria.

O allerheiligſte Dreifaltigkeit, ein einiger Gott, ich lobe und bete in tiefſter Ehrfurcht an deine höchſte Majeſtät, deine ewige Gottheit. Ich ſchätze und liebe dieſelbe über alles, was im Himmel und auf Erden iſt. Ich freue mich, daß Du der allerhöchſte Gott, unendlich groß, mächtig, weiſe, heilig, gut, barmherzig und gerecht biſt. Ich wünſche von Herzensgrund, daß alle Menſchen Dich erkennen, lieben und loben möchten in Ewigkeit. Wie gern würde ich alles thun und leiden, ja, mein Blut vergießen, damit Du, o großer Gott, nicht mehr beleidigt, ſondern nach Verdienſt gelobt und verherrlicht werdeſt.

Ich danke Dir, o gütigster und freigebigster Gott, so gut ich es vermag, für alle Wohlthaten, welche ich bisher aus deiner Vaterhand empfangen habe. Ich schenke Dir meinen Leib und meine Seele und opfere Dir auf, was ich jemals Gutes gethan oder für Dich Böses gelitten habe und in der Zukunft noch thun und leiden werde. Weil aber dieses Geschenk ein viel zu geringes ist, so bringe ich Dir als einen Beweis meiner Dankbarkeit auch noch alles dar, was aus Liebe zu Dir alle Gerechten auf Erden und Heiligen im Himmel, besonders aber die gebenedeiteste Himmelskönigin Maria gethan und gelitten hat.

Endlich opfere ich Dir auf als ein Deiner würdiges und Dir gewiß wohlgefälliges Lob- und Dankopfer alles, was Jesus Christus für uns gethan und gelitten hat. Zugleich bitte ich in Demut, Du wollest diesen unendlichen Schatz aus der Hand deines göttlichen Sohnes selbst huldvoll annehmen, damit ich so durch Jesus Christus, unsern Mittler bei Dir, in gebührender Weise Dir danke, Dich lobe und verherrliche. Amen.

Zum Evangelium.

O mein Gott und mein Herr, der Du unendlich weise und unfehlbar im Erkennen, wahrhaft und zuverlässig im Reden, ja, die ewige Weisheit und Wahrheit selbst bist, mit Verstand und Willen nehme ich alle Lehren der heiligen katholischen Kirche ohne Rückhalt an. Ich bekenne und be-

teuere vor der ganzen Welt und den himmlischen
Heerscharen, daß alles wahr ist, was die Kirche
mir zu glauben vorstellt. Obwohl ich vieles davon nicht zu begreifen vermag, so nehme ich es
dennoch mit voller Ueberzeugung an, weil Du,
o Gott, der Du Dich selbst und auch uns nicht
täuschen kannst, es geoffenbart hast. Und damit
Du siehst, o Gott, daß es mein fester Wille ist,
diesen Glauben niemals zu verleugnen, und lieber
das Leben zu verlieren, als die heilige katholische
Kirche zu verlassen, so lege ich vor dem Angesichte deiner göttlichen Majestät und auf das heilige
Evangelium das Versprechen ab, in diesem Glauben
deiner Kirche zu beharren, bis in den Tod. Alle Wahrheit ist ja bei Dir, o Gott, der Du gesprochen: „Im
Anfange war das Wort, und das Wort war
bei Gott, und Gott war das Wort." (Joh. 1, 1.)

Ich bitte Dich flehentlich, o mein Gott, Du
wollest diesen meinen Glauben mir erhalten, stärken
und vermehren, alle Versuchungen gegen denselben
aus meinem Herzen fernhalten, meine letzte Kommunion sowie meinen letzten Kuß auf das Kruzifix
als ein vollkommenes Bekenntnis des wahren
Glaubens annehmen und mir endlich, deinem Versprechen gemäß, um dieses Glaubens willen die
ewige Herrlichkeit verleihen. Amen.

Zur Opferung.

O heiliger Vater, allmächtiger, ewiger Gott,
nimm an diese heilige Hostie, welche durch die

Hände des Priesters Dir, meinem lebendigen und wahren Gott, aufgeopfert wird, zur Genugthuung für meine zahllosen Sünden, Fehler und Unvollkommenheiten, sowie zum zeitlichen und ewigen Nutzen aller Christgläubigen, sowohl der Lebendigen als der Abgestorbenen.

Ich opfere Dir zugleich auf, o himmlischer Vater, meinen Verstand und mein Gedächtnis und bitte Dich, Du wollest beide erleuchten und heiligen, damit sie künftig nichts anderes mehr kennen und denken, als was Dir wohlgefällig ist.

Ich übergebe Dir meinen Willen und vereinige ihn so fest mit dem deinigen, daß er nichts mehr suche außer Dich, nichts mehr liebe ohne Dich und nichts mehr verlange, als was, wie und wann es Dir gefällt.

Ich schenke Dir meinen Leib und meine Seele, alles, was ich bin, was ich habe, und was ich vermag. O Gott, nimm mich mir und gieb mich Dir! Dein bin ich, Dir will ich leben und sterben; ach, laß mich in der Ewigkeit nicht verderben! A.

Zur Präfation.

Allmächtiger, ewiger Gott, Herr, himmlischer Vater, sieh an mit den Augen deiner grenzenlosen Barmherzigkeit unsern Jammer, unser Elend und unsere Not. Erbarme Dich aller Christgläubigen, für welche dein eingeborner Sohn, unser lieber Herr und Heiland Jesus Christus, in die Hände der Sünder freiwillig gekommen ist und sein kost=

bares Blut am Stamme des heiligen Kreuzes ver=
gossen hat. Durch diesen Herrn Jesus wende ab,
o gütigster Vater, die wohlverdienten Strafen,
gegenwärtige und zukünftige Gefahren, schädliche
Empörungen, Kriegsrüstungen, Teurung, Krank=
heiten und betrübte, unglückliche Zeiten. Erleuchte
auch und stärke in allem Guten die geistliche und
die weltliche Obrigkeit, damit sie alles fördern, was
zu deiner göttlichen Ehre, zu unserm Heile und
zur allgemeinen Wohlfahrt der Christenheit zu ge=
deihen vermag.

Verleihe uns, o Gott des Friedens, rechte Ver=
einigung im Glauben, ohne alle Spaltung und
Trennung. Bekehre unsere Herzen zur wahren
Buße und Besserung unseres Lebens. Zünde in
uns an das Feuer deiner Liebe; gieb uns Hunger
und Eifer nach aller Gerechtigkeit, damit wir als
gehorsame Kinder im Leben und im Sterben Dir
angenehm und wohlgefällig seien. Wir bitten auch,
wie Du willst, o Gott, daß wir bitten sollen, für
unsere Freunde und Feinde, für Gesunde und
Kranke, für alle betrübten und leidenden Christen,
für die Lebendigen und Abgestorbenen. Dir sei
empfohlen, o Herr, all unser Thun und Lassen,
unser Handel und Wandel, unser Leben und Sterben.
Laß uns jetzt deine Gnade hier genießen und dort
mit allen Auserwählten erlangen, daß wir in ewiger
Freude und Seligkeit Dich loben, ehren und preisen
mögen. Das verleihe uns, Herr, himmlischer
Vater, durch Jesus Christus, deinen lieben Sohn,

unfern Herrn und Heiland, welcher mit Dir und
dem heiligen Geiste als gleicher Gott lebt und
regiert in Ewigkeit. Amen.

Zur Wandlung.

Sei mir gegrüßt auf deinem Altare, Christus
Jesus, geboren aus Maria der Jungfrau und am
Kreuze geopfert für das Heil der Menschheit! Sei
mir gegrüßt, Christus Jesus, mein geliebter Herr,
mein Erlöser, mein Gott und mein höchstes Gut!
Ich glaube an Dich, o Du unfehlbare Wahrheit!
Ich hoffe auf Dich, o Du unendliche Güte! Ich
liebe Dich, o mein Gott und mein Alles!

Sei gegrüßt, Du kostbares Blut, das aus den
Wunden meines gekreuzigten Heilandes geflossen
und mit deinem heiligsten Leibe in diesem Sakramente vereinigt ist! Wasche, reinige, erleuchte,
stärke und bewahre meine Seele zum ewigen
Leben! Amen.

Nach der Wandlung.

Liebreichster und barmherzigster Vater, siehe
jetzt nicht mehr mich armen Sünder, sondern Denjenigen an, der meine Sünden auf sich genommen,
deinen vielgeliebten Sohn Jesus, der als Mittler
zwischen Dir und mir auf dem Altare mit Gottheit und Menschheit, mit Leib und Seele, mit
Fleisch und Blut gegenwärtig ist.

Erwäge, o mildester Vater, den unendlichen
Wert dieses Fleisches und Blutes und um seinet-

willen vergieb uns die Schuld, sowie die Strafe
unserer Sünden und spende uns in reicher Fülle
deine himmlischen Gaben und Gnadenschätze.

Siehe auch, o gütigster Vater, gnädig herab
auf die hülfsbedürftigen und verlassenen Seelen,
die im Fegfeuer schmachten.

Empfiehl jetzt dem Herrn jene Seelen, für welche du
zu beten schuldig bist, und deren Erlösung dir besonders
am Herzen liegt.

Sieh huldvoll auch auf jene Seelen, welche Dir,
deinem göttlichen Sohne und dessen heiligster Mutter
die liebsten sind, und nimm zur Tilgung ihrer
Sündenschuld die überfließende Genugthuung deines
am Kreuze in der bittersten Todesangst gestorbenen
Sohnes an. Laß nur ein einziges Tröpflein seines
kostbaren Blutes ihnen zu gute kommen und nimm
sie auf in die ewigen Freuden! Amen.

Zum Vater unser.

O Vater der Barmherzigkeit und Gott alles
Trostes! Vater, aller Ehre, alles Lobes, aller
Liebe und alles Gehorsams würdig! Vater, dem
es eigen ist, allzeit sich zu erbarmen und zu schonen!
Vater, der Du bist im Himmel und auf Erden,
im Himmel in Glorie und Herrlichkeit, auf Erden
in Güte und Gerechtigkeit, zu Dir erheben wir
unsere Augen, unsere Hände und Herzen. Ach,
erbarme Dich deiner verlassenen Kinder, welche
seufzen in diesem Thale der Thränen!

Vater, dein Name werde geheiligt von mir und allen Menschen, von den Gerechten und den Sündern, von den Gläubigen und den Ungläubigen. Geheiligt werde dein Name in allen unsern Gedanken, Worten und Werken, damit wir alles in deinem und deines Sohnes Namen thun und leiden.

Vater, zukomme uns dein Reich! Du bist unser höchster Herr und König, der Gott unserer Herzen. Entferne aus denselben die Begierlichkeit des Fleisches, die Begierlichkeit der Augen und die Hoffart des Lebens. Wohne und herrsche in uns nach deinem Belieben und führe uns auf dem Wege deiner Gebote deinem ewigen himmlischen Reiche zu.

Vater, dein Wille geschehe, mag er uns angenehm oder beschwerlich sein, Glück oder Unglück, Leben oder Tod über uns verhängen. Vater, dein Wille geschehe ebenso vollkommen in uns, wie er im Himmel geschieht, ebenso vollkommen, wie ihn dein göttlicher Sohn vollzogen hat, als Er gehorsam wurde bis zum Tode am Kreuze.

Vater, gieb uns unser tägliches Brot! Aus deiner Vaterhand erwarten wir, was wir für Leib und Seele auf Erden bedürfen. Spende uns daher deine Gaben, segne unsere Arbeit und verleihe uns die Gnade, das Zeitliche so zu suchen, daß wir darüber das Ewige nicht verlieren.

Vater, vergieb uns unsere Schuld, unsere Sünden nämlich und deren Strafen! Verzeihe uns unsere schweren und läßlichen Sünden; denn aus Liebe zu Dir bereuen wir sie von ganzem Herzen. Vergieb

uns die täglichen Schwachheitsfehler, so oft wir
nach denselben uns Dir wieder zuwenden. O Vater,
verzeihe uns unsere Sündenschuld, vorzüglich bei
dem Scheiden aus diesem Leben; vergieb uns, so
wie auch wir jenen vergeben, die uns beleidigt
haben.

Vater, führe uns nicht in Versuchung! Laß
uns durch keine Anfechtung überwunden werden,
sondern stehe uns dem Versucher gegenüber mit
deiner mächtigen Gnadenhilfe bei. Beschütze und
bewahre uns durch deinen heiligen Engel.

Vater, erlöse uns vom Uebel, vom leiblichen,
vom geistigen, vom gegenwärtigen, vom künftigen
und vom ewigen Uebel! Um dieses flehen wir
zu deiner großen Barmherzigkeit, die keine Grenzen
hat; wir bitten darum durch Jesus Christus,
unsern Herrn. Amen.

Zur Kommunion.

Empfange die geistige Kommunion in folgender Weise:

Ich bete Dich an, Herr Jesus Christus, der
Du als wahrer Gott und wahrer Mensch unter
den Gestalten des Brotes und des Weines auf
dem Altare gegenwärtig bist. Mit der tiefsten
Ehrfurcht werfe ich mich vor deinem Angesichte
nieder. Ach, es reut mich von Herzen, Dich,
meinen Gott und mein höchstes Gut, beleidigt zu
haben. Ich entsage jetzt aller Sünde, ich will aus
meinem Herzen alle lasterhaften Neigungen und

Begierlichkeiten verbannen, um Dir in einem sünden=
freien Herzen eine würdige Wohnung zu bereiten.

Weil ich aber jetzt nicht würdig bin, dein Fleisch
und Blut im allerheiligsten Sakramente zu em=
pfangen, so flehe ich zu Dir, Du wollest aus der
heiligen Hostie dein mildes Auge mir zuwenden
und geistigerweise zu mir kommen. O süßester,
o liebreichster Jesus, komme zu mir mit deiner
Liebe und Güte, mit deinen himmlischen Gaben
und Gnaden und statte meine dürftige Seele da=
mit aus!

O Jesus, Du Liebe meines Herzens, gieb, daß
das Feuer deiner Liebe alles in mir verzehre, was
sündig, weltlich und irdisch ist. O Jesus, Du
süße Liebe meiner Seele, erfreue mich durch deine
Gegenwart und stärke mich zu einem christlichen
Wandel und zur Beharrlichkeit im Stande deiner
Gnade bis in den Tod!

O Jesus, Du Gebieter über meine Seele, mein
Herz steht Dir offen! Du kennst mein Kreuz und
Leid, meine Wünsche und Anliegen, meine Nöten
und Bedürfnisse; Dir empfehle ich mich und die
Meinigen mit Leib und Seele; Dir vertraue ich
an, was ich bin, und was ich habe. Wirke in
mir nach deinem Wohlgefallen; ich habe keinen
andern Wunsch, als daß dein heiligster Wille an
mir und den Meinigen in allen Dingen und zu
jeder Zeit geschehen möge.

Vor allem bitte ich Dich, o mein liebevollster
Jesus, gestatte nicht, daß ich oder einer meiner

Angehörigen jemals eine Todsünde begehe; gewähre uns die Gnade, alle christlichen Tugenden fleißig zu üben, aus Liebe zu Dir alles zu thun und zu leiden, außer Dir nichts zu suchen, gottselig zu leben, in deiner Gnade zu sterben und ewig selig zu werden. Amen.

Zum Segen.

Es segne uns Gott der Vater! Es beschütze uns Gott der Sohn! Es erleuchte uns Gott der heilige Geist! Es stärke und befestige uns in allem Guten die Kraft des bittern Leidens Jesu Christi; sie bewahre uns auf die Fürbitte aller Heiligen vor aller Sünde und vor jedem Uebel! Amen.

Inhaltsverzeichnis.

Made in Switzerland.

Lightning Source UK Ltd.
Milton Keynes UK
UKHW041620040119
334726UK00010B/733/P